DU MÊME AUTEUR

Aux Éditions Gallimard

LA RUMEUR DU SOLEIL, *roman*, 1989. Repris en Folio, *n° 2662*, 1994.

LE DONJON DE LONVEIGH, *roman*, 1991.

LE PASSAGE DE L'AULNE, *roman*, 1993. Repris en Folio, *n° 2859*, 1996.

LIVRES DES GUERRIERS D'OR, *roman*, 1995.

LE SONGE ROYAL. *Louis II de Bavière*, 1996.

L'INVENTEUR DE ROYAUMES. *Pour célébrer Malraux*, 1996.

Aux Éditions Artus

LA MAIN À PLUME, *essai*, 1987.

IMMORTELS, MERLIN ET VIVIANE, *récit*, 1991.

UN DONJON ET L'OCÉAN, *album*, 1995.

L'ORÉE DES FLOTS, *récit*, 1997.

L'ARCHANGE ET LE DRAGON, *album*, 1996.

Aux Éditions du Mercure de France

L'INVENTAIRE DU VITRAIL, *roman*, 1983.

LES PORTES DE L'APOCALYPSE, *roman*, 1984.

LE DIEU NOIR, *roman*, 1987. Repris en Folio, *n° 2195*, 1990.

Aux Éditions de La Table Ronde

JULIEN GRACQ, FRAGMENTS D'UN VISAGE SCRIPTURAL, *essai*, 1991.

Aux Éditions Christian Pirot

CHATEAUBRIAND À COMBOURG, *essai*, 1997.

Aux Éditions Ouest-France

BROCÉLIANDE, *album*, 1996.

LES SEPT NOMS DU PEINTRE

PHILIPPE LE GUILLOU

LES SEPT NOMS
DU PEINTRE

Vies imaginaires
d'Erich Sebastian Berg

roman

GALLIMARD

Il a été tiré de l'édition originale de cet ouvrage quinze exemplaires, réservés à l'auteur, sur vélin pur chiffon de Lana numérotés de 1 à 15.

À Hélène, pour nos dix ans.
À Éric et à ses toiles.

« On peint sa vie, toujours. Mais pas directement. Un moment j'ai pensé peindre mon auto-
biographie, depuis l'enfance. Mais, finalement,
je ne crois pas que je le ferai. »

F.B., 15 XI 1971

Avec *Livres des guerriers d'or*, une épopée celtique et arthurienne parue en 1995, j'ai entrepris, sans le savoir, la publication d'un *triptyque initiatique*. Le roman que l'on va lire ici, et qui est le cheminement biographique et esthétique d'un peintre imaginaire, constitue le panneau central de la trilogie. Un récit sacré, *Douze années dans l'enfance du monde*, viendra clôturer, en 1999, le triptyque initiatique.

LE PEINTRE RETROUVÉ

Rome, 22 février 20..

Il a suffi que je reçoive la visite de ce mystérieux envoyé qui venait me commander un *Jugement dernier* pour que je me souvienne que j'avais été peintre. Mon visiteur paraissait connaître la série de crucifiés que j'avais réalisée dans mon atelier de Paris, l'année de la mort de Véronique, et juste avant de partir pour le Japon. Il a regardé avec un sourire le vieil exemplaire jauni de *L'Énéide* qui ne me quitte jamais, puis a dit dans un français impeccable :

— Je compte sur vous. Je veux des corps, une montagne de corps. Et une spirale qui monte vers la Lumière...

J'ai longuement remâché les paroles de ce visiteur du crépuscule. Il y avait trop longtemps que je n'avais pas peint. La salle de l'étage inférieur — l'exacte réplique de celle-ci, que j'occupe avec prédilection — n'a jamais été aménagée en atelier. Il y coule pourtant une belle lumière que colore l'ocre cuit des vieilles façades. L'été, les feuillages du jardin tamisent le jour. Mais les chevalets et les toiles que j'y ai fait porter n'ont jamais vraiment été installés.

Quand je ne lis pas *L'Énéide* — cette bourrasque de combats et de dieux —, je marche dans ma grande salle au par-

15

quet recouvert de petites nattes de couleur, face à mon jardin suspendu, mon jardin de rocailles, de bassins, de passerelles et de minuscules lacs, qui surplombe Rome. Je marche enfermé. Porté par le rythme des vers de Virgile, les fulgurances divines, le tumulte des hommes, l'énergie de mes pas nocturnes qui me mènent sur les berges du Tibre, la fougue encore intacte de mes pas d'adolescent. À seize ans, depuis la Bavière où j'avais fait toutes mes études, j'ai gagné à pied l'académie de mon maître d'Anvers. C'était dans l'autre siècle. Mais je crois n'avoir rien perdu de ma force de marcheur volubile et éveillé.

Les bassins sont peuplés de petites tortues qui se posent ruisselantes sur les galets des rives et me regardent. J'aime la rotondité de leur carapace, leur vieux cou plissé. Elles mettent dans le cadastre parfait du jardin un soupçon de nuit, d'incertitude archaïque, elles émergent et s'arrêtent, interdites, comme des galaxies du Grand Temps. Je reçois peu de visites. Je consigne dans des carnets que je tiens depuis l'époque d'Ettal quelques notes, quelques variations intimes. Je réponds à quelques proches amis, quelques admirateurs qui veulent savoir ce que je deviens, des propriétaires de galeries de New York, Londres ou Paris qui m'entretiennent de la cote de mes œuvres passées. J'ai atteint l'âge des rétrospectives. Il s'en prépare une à Munich à l'automne. Je ne me déplace plus. Depuis la rétrospective du Grand Palais à Paris, en octobre 1994, je n'ai jamais voulu revoir le chemin que tracent mes tableaux. J'exige simplement qu'ils soient richement et lourdement encadrés, et protégés par une vitre. Je veux qu'éclatent aux yeux de ceux qui les regardent la distance et l'artifice de ces déjections.

Je sens que cette lettre que j'écris peut-être pour le commanditaire du *Jugement* prend un tour personnel et intime. Mais la visite de cet envoyé ténébreux a remué une masse de rêves et de réminiscences. Une prochaine nuit, las de

16

marcher dans le grand salon vide, las de contempler le jardin mouillé, je descendrai dans l'atelier et je dessinerai l'ébauche des motifs et des tourbillons. J'ai demandé qu'on m'apporte des corps des morgues de Rome. J'ai traîné l'autre nuit jusqu'ici un cadavre que la crue avait laissé sur les quais du Tibre. La police n'a rien vu. Elle a suffisamment à faire pour prévenir les attentats.

Le salon dans lequel je déambule est long de plus de soixante mètres. Je marche en moi, dans l'épaisseur de mes souvenirs. L'appartement, mis à part les nattes, les rideaux de shoji et de petites tables de nacre sur lesquelles je dessine ou j'écris accroupi, est désespérément blanc et vide. J'ai lu la surprise dans le regard de mon visiteur, apparemment habitué à plus de faste. J'ai mis tout mon faste dans la construction du jardin.

Mes tableaux — je crois en avoir peint plus de mille et parfois sous des noms différents — sont chez des amis, des collectionneurs (il y en a même dans des coffres au Japon), dans des fondations, des musées, des galeries. Il doit m'en rester quelques-uns dans mon vieil atelier insalubre du passage de la Folie, à Paris, tout au nord de l'Irlande aussi, à quelques encablures de cette proue de colonnes basaltiques qu'on appelle la Chaussée des Géants, dans un manoir venteux et hanté. Je me suis enfermé dans Rome les mains vides, comme un ermite ou un prisonnier. J'ai simplement pris *L'Énéide* dans la traduction des Belles Lettres que j'aime par-dessus tout, quelques souvenirs aussi, de quoi aménager un petit oratoire secret.

À la mi-journée, je me pose quelques instants, le temps de manger une soupe de légumes avec de gros blocs de mie trempés. J'ai pris cette habitude l'âge venant, retrouvant ainsi un rite de mon grand-père paternel Karl qui passa la fin de sa vie enfermé dans un fort de l'île de Rügen. C'était une bâtisse désaffectée qu'il avait achetée pour fuir les vivants. Il habitait là, seul, dans la casemate froide et suintante que battaient pluies et vents. Il avait parfois des crises de rage solitaire et il descendait au fusil, comme un fou, la volaille marine qui migrait. Le fort était traversé d'un étroit couloir central qu'il avait tapissé des portraits de ses ancêtres, des chasseurs, des marins, des explorateurs, des figures au visage dur, buriné, aux cheveux clairs, des hommes que je croyais venus des glaces. La nuit, il voilait de pourpre certains portraits. J'allais passer chez lui quelques semaines de vacances. Mon père menait une vie de bohème. Ma mère, d'origine française, ne pensait qu'à sa carrière de cantatrice. Dès que venait le temps des vacances au collège bavarois d'Ettal où j'étais pensionnaire, on ne savait que faire de moi. Au début, je rechignai à me cloîtrer avec le vieil homme bourru. L'île était rude, désolée, étrillée par le vent du Nord. Entourait le fort une végétation de rocailles et d'arbres nains. Mon grand-père avait des visions, des presciences. Certaines nuits qu'il passait à veiller et à boire dans son cabinet blond et ciré, parmi ses beaux meubles d'armateur hollandais, il disait qu'il percevait des intersignes. Ils pouvaient concerner le naufrage d'un bateau cette nuit-là dans les mers nordiques, ou le souvenir de la disparition tragique d'un des ancêtres. Karl affirmait revivre avec exactitude les conditions de la mort du grand ancien. Et le lendemain, en ma présence, moi qui au collège étais habitué à jouer l'enfant de chœur, on parait de rouge le tableau du trépassé. La mer mugissait. Les soupiraux du fort étaient constellés de fientes et de plumes d'oiseaux massacrés. J'ai comme le grand-père le goût des soupes de marin, avec du pain cassé. Mais je sais que je tiens aussi de lui mon goût de l'alcool, des veilles hallucinatoires et des tableaux de naufragés. Je peux d'ailleurs vous avouer que mes plus beaux modèles — et ce déjà dès le *Triptyque* qui marquait la fin de mon initiation chez le maître d'Anvers — revenaient tous des eaux glaciales et lunaires.

En souvenir de ce grand-père qui m'apprit le guet des ombres et la solitude, tout au bout du grand salon japonais, dans le vestibule qui conduit à ma chambre, j'ai installé un petit oratoire. Quand je m'engage dans le corridor, j'ai toujours l'impression d'apercevoir une haie de torches que ploie le vent de mer, des cadres sanglants sur la muraille, un passage qui s'enfonce vers des grèves dévastées. Je suis de nouveau dans le fort de Karl. Dans ce couloir romain dont les murs exhibent des restes de fresques polychromes, j'ai placé sur une console une photographie de Karl posant avec ses frères d'armes sur le dos de saurien de leur sous-marin, des œufs de marbre, des œufs peints — venant de Chine, de Prague et d'autres ailleurs —, de vieux carreaux bleus de Delft en souvenir de mes escapades quand je fuyais la tyrannie du maître d'Anvers, et une statue de la Madone marseillaise, bleu et or, Notre-Dame-de-la-Garde, mère des partances et des vagues, avec un voile élimé, un socle décoré d'anges joufflus, et les talismans d'une double traversée : l'Enfant Jésus et l'ancre de marine. Lorsque j'ai regardé le jardin d'eaux jusqu'au vertige, lorsque j'ai marché jusqu'à lever en moi un bruit de cymbales, je viens m'échouer devant mon autel marin, sur un prie-Dieu rouge qui dut appartenir à un évêque.

Je parle, je suis intarissable. J'avais fait le vœu de vivre dans le silence et le secret. J'avais rêvé d'un grand appartement d'ascète dont j'aurais fait murer une à une les fenêtres. Je parle et une fois encore je dis des noms, des destinations, l'aimantation des lieux qui m'ont fait vivre. Je dis ces choses, ces séductions, cette chape d'émotions que je voulais laisser au seuil du salon blanc. Depuis que je m'étais ainsi retiré, j'allais mieux. J'étais un moine extatique qui contemple les tortues, les galaxies des rocailles,

19

les rides imperceptibles du sable. Ou un arpenteur affolé, brusquement saisi par l'angoisse de l'enfermement. Le soir, j'ouvre les cloisons de papier et de bois, je crois revoir la neige de Kyôto tomber dans le jardin du sanctuaire, les fanaux de la ville, les eaux du fleuve brasillent. Je reste immobile, au-dessus de cette frontière que trace le miroitement des lumières; ma cellule tendue de cloisons diaphanes, avec son parquet qui craque, ouvre sur la ville des ors et des reliques, des augures et des hosties, des confessions et des catacombes. La ville de Néron, des martyrs, des fastes et des fanatismes, le siège d'un chef religieux.

J'avais la naïveté de croire qu'on avait perdu ma trace. Dans la notice du conservateur de Munich, pour la prochaine rétrospective, j'ai lu que ma dernière apparition publique remontait au soir de l'inauguration de l'exposition du Grand Palais, en octobre 1994. C'était une soirée dans un jardin au pied du Père-Lachaise, sous les lierres et les tombes. C'était au sortir du déjeuner en mon honneur à l'Élysée. Le matin même, Egon s'était suicidé dans mon atelier, passage de la Folie. Je sais que d'autres biographes fantasment sur ma disparition une nuit de tempête sur les pierres irlandaises de la Chaussée des Géants. On fait encore de moi un moine zen, un calligraphe anonyme reclus dans un monastère. D'autres encore commentent le prétendu tarissement de mon inspiration. La vérité est la suivante : j'ai peint mille tableaux, j'ai eu sept noms, je fais le bonze au-dessus des catacombes...

Je le devine, je vous irrite. Vous haïssez la logorrhée des vieillards. Il y a une mythologie de l'artiste qui en fait un ange météoritique ou un prodige. L'art, c'est la grâce, l'incandescence du génie, surtout pas un soliloque de vieille carne. N'importe quelle biographie d'Erich Sebastian Berg — puisque tel fut mon nom, le nom qu'avant moi avait porté le reclus du fort — vous attirerait bien plus que ce babil testamentaire. Vous êtes venu me demander un *Juge-*

20

ment dernier. Vous avez traversé le fleuve pour venir jusque dans ce sanctuaire qu'habitaient mes pas nus et mes mouvements d'insomniaque. Je n'attendais plus de visite. Je voulais un peu de sable des catacombes, un peu de terre romaine sur mes parquets récurés comme un pont de navire. Du ciel, des feuillages, des vols lugubres derrière les fenêtres tendues de shoji. Je voulais méditer devant mes rochers moussus, mes tortues et mes signes de lichen en songeant au fort nordique et à sa galerie de portraits voilés.

Le soir, j'aime allumer de petites veilleuses sur les tables de nacre. Après les crues qui ont gonflé le fleuve, la neige est tombée sur Rome. Cet hiver est étrange, fantasque, capricieux. Je marche parmi les flammes qui tremblotent et vais allumer une bougie au pied de l'équipage de Karl et de Notre-Dame-de-la-Garde. Des flocons voltigent sur le jardin, le pont suspendu. La neige a paralysé la ville. Depuis quelques jours les attentats se raréfient : on ne brûle plus d'églises. Je rêvassais ainsi quand j'ai entendu trois coups sourds à la porte. C'était mon visiteur. Il s'est déchaussé avant de fouler les nattes précieuses et m'est apparu vêtu d'une bure sinistre. Je l'ai regardé évoluer dans la pièce, avec lenteur et respect, comme s'il allait dans un lieu sacré.

— Et le tableau? a-t-il demandé en revenant vers les fenêtres.

— J'y songe, ai-je répondu. J'ai commandé des corps, j'ai même repêché un cadavre dans le Tibre...

— C'est bien, a répondu l'homme. J'ai le souvenir des *Crucifiés* de Paris. J'ai vu aussi votre premier tableau, le *Moine nu* d'Anvers. J'irai sans doute à Munich à l'automne. Vous savez, je compte sur vous...

21

— Il y a plus de dix ans que je n'ai pas peint. J'ai tracé des signes. Je ne sais pas si j'aurai la force de m'attaquer de nouveau à toute cette viande...

L'homme de bure a ri, d'un rire franc et sonore. Puis il s'est éclipsé dans la ville enneigée.

Après la neige et les crues, une tempête d'une violence extrême s'est abattue sur Rome. Je ne pouvais plus dormir. Il me semblait que les ruines et les palais criaient dans la bourrasque. J'ai revu aussitôt l'image de la sentinelle en éveil dans le fort de Rügen, les paquets de mer qui s'effondrent sur la carcasse de pierre ; l'océan hurlait par le labyrinthe des couloirs comme au fond d'une grotte. Et il allait, alerte et solennel, un flambeau à la main, vêtu de son éternel uniforme bleu nuit, les traits tirés par l'alcool et la veille, éclairant au passage les portraits tutélaires. « Georg, le chasseur à la baleine, Gregor, l'explorateur des hommes-rennes de Mandchourie, Sebastian, l'archevêque de Berlin, Richard, le protégé de Louis II de Bavière... » Dans la tempête qui secouait Rome, ces noms que je croyais liquéfiés dans les brumes des archipels du Nord me revenaient. Et Karl faisait chaque fois briller la vitre qui recouvrait l'icône. Je me suis levé. Le petit oratoire vibrait comme sur une mer en furie. J'ai allumé une torche. Je n'avais rien à éclairer : mes toiles étaient disséminées de par le monde. J'ai retrouvé le grand salon blanc, les murs de shoji ondulaient.

Depuis l'époque des *Crucifiés* de Paris, depuis la disparition de Véronique et d'Egon, mon cœur était comme frappé à mort. Depuis mon séjour au Japon, je suis passé sur l'autre rive. Mon ardeur se nourrit au soleil des morts. Ou des êtres non nés. La torche à la main, je suis descendu dans mon atelier vide. La flamme éclairait sur les murs écaillés des grotesques grimaçants, des satyres au sexe bandé, des coureurs affolés, pétrifiés dans un flux de lave. Sur la table centrale, dressée comme une pierre à dissection ou une table sacrificielle, pourrissait le noyé du Tibre. Il avait pris une couleur verdâtre et mordorée. J'ai tendu sur la muraille un hectare de toile. Il y avait ce vent qui résonnait dans le tuf des catacombes, l'odeur de la mort, une lucidité cosmique qui m'embrasait. Je me sentais enfin capable de vaincre mes raideurs et mes réticences. Une pyramide de cadavres que la tourmente arrachait à la terre se levait devant moi. Je voyais cette montagne, ces corps glaiseux, noirs et thanatiques, le vent sauvage qui fendait la roche, ouvrant des galeries, des nefs tombales. Le Christ noir du Tibre puait. Son odeur de charnier, de forêt millénaire et engloutie me comblait. Les rictus, les crânes, les faces laminées par le feu des limbes, les ventres flasques ou décharnés, les charrois de reliques renaissaient de mes doigts visionnaires. J'étais capable de saisir la toile dans son ensemble, et dans des instants de fulgurance, les détails, des formes et des couleurs extrêmement localisées s'imposaient. J'étais le passeur des esprits qui parcourt les hypogées de la Vallée des morts; dans l'éclat de ce bleu unique, le pinceau brandi j'allais dans les pas du naufrageur de Rügen. Surtout les âmes mortes, les souffles fossiles, le sang caillé des cryptes, toute la vie souterraine de Rome me gagnait. Je voyais luire les yeux des divinités psychopompes. L'Érèbe, le terreau infernal de *L'Énéide* éclataient en geysers de corps calcinés. Dans ce flot de visions qui m'assaillait, j'eus le temps de tracer la forme de la montagne fracassée, les îlots et les foyers du drame, le mouvement général des figures. C'étaient encore des silhouettes ébauchées, comme les filigranes de carbone de cette Danse macabre qu'enfant j'avais longuement contemplée sur la façade d'une maison des environs d'Ettal.

Une longue prostration a suivi cette nuit de tempête. Hagard je regardais le jardin, les petites tortues, et je ne savais plus si c'était la neige ou la cendre des églises saccagées qui volait. Je me redisais les derniers mots de *L'Énéide* : «... le corps se glace et se dénoue, la vie dans un gémissement s'enfuit indignée sous les ombres.» Il me semblait que j'avais violé des tombes, que j'avais saisi le secret de l'accouplement des corps chthoniens. Après la tempête, après l'ivresse, mon grand-père restait plusieurs heures hébété, immobile. J'étais comme lui, mais un soupçon de vitalité macabre me traversait encore.

Je me mis à rêver. Je n'avais plus d'identité. C'était la conséquence de l'office des morts que j'avais dit dans la solitude de l'atelier, auprès du noyé. Je croyais ne plus avoir d'identité mais mon âme que je pensais purifiée par la neige et la méditation arrêtée de Kyôto demeurait chrétienne. Christique plutôt. Ontologiquement reliée à cette figure essentielle et fraternelle. D'aucuns se mettent en deuil le jour anniversaire de la mort des rois. Je suis de ceux qui portent une cravate rouge, à l'invitation de la liturgie, le Vendredi saint. Il me semblait que j'avais eu autant d'identités que de signatures, autant de noms qui répondaient, chacun, à une *posture* différente. J'avais été Berg, Huel Goat, Autessier, mais aussi Orber, Egal, Essenbach. Au Japon, alors que je traçais un signe dans le sable, un moine m'avait appelé le *porteur d'éclair*. Mais j'étais vraiment moi-même lorsque j'allais une nuit de grand vent, un flambeau à la main, repêcher des corps défigurés que rejetaient les vagues. Avec Karl, quand on ne marquait pas de pourpre certains portraits — il aimait plus que tout celui de l'évêque de Berlin qu'il imaginait en riant succombant dans les bras d'un giton —, il nous arrivait dans la chapelle de la casemate de veiller des corps de naufragés. Avant de prévenir les autorités de l'île, mon grand-père tenait à prononcer une prière secrète qu'il appelait *la muette*. Au crépuscule de ma vie, je venais d'ébaucher *la muette* d'un mort du Tibre.

Il est revenu. C'était un soir de pluie diluvienne. Après la neige et le vent, Rome était soumise aux trombes.

— J'ai vu, a-t-il dit, une spirale de lumière. C'était la nuit de la grande tempête. On voit tout de mon belvédère. Vous avez recommencé à peindre. Quand vous aurez fini, je vous remettrai le pallium du peintre...

Cet homme doit être un initié. J'ai moi aussi ce genre de presciences que je tiens de la pratique de mon art et de la fréquentation de la mort. Il me faudrait donc redescendre dans la viande bourbeuse et suintante pour mériter cette décoration qui m'était promise. J'avais toujours fait fi de ces hochets, mais ici le mot me plaisait, avec sa vieille appellation latine.

— Laissez-moi un peu de temps encore, ai-je répondu à mon visiteur. Il faudrait que je relise les visions de Jean, l'Apocalypse...

— Surtout ne relisez rien... — il était déjà sur le seuil. Quand on a peint les *Crucifiés* que je connais, c'est qu'on porte en soi le mystère de la révélation...

Ce furent ses derniers mots. Comme toujours, son départ me laissait triste et seul. Je m'enfermai dans ma chambre avec Virgile, Rimbaud, les Tragiques grecs.

Je fis ce rêve. Mon visiteur m'attendait sur un pont tronqué, immobile sur une arche veuve. Je sortais d'un temple carré, englouti, une sorte de Sixtine aux murailles délavées. Malgré la brisure du pont et le rythme vif des eaux, nous parvenions à nous rejoindre. Et nous marchions dans une Rome ruiniforme et venteuse. Des façades ocre étaient dressées comme des portants de théâtre. Un vent fou s'engouffrait sous les poternes et les arcades. À mesure que nous multipliions les pas, nous nous enterrions. Nous errions maintenant dans une nécropole souterraine. Le passeur noir qui m'emmenait n'avait qu'un mot : «La crypte, la crypte...» Il le répétait à loisir. Et je le suivais, moi le harfang des forêts du Nord. Une lumière pluvieuse ruisselait le long des parois. Le souterrain se resserra. «La crypte, la crypte avec le linge, l'icône...»

Je me réveillai sur ces mots, sur la vision aussi d'un linge immaculé, marqué d'une empreinte charbonneuse, et que souillaient les eaux déchaînées du fleuve. Je connaissais bien le temple pictural et visionnaire de Michel-Ange. Et voici que mon rêve me montrait, sous la conduite d'un guide averti, la crypte d'une icône charbonneuse. C'était comme la Danse macabre de la maison forestière d'Ettal. C'était comme le fort des ancêtres. Il me restait la fin de l'hiver pour tendre entre le temple et la crypte mon rideau d'Apocalypse.

ETTAL

suivi de Atelier portatif
(notes intimes)

« Nous cherchons partout l'absolu et ne trou-
vons jamais que des choses. »

NOVALIS

Erich Sebastian Berg avait onze ans lorsqu'il entra au collège religieux d'Ettal, dans la Bavière profonde. Ses parents venaient de se séparer. Après quinze ans d'une vie orageuse, Hélène Berg avait choisi de se consacrer tout entière à son métier de cantatrice, abandonnant un mari détestable et ombrageux. Elle voulait chanter Bach et Purcell, et surtout fuir le domaine de Bavière dans lequel Hans Berg rêvait de l'enfermer. C'était un dilettante arrogant et capricieux. Il élevait des chevaux et il les revendait très cher. Hélène appartenait à une très vieille famille de l'aristocratie normande. Ils s'étaient rencontrés à Bayreuth.

Très tôt Hans Berg avait manifesté une vive sympathie pour le régime nazi. Il disait y voir la résurrection de la vieille Allemagne — l'Allemagne éternelle —, il aimait ces démonstrations permanentes de force et de virilité. C'était un être faible, velléitaire, fasciné par l'éclat et la parade. Très tôt aussi Hélène sut qu'il la trompait avec ses maquignons. Hans Berg avait un certain éclat. Il était grand, délié, d'un vrai raffinement, amateur de musique, de voyages, de chevaux et de belles voitures. Son père, un vieil officier solitaire et taciturne qui vivait dans un fort de l'île de Rügen, l'avait renié. Il haïssait la médiocrité du régime d'Hitler. Hélène pensa longtemps que le vieil homme la

29

détestait. C'était une femme discrète et vive que l'austérité du fort rebutait. Elle n'avait pas vingt-cinq ans lorsque Erich Sebastian vit le jour. Le grand-père avait choisi le prénom. Il fallut se marier à la hâte. Un instant, elle eut l'envie de délaisser sa carrière. Elle se réfugia avec son fils en Normandie, dans la propriété familiale de la Roque. Munich était en cendres. Dans sa famille, on la montrait du doigt. Il lui fallait cacher le petit *boche*. Quand elle apprit la réalité de l'holocauste, elle se dit que plus jamais elle ne chanterait en allemand. Mais elle aimait l'Allemagne, la musique, et elle restait secrètement attirée par Hans.

Le domaine de Cramer-Klett où Hans élevait ses pur-sang lui rappelait la Roque : même perspective de prairies, même saturation brumeuse, même environnement forestier. Quand on y arrivait, on croyait retrouver un espace intact, un jardin qui avait échappé au cataclysme. La cendre, le sang, les ruines qui avaient endeuillé le monde ne pouvaient relever que du cauchemar. Ici l'horloge des saisons tournait, inviolée, la neige lustrale appelait les cerfs. Pendant que le petit Erich Sebastian courait par les champs et les bois, Hélène s'enfermait dans son salon, une pièce octogonale qui ouvrait sur les grandes prairies. Elle travaillait Wagner et Bach. Elle avait oublié l'infamie, les convulsions du monde. Elle n'avait de patrie que la musique. C'était sans compter les crises, l'usure, la mort du désir. Les fuites de Hans, les orages. Elle portait une longue robe noire lorsqu'elle répétait à Cramer-Klett. Une longue robe pourpre et cardinalice pour les concerts, les Passions de Bach.

Erich Sebastian était un enfant solitaire et capricieux. À son retour de France après-guerre, Hans décréta qu'il aurait un précepteur. Il était déjà bilingue. Il étudiait deux à trois heures le matin, puis il partait courir dans les champs. Les garçons d'écurie l'adoraient. Il apprit le solfège, il était bon cavalier. À la Roque aussi, il y avait des chevaux, des douves brumeuses, une grande bibliothèque poussiéreuse. Mais à la Roque on le regardait comme un intrus. Ici il était chez lui. Parmi les chevaux et les bois. Hans n'avait pas accepté la défaite. Le drapeau, les emblèmes d'un régime qui avait failli décoraient encore son bureau. Il arrivait le soir qu'il appelât son fils pour lui raconter la disparition sacrificielle du Führer dans son bunker de Berlin. Erich Sebastian partait se coucher, ivre d'images, de colonnes qui déferlent, de parades et de trophées.

Dans le cahier des charges qu'il avait transmis concernant l'instruction et l'éducation de son petit-fils, Karl avait fixé quelques règles fondatrices : Erich Sebastian devait connaître son catéchisme tout d'abord, ensuite la littérature, la musique, l'histoire et l'équitation. Karl écrivait de loin en loin pour prendre des nouvelles. Erich Sebastian ne serait invité que lorsqu'il aurait fait ses preuves dans tous ces domaines. Longtemps l'enfant craignit ce voyage. Sa mère lui avait brossé le portrait d'un vieillard acariâtre et misanthrope. Un vieillard qui n'aimait que les vagues et les oiseaux de mer.

C'est à l'automne de 1951 qu'il fut décidé qu'Erich Sebastian irait étudier à Ettal, un collège de grande réputation. Hélène, qui voyait s'amonceler les difficultés conjugales, avait un moment pensé l'inscrire dans un lycée de Rouen. Hans buvait comme un trou. Il s'était fait installer une mansarde au-dessus des écuries. Hélène préparait la *Passion selon saint Matthieu*. Des répétitions étaient prévues à Munich et à Rome. Elle profita du départ d'Erich Sebastian pour quitter Cramer-Klett de manière définitive.

Elle prépara les affaires de son fils, les siennes aussi. Ils partaient pour l'année. Elle savait qu'ils ne reviendraient plus. L'alcool, l'homosexualité, la nostalgie du régime nazi constituaient l'ordinaire de Hans. Erich Sebastian était secret, introverti. Avant son fils, avant sa carrière, Hélène plaçait la musique. Elle voulait chanter, parcourir le monde, quitter ce domaine froid et herbu où un mari alcoolique et fou rêvait de l'enfermer. C'est le chauffeur de Hans — un de ses amants sans doute — qui les emmena. Sur la route de Munich, elle déposerait et installerait Erich Sebastian dans son collège d'Ettal. Hans ne descendit pas les saluer. L'enfant était blême, d'une nervosité contenue. Hélène demanda au jeune chauffeur de rouler avec une extrême lenteur : une dernière fois elle voulait contempler la haute façade blanche, l'incurvation de la pelouse, les charmilles, les premières pièces d'eau.

Ils découvrirent un monastère blanc que surplombait une énorme coupole. Il pleuvait. La vallée était froide, suintante. Le prieur tarda à les recevoir. Ils durent attendre deux heures. Puis on les fit entrer dans un immense bureau qui sentait l'encaustique et les vieux papiers. Avant de deviner dans la pénombre la mince silhouette du prieur, Erich Sebastian fut saisi par les gigantesques portraits des ecclésiastiques qui couvraient les murs. Leur successeur était là, il venait de jaillir, diaphane, osseux, d'une grande armature dorée. Il regarda la belle jeune femme avec un brin de condescendance. L'art et le luxe n'étaient pas au nombre de ses valeurs.

— Berg, dit-il en s'adressant directement à l'adolescent, sachez qu'il va vous falloir travailler. Fini la vie oisive et protégée. Vos parents ont choisi de vous inscrire dans un endroit rude. Il y a huit heures de cours par jour, sans compter l'étude. Nos dortoirs ne sont pas chauffés. La messe du matin est à six heures. À Ettal, une scolarité bien menée dure sept ans. Dieu a mis sept jours pour créer le monde. Nous avons besoin de sept années pour faire un homme.

Jamais il ne considéra Hélène. On aurait dit un épervier plein de malice et de dédain.

— Vous subirez demain l'examen d'entrée. Je dois m'assurer de l'état de vos connaissances. Je fais peu de confiance à l'enseignement des précepteurs. Je ne crois qu'à l'enseignement de cette école et de l'Église. Au siècle dernier, ces murs abritaient une Académie des Chevaliers. Quand j'ai pris cette charge voici trois ans, je me suis promis de restaurer cette académie. Berg, êtes-vous prêt?

L'adolescent demeura interdit, comme subjugué par le verbe et la présence de l'épervier au monocle d'or. Il ne savait que dire.

— Je n'attends pas de réponse aujourd'hui. Nous verrons demain, dans sept ans… Madame, je vais vous demander de bien vouloir nous laisser. Je dois confesser ce jeune homme avant qu'il ne prenne ses quartiers chez nous… Je vous prie de bien vouloir prendre congé, sans effusion et dans la dignité.

Erich Sebastian embrassa sa mère avec froideur sous le regard térébrant de l'Épervier au monocle d'or.

Il y avait, attenant au grand bureau dans lequel le prieur travaillait et recevait, un minuscule oratoire. On aurait dit un antre charbonneux. Sur un autel de pierre était posée une sorte d'armoire, noire comme un catafalque. Le prieur invita sans ménagement l'adolescent à s'agenouiller sur un vieux prie-Dieu défoncé. L'interrogatoire pouvait commencer.

— Crois-tu à la très Haute et très Sainte Trinité?
— Oui. — C'était un oui murmuré, inaudible.
— Parle plus fort, jeune Berg. Crois-tu au Verbe, à sa puissance lumineuse qui fonde le monde, au Christ et à son sacrifice, à l'Esprit?
— Oui.
— Qui est le Christ pour toi?
— Le fils de Dieu, un envoyé de lumière qui brille jusqu'à brûler sur la croix...
Le prieur frémit.
— As-tu péché tout récemment?
— Sans doute. J'ai quitté le domaine de mon père, j'ai menti à ma mère en lui disant que j'étais heureux de venir ici, j'ai volé dans le bureau de mon père un plumier que j'aimais...
— C'est tout?

— Oui.

— Reparle-moi du Christ. Que sais-tu de Lui ?

— Je sais qu'il est le fils de Dieu, qu'il est né de la lumière, qu'il parcourait les villages, les déserts, qu'il marchait sur les eaux, que mort il est descendu aux enfers, je sais qu'il lavait les pieds de ses disciples et que son sang a été recueilli dans une coupe, je sais qu'il est le juge du monde...

— Je reviens au péché. Quel est pour toi le plus grand péché ?

— Je n'en sais rien.

— Mais le mal est dans ce monde...

— Je n'en sais rien. Je suis venu ici pour apprendre. Je crois au Christ, à la sainte Trinité. Je veux bien être chevalier d'Ettal...

— Cela suffit, dit le prieur. Je t'absous et je t'accueille. Cette petite armoire sur l'autel, regarde-la. Un jour peut-être, tu verras ce qu'elle contient. Pour l'instant, prions ensemble la Sainte Mère de Dieu...

Erich Sebastian découvrit un dortoir sinistre qui donnait sur la montagne. Comme il était parmi les premiers arrivés, il put choisir un lit auprès d'une fenêtre. On voyait des sapins, des rochers qui affleuraient. La montagne dominait le monastère. Il rangea ses vêtements, ses affaires, dont le plumier volé, dans la petite armoire de bois blanc que le collège mettait à sa disposition. Il pleura en regardant les sapins mouillés, la nuit qui tombait. Il ne cessait de revivre l'entretien dans le grand bureau, le départ de sa mère, la confession. Il ne comprenait pas le sens de ces paroles qu'il avait dites sous l'effet d'une force mystérieuse.

Un autre pensionnaire arriva. Il semblait tout aussi perdu. Il parlait une sorte de patois difficilement compréhensible. Il avait des vêtements gris, un crêpe de deuil. Sa sauvagerie paralysa Erich Sebastian. C'était l'heure de l'office. Des cloches sonnaient à tous les étages. Les deux pensionnaires muets descendirent à l'église. Les couloirs étaient interminables, lambrissés de bois sombre : dans le grand escalier qui menait au réfectoire et aux salles de cours étaient pendus des massacres de cerfs et d'élans. D'autres élèves arrivaient, des aînés, rompus aux règles et aux usages. Erich Sebastian se glissa dans un groupe pour fuir la compagnie du paysan mutique. Tous se tassèrent sur de modestes bancs de bois, sous la grande coupole. Les élèves avaient le privilège de suivre l'office dans le chœur, de part et d'autre du grand autel de marbre. Les frères entraient, rigides, vêtus de noir. Leur premier geste fut d'aller s'incliner devant l'image miraculeuse, une Madone talismanique posée au-dessus du tabernacle. L'Épervier au monocle d'or allait parmi eux, en sandales, comme un simple moine. La perfection du rite et la beauté des chants séduisirent Erich Sebastian. Cette colonie d'éperviers et d'oiseaux lugubres rassemblés sous la protection d'une Vierge blanche le transporta. Il avait oublié l'arrivée dans le dortoir glacial, la forêt pluvieuse. Il y avait là les moines et les élèves, les maîtres et les adolescents, ignares, bouseux, intimidés. Beaucoup étaient originaires de la campagne. Ceux qui venaient de la ville étaient des durs qu'il s'agissait de reprendre en main. Erich Sebastian n'avait jamais vécu au milieu d'adolescents de son âge.

À la fin de l'office, les moines se retirèrent un à un, en se prosternant devant la Mère miraculeuse. Les élèves ne pouvaient quitter le chœur qu'après le départ des frères. Un jeune novice, muni d'un long éteignoir, vint souffler les flambeaux de l'autel. Le repas était servi dans le grand réfectoire, à quelques pas de l'église. Les tablées étaient rigoureusement composées. Un aîné présidait. Il était obligatoirement en cinquième ou en sixième année. On ne pouvait parler qu'après lui avoir demandé l'autorisation. Il était de son droit de la refuser.

Une estrade de chêne sombre dominait la salle. Un ambon était disposé dans l'axe des tables. Deux frères, placés de part et d'autre du pupitre, surveillaient le réfectoire. On sonna. Le prieur faisait son entrée. Tous se levèrent. Il monta sur l'estrade.

— Messieurs, dit-il, vous voici dans ces murs jusqu'à l'été. Les feuilles tombent déjà, bientôt ce seront les neiges, l'hiver infini. Vos parents nous ont chargé de veiller à votre instruction. Religieuse, morale, littéraire et scientifique. Vos valeurs sont la foi et l'étude. Il ne sera toléré aucun écart, aucune faiblesse. Votre pratique religieuse et votre travail doivent être irréprochables. Sous le regard de Dieu tout d'abord, et sous le nôtre, nous qui sommes ses modestes servants. J'attends de vous, Messieurs, un travail rigoureux, continu, inspiré. Tout ce que vous entreprendrez devra être mené jusqu'à son terme. Toute dérobade sera sanctionnée.

« ... Je voudrais m'adresser ce soir aux nouveaux. Ils ne savent encore rien. Je les envie. Ils ont à défricher le grand champ de la connaissance. Que les protège notre Sainte Mère d'Ettal, la Vierge blanche et miraculeuse au pied de laquelle vous venez de prier ! Nous sortons de temps très difficiles. Vous avez certainement vu les signes du désastre. L'ordre est à reconstruire. Vous serez ces chevaliers de l'ordre et de la lumière. Ces chevaliers de la conquête et de la foi. Vos valeurs seront la justice, la rigueur, le service, le courage. Le courage physique et l'audace intellectuelle. Je suis Herman Korbs, comme vous je me suis construit dans la prière et le travail. Ce collège fut une grande académie au siècle dernier. J'entends qu'il rayonne très bientôt. À vous d'être ses glaives et ses flambeaux...

Ce premier automne à Ettal fut rempli de mélancolie. La réserve très paysanne des condisciples, l'austérité des cours, une vie extrêmement ritualisée, tout concourait à abattre un adolescent qui n'avait connu que le luxe et l'autarcie. Il fallait manger, apprendre, se laver, dormir dans une promiscuité permanente. Erich Sebastian eut des velléités de fugue. La nuit, alors que la buée des souffles emplissait le dortoir, il regardait la lune, la forêt compacte et bleue. Il revoyait les chevaux fougueux de Cramer-Klett lancés à travers les prairies, les oriflammes de son père, surtout lui manquait la voix de sa mère répétant Bach dans le petit salon de musique. L'énigme de ce couple le hantait. Mais il n'y avait personne à qui confier cette douleur et ce poids.

L'automne fut très pluvieux. La Bavière peut être spongieuse, rousse, riche d'ondées odorantes. Le sol de la cour collait aux bottes. Quelques mouches emprisonnées n'en finissaient pas de bourdonner dans les salles de cours et les dortoirs. Les professeurs étaient presque tous d'origine paysanne, c'étaient des maîtres carrés, bourrus, qui imposaient un savoir qui ne saurait souffrir la moindre contestation. Le professeur de géographie et celui de littérature avaient un peu plus de finesse, il y avait dans leurs cours un peu de légèreté, comme un vent d'ailleurs. Des heures entières on dessinait des cartes, la Bavière, la Poméranie, les terres perdues de l'Est, toute une partie de Berlin figurait en violet sur les cartes; en allemand, on apprenait Goethe et quelques textes très simples de Kleist. Erich Sebastian se fit lentement à cette nouvelle vie. Il n'avait pas le choix. Son désir de fugue s'était attiédi : aux vêpres, il contemplait en rêvant la Madone de Pise, les psaumes l'emportaient, il aimait la coupole, l'église constituée de deux cercles assemblés en huit; les leçons de poésie, de géographie et d'anatomie l'arrachaient à la régularité des heures, il quittait enfin le corps du gamin de première année déjà marqué par le froid et les premières engelures, des fleuves bouillaient sous ses yeux, des écorchés bosselés de tendons et de nerfs à vif, des poèmes de lune et de forêt glaciale, l'appel du pôle et des mers de l'Hyperborée.

Le prieur se faisait très discret. Il sembla même à Erich Sebastian qu'il avait renoncé à diriger l'établissement. Il n'apparaissait qu'aux messes, en ornements d'or, distant, fastueux. Quand il disait la messe, il y avait encore plus de cierges et d'encens. Il n'utilisait qu'un calice qu'on extrayait pour lui du trésor. Il montait à l'autel de marbre rose dans un mélange d'allégresse et de solennité. Puis il s'en allait, un novice soufflait les flambeaux, Herman Korbs s'enfermait dans le petit oratoire attenant à son bureau.

On travaillait toute la semaine. Le dimanche après-midi, après le repas et avant les vêpres, les divisions s'ébranlaient pour la promenade rituelle. Deux directions : la vallée de Linderhof ou Oberammergau. Les divisions marchaient, emmenées par leur chef. On entonnait des cantiques. Lorsqu'on allait vers Linderhof, on s'aventurait dans la vallée de Louis II, le roi fou. Entourait ce roi une aura de soufre et de vénération. Le discours officiel des maîtres et des surveillants condamnait un souverain excessif et dément, mais les jeunes paysans — sans doute destinés au séminaire — évoquaient la figure de Louis II en des termes d'une admiration inentamée. Dès qu'on arrivait aux grilles du domaine royal, on rebroussait chemin. Au retour, aux vêpres, on adorait le Saint Sacrement posé sur l'autel de marbre rose, au-dessous de l'effigie miraculeuse. Erich Sebastian ne se liait à personne. Ses échanges avec ses camarades se limitaient aux quelques paroles qu'exige la vie commune. Les résultats scolaires étaient excellents, mais dès le début de l'hiver, il fut clair pour les maîtres que l'élève ne cessait de se renfermer. Invoquant des douleurs digestives, Erich Sebastian préférait se réfugier à l'infirmerie à l'heure de la promenade dominicale. Les autres, pendant ce temps, marchaient vers Linderhof ou Oberammergau. Couché dans un petit lit blanc de l'infirmerie, loin de tous, il dessinait des cartes, parachevait ses planches d'anatomie pour le cours de sciences naturelles. Il travaillait ainsi le deuxième dimanche de l'Avent, quand soudain la porte de l'infirmerie grinça : c'était l'Épervier au monocle d'or. Erich Sebastian ne dissimula pas ses planches.

— On me dit que tu t'ennuies… Pourquoi ne vas-tu pas marcher avec tes camarades ?

— Je ne suis pas bien, répondit l'enfant.

— Tes résultats sont irréprochables. Tu es parmi les meilleurs. Dans quelques jours, avant Noël, tu seras cité au tableau d'honneur. Mais il faut que tu te secoues. As-tu des camarades ?

— Non. Je n'aimais que les garçons d'écurie du domaine de mon père. Je m'ennuie ici.

— Il est hors de question que tu t'ennuies ici. Ta mère te réclame pour Noël. Ton grand-père aussi. C'est à moi de décider. Dès la fin des cours le 19 décembre, tu prendras la direction de l'île de Rügen…

— Je ne connais pas ce grand-père. Je ne veux pas y aller !

— Sache, jeune homme, que ma décision est irrévocable. Ce sera Rügen ou Ettal seul pendant quinze jours!
Erich Sebastian sombra, secoué de sanglots. Un instant, il pensa s'échapper. Le collège était vide. Ils étaient tous sur la route de Linderhof. Herman Korbs avait disparu dans son bureau. Il courut jusqu'au dortoir, prit des bottes et un pardessus. Puis il s'engouffra sous les massacres constellés de toiles d'araignées. La grande cour était déserte. Erich Sebastian prit seul la route de la montagne. Il marcha des heures. La nuit tombait. Le moribond avait une fougue inextinguible. Des craquements, des râles traversaient le sous-bois. Il restait du long automne pluvieux des senteurs d'écorces putrides, de baies gorgées d'eau, des fumets de fougères ruisselantes. On était loin soudain de tout espace civilisé. Plus de balise, de zone de coupe, pas d'empreinte humaine, pas d'ornière. Le chemin montait, abrupt, crevé de racines et de pierrailles. Le crépuscule s'épaississait. La pluie revint, fine, cinglante. Erich Sebastian n'avait aucune idée de l'endroit où il pouvait être. Il poursuivit sa marche, hagard, essoufflé. Des troncs effondrés barraient la route. Des rameaux blancs et friables parsemaient les boucliers de gneiss. Un instant, il crut entendre le son des vêpres. Il n'avait aucune idée de l'heure. Le son des vêpres... À moins que ce ne fût le tocsin... Un élève avait disparu. Erich Sebastian Berg, première année, Dortoir des Armoiries...

Il y eut soudain devant lui une sorte de maison basse, mêlée à l'épais des taillis. Un refuge de garde forestier peut-être. La nuit était opaque. Pas un feu, pas la moindre lueur. La maison avait des parements de bois, comme en ont les refuges des alpages. Malgré la pénombre, Erich Sebastian crut discerner sur la façade des figures grimaçantes, des faux, des crânes, des squelettes, des torses décharnés, des tibias et des maxillaires entraînés dans une danse cosmique. Il recula, rempli d'épouvante. C'étaient

41

des fresques naïves, colorées et précises, d'un réalisme sauvage. Puis il poussa la porte : comme celle de tous les refuges montagnards, elle n'était pas verrouillée. Quand il entra, il eut l'impression de s'engager dans une nef étroite et poussiéreuse. Il régnait dans la maison, non pas l'odeur lourde et forte de la forêt, mais plutôt celle d'un caveau garni de vieux ossements. La voûte, lui sembla-t-il, était tapissée de bois de cerf. Au centre de l'unique salle, un bateau, une arche vermoulue, pourrissante. Une arche pour dériver sous les étoiles et les crânes. Fourbu, Erich Sebastian s'effondra parmi les toiles d'araignées et les défroques de chauves-souris.

On laissa à l'enfant le temps de se ressaisir au dortoir de l'infirmerie. Puis, quand il eut retrouvé ses forces, il fut conduit sous haute surveillance dans le grand bureau du prieur. Herman Korbs se tenait raide dans un haut fauteuil pourpre. Ses adjoints l'entouraient.

— Peux-tu nous dire, tonna le prieur, les motifs de cette fugue ?

Erich Sebastian Berg demeura silencieux.

— Tu te moques de nous. Avant de partir chez ton grand-père, je vais t'enfermer quelques jours dans mon oratoire. Ainsi, on n'aura pas à aller te chercher dans la montagne. Entends-nous bien. Cette fugue est la dernière. La prochaine fois, c'est le renvoi. Ce le serait déjà si tes résultats n'étaient pas aussi bons.

L'Épervier avait un air d'une extrême dureté. Il écumait. Tout en parlant, il ne cessait de tapoter le guéridon ciré qui était placé devant lui. Erich Sebastian demeura impassible. Jamais il ne présenta ses excuses. Il était écarlate, tendu, plein d'une violence qui ne demandait qu'à déferler.

42

— Je viens d'avoir ton père et ton grand-père au téléphone. Un employé de Cramer-Klett viendra te chercher
et t'accompagnera jusqu'à Rügen. Et si tu n'es pas de
retour le 2 janvier, tu seras exclu...

Les portes de l'oratoire du prieur se refermèrent sur
Erich Sebastian. Une veilleuse tremblotait auprès de l'armoire goudronnée. Ce n'était pas un tabernacle, on aurait
dit une chauve-souris liquéfiée. L'endroit était sinistre, avec
ses lourds fauteuils qui crachaient leur bourre, son mobilier au rebut, ses candélabres déglingués, ses lustres aux
chaînes rouillées. Sur le mur face à l'autel, un plan huileux
et noirci montrait une maquette du monastère vers 1700.
Tout ce que le prieur ne voulait plus voir dans son bureau
avait échoué là. Seule l'armoire charbonneuse excitait la
curiosité de l'enfant. La flamme doit brûler auprès de la
mort, songeait-il. Et il revoyait les cadavres osseux de la maison des hauteurs, l'arche centrale dans laquelle il avait
dormi, parmi les toiles d'araignées et les chauves-souris. On
venait toutes les six heures lui apporter une maigre pitance.
De la viande séchée, quelques fèves. En guise d'arbre de
Noël il voyait un vieillard décharné se dressant devant des
flots démontés. Un matin, il y eut dans l'oratoire une lueur
blafarde, une lueur prégnante, et qui voltigeait. C'était la
neige. La neige des montagnes, des forêts pierreuses et
lunaires, la neige de la maison des cerfs et des morts. Le
désir qu'avait l'enfant de connaître le secret de l'armoire
redoubla. Il se déchaussa, s'approcha de la porte du
prieur : le bureau semblait vide. Alors il monta à l'autel,
mit la main sur l'armoire. Une alarme se déclencha aussitôt. Erich Sebastian eut à peine le temps de descendre, le
prieur était là, furieux, il hurla, le roua de coups. Il frappait l'enfant à l'aide de sa crosse.

— Salaud, criait-il, petit salaud. Voilà que tu oses mettre ta main impie sur l'arche noire d'Ettal.

Quelques minutes après, à demi conscient, Erich Sebastian Berg retrouvait son lit de quarantaine à l'infirmerie.

Un homme sec, vêtu de bleu nuit, attendait l'enfant au débarcadère. Le vieillard tendit une main froide et molle. L'employé de Cramer-Klett qui avait accompagné Erich Sebastian durant les innombrables heures du voyage fut invité à se retirer. Le soir tombait. L'île paraissait déserte. Une meule d'ombres et d'eaux semblait raviner ses falaises de craie. Des ruines, des maisons éventrées, une lande rabotée par les vents polaires, voilà ce qui constituait le décor de ce territoire des confins. Tout le temps qu'ils marchèrent vers le fort, l'enfant eut la sensation que des vagues ourlées d'ombres dantesques s'engouffraient dans les fondations de l'île. Le vieillard ne disait mot, comme s'il eût pris plaisir à intimider l'enfant, chaque fois surpris par l'irruption d'un paquet de mer, par un tonnerre de pierres et de lames, comme si les falaises eussent soudain basculé dans le flot.

Quand ils furent arrivés au fort — une gigantesque carcasse de pierres noires entourée de rares arbres démembrés ou tordus —, Karl interrogea l'enfant. Il lui demanda ce qu'il avait appris, ce qu'il savait de l'histoire de l'Allemagne, des événements récents. Le vieillard avait perdu de sa froideur native, il écouta Erich Sebastian évoquer l'univers d'Ettal, l'autorité mystérieuse du prieur, la mythologie

45

grecque et les navigations d'Ulysse qu'il avait découvertes cet automne. Puis il lui montra sa chambre, une modeste cellule chaulée avec un lit de cuivre et un pupitre de bois grossier, avant de l'entraîner vers ce qui lui tenait lieu de logis. Le seul mobilier précieux était là, dans cette cabine de navigateur solitaire. Des armoires grillagées, des compas, des astrolabes, des sphères armillaires, beaucoup de cartes marines, des photographies de sous-marins, un drapeau noir frappé d'une tête de mort, des pipes, des ex-voto : ainsi se présentait l'univers du veilleur du fort. Karl alluma une pipe et se servit un whisky, comme indifférent à la présence en ces murs de son petit-fils. Il commença à boire. L'enfant considérait tout cela dans un mélange de peur et d'émerveillement. Karl s'assit lourdement dans un énorme fauteuil de cuir.

— Allez, prends place. Installe-toi à mon bureau. Dans mon fauteuil.

L'enfant semblait fasciné par la rumeur des vagues qui se propageait dans les coursives.

— Tu connais ton catéchisme ? demanda Karl. Quel est l'emblème de ton collège ?

— Une licorne qui s'incline au pied de la Vierge d'Ettal.

— Je ne t'ai rien servi à boire. Tu vas goûter un peu de whisky... Et pour toi que veut dire cette légende ?

— Je n'en sais rien. On ne nous l'a jamais racontée...

— Comment trouves-tu cet endroit, jeune Berg ?

— Très froid, très bizarre. Ça n'a rien à voir avec chez mon père..

— Ton père, ton père, clama le vieillard, il n'a jamais aimé que les choses molles. J'espère que tu resteras sept ans chez les frères d'Ettal. Tu dois t'endurcir. Et après, as-tu une idée de ce que tu veux faire ?

— Longtemps j'ai voulu m'occuper de chevaux. Depuis

que je dessine des écorchés, j'aimerais être médecin. Ou dessinateur de cartes...

— C'est bien, dit le vieillard en tirant une longue bouffée de sa pipe. Les chevaux, les cartes, les corps, tout cela est digne des Berg...

— Je ne sais rien de vous, grand-père, dit l'enfant en s'approchant du hublot que la nuit obturait. On ne parlait jamais de vous à Cramer-Klett...

— Pas surprenant, soupira le vieillard. Ils me haïssent. Ton père est un faible. Je ne connais pas assez ta mère pour en parler. On dit qu'elle a une voix magnifique... Tu veux que je me présente. J'ai beaucoup navigué, sous les mers, avant la Première Guerre. Je me suis retiré ici. J'ai écrit une dizaine d'ouvrages consacrés à l'histoire de la Marine. Je te les donnerai...

Karl s'était resservi un whisky. Il soliloquait.

— Allez, va te coucher...

La première nuit au fort fut une nuit d'insomnie totale. Impossible pour l'enfant de fermer l'œil sous ces pierres battues par les flots et les vents. Des mugissements résonnaient dans le boyau des murs, des ombres couraient sur l'enduit de chaux, les esprits de la lande, l'âme errante des naufragés. Chaque fois que la vigilance de l'enfant se relâchait, il avait l'impression d'être happé par une masse visqueuse, comme une mer de globules gélatineux, alors il se dressait sur son lit, en sueur, attiré par la flaque lunaire du haut miroir qui le regardait. Il connaissait les chevaux, la paille des écuries, les douves de la Roque et même la mer grise et étale de Normandie, il connaissait la coupole baroque d'Ettal, la licorne qui implorait la Vierge de marbre, et l'oratoire à l'armoire goudronneuse comme une arche calfatée. Il voulut sortir, crier. Sa porte était verrouillée. Il craignit, comme au collège, de déclencher une alarme. Ce n'était pas un grand-père, c'était un mage, un fou qui venait de pactiser avec Herman Korbs. Mais autant l'Épervier au monocle d'or était secret et impénétrable, autant le maître de ces lieux, avec sa pipe, son whisky, ses beaux meubles dorés, paraissait proche et humain. L'enfant se débattait dans ses draps, froids comme un suaire. Personne n'avait dû coucher là depuis des siècles. Il était le premier à dormir dans un lit où d'habitude on déposait les corps des naufragés. Cette peur s'enfla en lui avec l'autorité d'une certitude. Il était dans le lit d'un mort. D'un mort que les vagues avaient ballotté dans les eaux du pôle, parmi les pieuvres et les algues noires...

Il sortit du lit, courut à la porte, l'ouvrit sans problème. Le fort était petit. Il retrouverait sans difficulté le cabinet d'armateur. Il se faufila dans un étroit couloir qui lui fit penser à un boyau de pyramide. Un homme allait là, une lanterne à la main. Sur les murs étaient dressés de hauts châssis de tissu rouge... Il lâcha un cri de terreur. Karl se retourna :

— Que fais-tu là ? Retourne te coucher immédiatement ! Je ne veux plus te voir avant demain matin !

La nuit de Noël, Karl annonça à son petit-fils qu'ils n'assisteraient pas à la messe. Ils iraient au pied des grands éboulis de craie, arpenter les grèves. La mer, très tumultueuse, était crevée de luminescences. Karl désigna à l'enfant la Grande Ourse, avant de l'inviter à se recueillir.

— Si tu es fondamentalement un Berg, tu vénéreras la mer, l'ailleurs, les étoiles. Pas simplement les haras...

Le grand-père s'était tu, comme absorbé par la préparation d'une liturgie intime. Il reprit :

— Oui, si tu es vraiment digne de notre nom et de notre

48

famille, tu célébreras la mer, l'insupportable marâtre. Cette nuit encore, alors que tous les habitants de l'île adorent le Verbe emmailloté, elle va nous donner des morts. La nuit dernière, ce sont les cris des naufragés qui t'empêchaient de dormir. Le nom, la mer, la mort : tout est là. Je te montrerai tes ancêtres dans le couloir qui traverse le fort, tous des Berg, tous des seigneurs. Petit, tu as la beauté d'un seigneur. Tu domineras. Mais dissimule-toi, reste sept ans chez les frères d'Ettal, dis comme eux, ils ont beaucoup à t'apprendre. Le jour venu, tu leur montreras que tu es un seigneur. J'ai reçu le tableau d'honneur, tu es dans les premiers, parfois le premier. Tu es digne de nous…

Minuit sonnait. La messe du Verbe emmailloté. Les chapelles de Karl, c'étaient les grèves ou le fort, la casemate funéraire. Karl et l'enfant traversèrent des bois que les dernières tempêtes avaient mutilés, puis ils descendirent par un chemin abrupt. « Les morts sont toujours par là, un courant les repousse… » Erich Sebastian n'eut pas le temps de réagir, Karl était déjà sur la grève, il courait sur les bancs d'algues noires, comme un passeur ou un mage. La falaise ravinée, les grottes, les racines des arbres dans les balafres de craie, tout cela composait un décor de cathédrale erratique. Les algues luisaient, tels des nénuphars de pierre. « Un cadavre ! » hurla Karl. Erich Sebastian fut pris d'une peur panique. Karl lui faisait signe d'avancer. Le disque parfait de la lune, les luminescences de la marée, les taillis aux formes chavirées, tous ces pas d'algues noires sur le sable tissaient un paravent de mystère et d'horreur. Erich Sebastian demeura figé, aphasique. Autour de lui, la mer, les falaises, tout bougeait. Impossible de rejoindre Karl et de l'aider à porter le corps. Le vieillard s'empara du paquet tout ruisselant et le jeta sur son épaule. C'était une forme molle, comme un nœud d'algues souples. C'était un noyé. L'enfant ne pouvait que suivre le vieil homme chargé de son fardeau qui dégouttait. Ils allaient sous la lune de Noël, dans la réverbération bleue de l'eau et des murs de craie. Erich Sebastian se tenait à distance, effrayé. Effrayé par cette forme qui se balançait au gré des humeurs de la marche, ce long filament noir et putride. Il coule déjà, se disait l'enfant, et tout à l'heure il sera comme la falaise, creusé de trous où tremblent les ombres...

Ils traversèrent les ruines d'une abbaye. Les lierres qui avaient envahi les fenêtres constituaient des vitraux mouvants. Erich Sebastian crut deviner des gisants, de longs guerriers de pierre, des évêques avec des crosses qui se pendaient aux étoiles. Karl avait tenu à passer par ce chemin incertain, parmi les ronces et les houx. Le vent s'était levé et la meule marine grondait au pied des falaises. Un instant, l'enfant crut qu'il allait renoncer, affolé par le bruit de la mer et du vent, les ruines vivantes, les gisants qui dormaient dans les ronces. Une force l'écrasait, le courbait. Mais la seule idée de rester captif de l'abbaye aux ombres lui donna une vigueur nouvelle. Il se mit à courir, le fort était proche, avec son dos bombé de vieux saurien.

Le long couloir était éclairé lorsqu'ils entrèrent. «Regarde tes ancêtres, regarde tous ces Berg dont tu descends...» Sur les murs, il y avait des seigneurs poudrés, des prêtres, des évêques, des guerriers, des marins, des officiers. Des uniformes, des capes rouges, des galons, des décorations.

— Allons porter le mort à la chapelle, dit Karl. Demain matin, lorsqu'ils seront dégrisés, nous pourrons les prévenir. Ils viendront chercher le mort. Viens le voir...

Erich Sebastian convoqua toutes ses forces pour vaincre la réticence qui le paralysait. Il découvrit un visage jeune, jaune et très plissé, un visage d'homme des glaces. C'était le premier mort qu'il voyait. Il sentit une tiédeur qui envahissait son corps, des larmes lui venaient.

— Ne pleure pas. Veille ce garçon, ce matelot perdu. Songe à l'autre, au veuf qu'il a fait. On est toujours deux dans un hamac. À moins qu'ils ne l'aient jeté à la mer pour conjurer le sort... Allume tous les flambeaux de la chapelle...

Ce que Karl appelait chapelle était en fait une pièce vide, chaulée comme la chambre d'Erich Sebastian, avec en son centre une table de pierre, comme un autel primitif ou une table à dissection. Karl y déposa le cadavre du matelot des glaces et le couvrit de son lourd manteau.

— Va chercher le whisky dans mon bureau. Et ma pipe...

Instinctivement, Erich Sebastian rapporta le cruchon, la pipe et deux verres. Ce qui parut combler le vieillard.

— C'est bien. Trinquons. C'est Noël. Aux Berg, à la mer, ma vieille maîtresse, à ce matelot qui te ressemble. À toi surtout, Erich Sebastian Berg. Te voici baptisé dans le tombeau des Berg.

Ils firent s'entrechoquer les verres de façon très sonore. Le corps était là, sous le manteau, sur la pierre. Ce fort semblait à Erich Sebastian plus menaçant que la maison de la montagne avec ses fresques macabres, plus menaçant que l'oratoire secret de Korbs.

— De quelle nationalité pouvait-il être? De la marine soviétique peut-être... Le matelot jaune, le matelot mongol a brisé l'unité du hamac, laissant un errant, un veuf... Un jour tu serviras dans la marine. Mais puisque tu auras une double nationalité, va dans la française, c'est la plus belle...

Karl s'était levé. Il avait déjà bu, coup sur coup, trois ou quatre verres de whisky.

— Petit, je vais me retirer. Tu dormiras ici cette nuit. Le naufragé des glaces sera ton matelot. Je vais te laisser l'alcool, et les lumières... Avant de partir, je vais réciter une prière secrète, qu'on appelle la *muette*, et qui m'a été transmise par de vieux marins de l'île... Toi, pendant ce temps, dis pour ce païen et en présence d'un autre vieux païen une prière chrétienne...

Karl découvrit le cadavre. Il s'était armé de la lanterne avec laquelle Erich Sebastian l'avait surpris le premier soir. Il s'approcha du corps, fit trois lents tours autour de la pierre, dans le sens inverse de la rotation des aiguilles d'une montre. Les lèvres de Karl bougeaient imperceptiblement. Pendant ce temps, vaincu par l'alcool et l'émotion, Erich Sebastian s'appliquait à réciter un Notre Père. Karl était plus magique que le prieur, sans ornements, sans instruments, avec son grand uniforme usé, et surtout avec sa longue crinière léonine et son profil de vieux veilleur des mers. Il disparut.

Le fort vibrait. Erich Sebastian revoyait les marbrures de la grève, les grottes et les crevasses dans la craie, le promontoire de l'abbaye, les gisants. Ce mot de seigneur que Karl avait prononcé le hantait. Dans le fort, il y avait un matelot mongol, des portraits d'ancêtres glorieux voilés sous des tentures pourpres, une pierre primitive et des flambeaux. C'était la nuit de Noël 1951. À Rügen, comme ailleurs, les habitants fêtaient la naissance du Christ. Dans le fort des Berg, on célébrait le nom, la mer, la mort.

Dans quelques heures, Franz, le garçon d'écurie de Cramer-Klett viendrait chercher Erich Sebastian afin de le raccompagner à Ettal. Le vieillard et l'enfant partagèrent une soupe épaisse et forte, avec du pain trempé. Le corps du matelot avait été donné aux autorités de l'île.

— Je ne sais si tu reviendras, jeune Berg, dit le vieil homme. Si tu es comme ton père, je ne te reverrai plus. Tu es encore jeune, tu n'as pas douze ans. Mais je te l'ai dit, tu as la précocité d'un seigneur. Tu peux revenir dès que tu le souhaites. Mais pense d'abord à ta scolarité chez les frères. Je voudrais t'offrir quelque chose. Pour te faire oublier cette étrange nuit de Noël. Voici…

Il sortit alors un beau sablier ancien, avec une armature de cuivre, un sablier enchâssé dans un écrin de bois doré. Erich Sebastian le saisit avec une extrême précaution :

— Non, grand-père, c'est moi qui vous remercie pour ces jours. J'aurais trop peur qu'on ne me le vole à Ettal…

— N'aie crainte. Ces montagnards et ces terriens ne savent rien de la mer. C'est ton sablier désormais. À l'été peut-être. À l'hiver. Adieu.

Leurs visages frappèrent Erich Sebastian dès le premier jour. C'étaient les deux nouveaux de deuxième année, appelée selon le vœu du prieur, classe Saint-Magne. Était-ce leur statut de nouveaux qui les avait liés, toujours est-il qu'ils ne se quittaient pas. Dès la messe de rentrée, le plus frêle des deux, Christoph, éblouit le collège entier par ses dons de chanteur. Il entonna un *Sanctus* et un *Agnus* d'une rare maîtrise. Erich Sebastian, qui assistait comme toujours le prieur, fut bouleversé par cette voix d'ange. Au dîner, il invita le jeune chanteur à le rejoindre. Christoph était d'origine autrichienne. Ses parents venaient de louer une ferme dans les environs. Christoph appartenait depuis des années à une chorale. Erich Sebastian avait été séduit par la voix de l'enfant, mais il craignit aussitôt d'être supplanté dans l'estime du prieur. Il n'avait pas de dons qu'il pût ainsi soumettre à la reconnaissance publique. Il était bon en mathématiques, en littérature et en grammaire, il connaissait son catéchisme. L'année scolaire précédente, il avait collectionné les prix, mais tout pouvait être remis en cause.

L'autre nouveau se nommait Fabian. Pour la première séance de douches du dortoir, il se fit remarquer en arrivant nu, alors que l'usage commandait de porter un horrible maillot sombre délivré par les frères. Il était svelte, musclé, uniformément bronzé. Le surveillant ne lui fit aucune réprimande, surpris par cette audace et cette aisance. Le lendemain, à la première leçon de mathématiques, Christoph et Fabian se disputaient pour répondre. Quelques jours plus tard, à la première composition, ils arrivaient tous les deux en tête.

Désormais, aux vêpres, Christoph chantait à chaque cérémonie, et sa virtuosité, la pureté de sa voix d'ange sylvestre émouvaient l'assistance entière. Dès l'arrivée de ces nouveaux, Erich Sebastian s'était mis en retrait. En littérature, en grammaire, en latin et en grec, il restait le premier, mais les autres le talonnaient. Il était difficile d'en vouloir à Christoph qui se montrait toujours réservé et timide, ce qui n'était pas le cas de Fabian, volontiers arrogant et tonitruant. De plus, ils avaient cette supériorité sur Erich Sebastian qu'ils s'étaient vite fondus à la vie de la communauté ; la promenade, les jeux, les activités communes, ils acceptaient tout sans déplaisir.

Korbs se tenait au courant de la vie de ses divisions. Et c'est parce qu'il avait une secrète préférence pour Erich Sebastian qu'il aimait le voir pris dans les turbulences de l'émulation. Fin novembre, de nouvelles compositions confirmèrent la suprématie des nouveaux. Dans toutes les matières, Erich Sebastian Berg était en net repli. Herman Korbs était un fin manœuvrier, d'une intelligence rare. Dans toutes ses divisions il avait ses élus. En classe Saint-Magne — il avait choisi ce nom parce qu'une immense statue du saint en marbre blanc figurait dans la nef circulaire —, il avait déjà choisi Erich Sebastian, et ce avant même que les dons du grand-père ne viennent enrichir la cassette du collège. Mais il était aussi séduit par l'audace physique de Fabian, cette façon vigoureuse qu'il avait d'habiter son corps, et l'ancien chanteur que la mue avait foudroyé ne pouvait qu'être ému par la voix de Christoph.

55

Sans doute craignit-il chez son préféré un regain de mélancolie. Aussi le fit-il appeler en plein cours.

Il y avait près d'un an que le jeune homme n'avait mis les pieds dans le grand bureau.

— Je ne t'ai pas convoqué pour te parler de tes résultats scolaires. Ils ne sont pas mauvais et tu vas dépasser ces nouveaux. Dans ce collège, je sais tout. Je connais ton *atelier* du grenier — il prononça le mot avec une inflexion qui aurait pu paraître ironique. Un jour que je me promenais sous les toits, j'ai vu un dessin signé de toi, qui représentait un jeune homme mort, un Christ jaune sur une pierre. J'espère que tu n'as pas perdu ce travail.

Erich Sebastian, touché, faillit raconter l'histoire du naufragé. Mais il se ravisa.

— Eh bien, reprit Korbs, fin décembre l'évêque viendra pour vous confirmer. Cela fait quatre ans que je suis prieur d'Ettal et je n'ai toujours pas d'armoiries. Dans celles d'un de mes prédécesseurs, l'abbé Benoît III Pacher, qui sont aussi celles du monastère, une licorne s'incline devant la Vierge d'Ettal. Je te charge de dessiner les miennes dans le plus grand secret...

Erich Sebastian s'était dressé, le cœur battant.

— Mais, Père, je n'ai jamais dessiné de blason... Demandez au maître de dessin...

— Tu plaisantes! Tu sais comme moi qu'il est nul. Montre-lui ton Christ jaune et tu verras combien il te note! Je veux ce travail dans un mois. Il faut que mes armes soient prêtes pour la venue de l'évêque.

Erich Sebastian regagna la classe avec un air de conspirateur.

Toutes les nuits de ce début décembre, il montait dans son repaire des greniers. Personne ne venait là. Il avait pris

56

ses aises, déplaçant un large paravent, des bannières usagées. Il travaillait sur un lourd pupitre de chêne surmonté d'un aigle. Les râles, les souffles des dormeurs résonnaient sous ses pas. Il n'avait pas froid au-dessus de cette écurie de corps. Le reflet des toits enneigés éclairait indirectement son réduit. Une bougie suffisait. Il fit plusieurs ébauches. Rien ne le satisfaisait. Au centre du blason, il avait placé un tabernacle noir. Il cherchait un emblème qui pût rappeler cette chevalerie spirituelle dont rêvait Korbs. Au pied du tabernacle, il voulut représenter une licorne, mais ses multiples tentatives le déçurent, il trouvait le corps de la bête lourd et grossier : il avait perdu la grâce des chevaux de Cramer-Klett.

Soudain des pas l'alertèrent. Quelqu'un montait par le colimaçon. Ce ne pouvait être que Korbs. Fabian apparut, à demi vêtu, l'air rieur, sûr de lui.

— Salut l'artiste!
— Chut! souffla Erich Sebastian. Il ne faut pas qu'on sache que je suis ici.
— Demain tu m'aides en grec, sinon je te dénonce!
— Tu peux, c'est un travail pour le prieur...
— Tu veux rire?
— Je te le jure.
— Sur qui?
— Sur la tête de mon grand-père...
— Je veux bien te croire.

Il riait, plein de morgue et de malice. Il s'éclipsa.

Quand il eut achevé son travail, Erich Sebastian fit prévenir le prieur. Il fut aussitôt convoqué dans le bureau d'apparat. Il avait dessiné, puis peint le blason. Trois motifs étaient rassemblés dans l'écusson : au centre, un tabernacle noir, incliné au pied du tabernacle et dans la posture de la licorne, un beau cerf des montagnes, enfin, surmontant l'ensemble une étrange croix, mi-crosse, mi-épée. Au-dessus de l'écusson, deux anges ailés et fessus tenaient la crosse et la mitre. Korbs ajusta son monocle d'or, manifestement séduit. En silence il contempla l'armoire close, le cerf, la crosse de prieur-chevalier. Puis il prit le dessin et le posa sur un pupitre, tout près de son bureau. Il appela son secrétaire et lui demanda ce qu'il pensait de cette proposition.

— Que signifie cette armoire ? dit le secrétaire.

— Interrogez l'auteur. Il est là...

Le secrétaire eut du mal à dissimuler sa surprise. Korbs s'était levé, il marcha jusqu'à la fenêtre que garnissaient d'épais coussins de neige. Il ne regardait pas Erich Sebastian Berg.

— Votre travail est superbe, dit-il enfin d'une voix forte. Vous avez dessiné mes armes de prieur. Je les garderai quand je serai évêque. Vous avez fait preuve d'une prescience remarquable. Le tabernacle noir, le cerf, l'épée-crosse, tout me plaît. Le choix est d'une justesse absolue et le dessin impeccable. Rappelez-moi votre âge...

— J'aurai treize ans l'été prochain...

— J'aurai toujours cru à la génialité de l'âge de treize ans, murmura le prieur.

L'évêque vint. C'était quelques jours avant Noël et le départ d'Erich Sebastian pour Rügen. Les confirmants avaient pris place dans le chœur. Erich Sebastian avait pour voisin de droite Fabian. Un immense trône tout ruisselant de tissu pourpre avait été installé sur les marches du maître-autel. Deux trépieds de cuivre l'entouraient. Parmi les guirlandes de sapin, de lierre et de houx qui décoraient l'autel surgissaient deux blasons : celui de l'évêque qui représentait l'Agneau de Dieu, et le tout nouveau blason du prieur. L'évêque mitré, ganté d'or, ressemblait à une momie qu'on aurait sortie d'une châsse : il eut toutes les peines du monde à gagner son trône. L'Épervier, fringant, l'accompagnait. Il portait une simple dalmatique dorée, et prenait grand soin de la mitre incrustée de pierreries et de la lourde crosse. L'évêque était inaudible, il avait le geste gourd, et il parlait assis.

— Tu crois à l'Esprit Saint ? murmura Fabian à son voisin.

— Oui, et j'aime tout ce faste...

— Moi, je déteste tout ça, je crois à la matière, aux lois des mathématiques...

Les confirmants avaient tous un costume autrichien gris à col dur et un brassard blanc. Il revint à Christoph l'honneur de chanter le *Veni Creator* devant Monseigneur. La nef circulaire était remplie de paroissiens et de parents. Les autels croulaient sous les fleurs, les guirlandes. Jamais les élèves d'Ettal n'avaient vu une telle dépense de cierges et d'encens. Chacun monta, à l'appel de son nom, recevoir l'onction de saint chrême. L'évêque, comme absent, traçait une croix lente et lointaine.

La cérémonie touchait à son terme. Korbs, qui avait revêtu sa mitre, se leva et prit la parole :

— Monseigneur, c'est un grand honneur que vous nous avez réservé en venant confirmer nos élèves. Ils iront ainsi vers Noël fortifiés par l'onction qu'ils ont reçue. Que l'exemple de Votre Grandeur les inspire aussi. Ils garderont, j'en suis sûr, le souvenir du grand patriarche que vous êtes. Monseigneur, Ettal abritait autrefois une Académie des Chevaliers. Nos élèves sont les jeunes chevaliers de la foi et de la connaissance. Avant qu'ils ne se lèvent pour former une haie d'honneur tout au long du cortège, je voudrais vous présenter deux de nos élèves de la classe Saint-Magne. Christoph Schönborn qui a chanté le *Veni Creator*, et Erich Sebastian Berg, treize ans, qui a dessiné, pour votre venue, les armoiries du prieur d'Ettal...

Christoph et Erich Sebastian remontèrent les marches de l'autel pour recevoir la bénédiction privée de l'évêque. Il leur marmonna des paroles incompréhensibles. Les nouveaux confirmés s'étaient déjà placés de chaque côté de l'allée centrale. D'un geste très las, l'évêque tendait son anneau d'améthyste. Il y eut un moment très beau, quand les portes s'ouvrirent sur la cour enneigée. Comme un insecte de pierres et d'or, l'évêque avançait dans un nuage d'encens. C'était un scarabée, un pharaon de volutes et de pierres précieuses, une momie vivante qui imposait le chrême. Et elle partait, hagarde dans ses riches souliers à boucle, la mitre, la chape, les incrustations de la crosse resplendirent dans le crépuscule de décembre, les voix fortes et rauques des paysans s'élevaient, prêtes à fendre la coupole... Elle était passée la momie somptueuse, pour un rituel venu de la nuit des temps, un rituel de citadelle et de cathédrale, et ç'avait été dans l'univers clos du collège comme une visitation, un spectacle surnaturel, un scarabée clouté d'or et d'émeraudes qui partait dans la neige et le soleil déclinant.

Le lendemain de la confirmation, comme il s'apprêtait à gagner l'église pour les vêpres, Erich Sebastian Berg glissa dans la cour, bousculé par deux gaillards qui disparurent sans plus attendre. Le choc fut tel qu'il perdit connaissance. Des moines qui se dirigeaient vers la sacristie trouvèrent l'adolescent inanimé. On fit venir un médecin d'Oberammergau. Il y avait une légère fracture du poignet et de multiples ecchymoses. De plus, Erich Sebastian se plaignait d'une douleur persistante à la colonne vertébrale. Korbs prit la direction des affaires. Personne ne répondait à Cramer-Klett. Il était par ailleurs impensable que l'enfant, traumatisé par sa chute, fît le long voyage de Rügen. Korbs prit la décision de l'installer dans son appartement. Il réussit à joindre Hélène Berg qui se trouvait à Rome. Elle promit de venir. Le médecin plâtra le poignet et prescrivit une semaine d'immobilité.

— J'ai une idée, dit Korbs un soir. Ce sont des jaloux qui n'ont pas supporté que je te mette à l'honneur en te présentant à Monseigneur. Je soupçonne Fabian. Je l'ai interrogé mais il nie farouchement.

— Non, répondit Erich Sebastian. Fabian est un ami. Je vous en supplie, ne l'interrogez plus...

— Je respecterai ta volonté. Mais je sais que c'est lui. Tant pis. Je resterai ici jusqu'au lendemain de Noël. Ta mère doit arriver le 27 décembre. Je partirai dans ma famille au nord de Munich. Je vous laisserai ce que dans la maison on appelle l'appartement de Monseigneur...

Hélène Berg arriva à Ettal avec un retard considérable. La neige qui, dans la nuit de Noël, était tombée en abondance bloquait toutes les communications. Elle demanda l'adresse de l'auberge la plus proche, mais le secrétaire de Korbs lui répondit que par dérogation exceptionnelle du prieur elle pourrait s'installer avec son fils dans l'appartement de réception. Elle était épuisée et inquiète. Elle fit venir un ami médecin de Munich. Tout semblait se remettre.

Lorsque les regards intrus se furent écartés, elle s'allongea auprès de son fils. Elle lui chanta ces vieilles mélodies de Noël qu'il adorait.

— On pourrait appeler papa, dit Erich Sebastian. Le domaine n'est pas loin.

— Attends mon départ pour cela, répondit Hélène.

Ils occupaient l'appartement de réception de l'évêque, au-dessus du porche central, en face de l'église. Les parois rocheuses, les plantations de conifères, les prairies, les toitures des dortoirs, tout avait disparu sous la neige. La vallée paraissait désertée. L'appartement était austère et beau. Il y avait un baldaquin au-dessus du lit et du trône, partout des tentures rouges, des crucifix, de petits bénitiers d'ivoire, et des représentations de l'Agneau de Dieu. On leur montait leurs repas dans la pièce voisine, qui était la salle à manger du prieur. Un soir, lorsqu'ils entrèrent dans cette pièce, ils trouvèrent sur la table, près de la soupière d'étain, un colis postal au nom d'Erich Sebastian Berg. L'adolescent s'empressa de décacheter le paquet. Il y avait d'abord une lettre :

Mon cher Erich Sebastian,
J'ai regretté que tu ne puisses venir ces fêtes de Noël. Je me sens seul et fatigué. Le prieur d'Ettal m'a raconté ta mésaventure. Cela forge un homme. Tu en verras d'autres. J'aimerais que tu me fasses parvenir le blason que tu lui as dessiné. Et j'aimerais, si ce n'est pas trop te demander, que pour ta prochaine visite ici, tu dessines les armes du solitaire du fort. Je t'attends à Pâques ou l'été prochain. À moins que tu ne préfères la France. Ton départ a laissé un grand vide. Je t'attends. Bonne année. Continue de grandir et de mûrir. Tu trouveras avec cette lettre un cadeau. C'est une vieille lithographie qui représente le fort. On la doit à un habitant de l'île aujourd'hui disparu. Remets-toi vite. Sois solide.
Ton dévoué Karl, Amiral Berg

Erich Sebastian installa la lithographie sur la cheminée du prieur. C'était soudain un souffle de mer et d'origine. Il ne vit même pas que le visage d'Hélène s'assombrissait. Il racontait le fort, le couloir avec les images des ancêtres, la chambre des noyés, comme au plus secret d'une pyramide, il racontait les falaises de craie, les grottes avec les fortunes de mer, les constellations, la Grande Ourse, les oiseaux marins. La lithographie du fort consacrait le début de la convalescence.

Quand il eut recommencé à marcher, Erich Sebastian montra à sa mère l'église baroque avec ses stucs, ses peintures, sa chaire théâtrale, ses statues blanc et or, il lui montra aussi les salles de cours plus lugubres, les dortoirs avec leurs petits compartiments sinistres, et son repaire des greniers où avait mûri le blason du prieur. Ils s'habituaient à leur vie de reclus dans le monastère. Un après-midi, Hélène Berg appela une voiture : elle voulait visiter Linderhof. Erich Sebastian, avec ses condisciples, s'était arrêté aux grilles. On ne pouvait pas entrer dans le domaine royal en hiver. Il fallut se recommander du prieur d'Ettal. Un vieux gardien accepta de les accompagner. Ils allèrent sur la neige, le long des bassins gelés. Le petit château paraissait écrasé sous des tombereaux de givre. Hélène Berg portait un manteau noir cintré avec un col de fourrure. Elle faisait jeune, fragile, avec ce garçon en uniforme, aussi volubile que précoce.

Pour ces visiteurs qui semblaient le séduire, le gardien sourd accepta d'ouvrir le château. Il y flottait une odeur de moisi. Une statue équestre trônait au milieu de l'antichambre. Ils montèrent par l'escalier de marbre, traversèrent des décors surchargés, les pièces minuscules étaient remplies d'objets, de vases, de consoles et de parcloses... Un roi avait vécu là, un roi qui aimait la lune, la solitude, la musique et les rois morts. Erich Sebastian regardait tout cela avec un certain étonnement : c'était un peu le décor des églises qu'il connaissait, mais torrentueux, délirant. Le garde avait allumé une lanterne qui éclairait les miroirs, les biseaux, le ventre verni des commodes. Dans le silence de la vallée, sous les épaisseurs de neige, on eût dit un dépôt de meubles, un château endormi, le sarcophage poussiéreux d'une royauté évanouie. Ils arrivèrent dans la salle du Trône, puis, le temps pour lui d'ouvrir la pièce suivante, le garde leur demanda d'attendre. Hélène Berg montrait à son fils les portraits de Louis XV, de Mme de Montespan. Des volets grincèrent. Alors la jeune femme en noir et le garçonnet autrichien s'avancèrent dans la chambre du roi.

D'un côté le lit, surmonté d'un baldaquin bleu, le lit derrière une barrière d'autel, de l'autre des cascades blanches et figées, un escalier de gel. Il glissait dans la pièce une lumière poudreuse, d'une violence boréale. Les tissus bleus, la balustrade dorée, les torchères et la perspective de la montagne avec ses marches de givre fascinèrent Erich Sebastian. Un roi avait couché là, racontait le garde, un roi insomniaque et seul qui vénérait la lune, la neige, les cygnes. Dans la salle à manger, une table magique jaillissait du parquet...

Ils sortirent. Un soleil rouge éclaboussait les pendeloques de gel. Les bassins étaient comme des boucliers translucides. «Il faut que j'aille nourrir les cygnes...», marmonna le garde. La neige était si épaisse qu'ils eurent du mal à atteindre la grotte. Ils s'engagèrent dans une paroi. La lumière de ce fond de vallée les avait éblouis. Hélène Berg semblait très émue. Elle chantonnait du Wagner. Le garde pesta. Le froid avait endommagé l'installation électrique. Ils descendirent dans une sorte de théâtre. Un rideau de scène tapissait le fond du décor. Devant eux s'étendait un lac, avec des cygnes, de vrais cygnes qui accoururent sur les rives dès qu'ils virent le garde. Une barque en forme de conque errait sur le lac.

— C'est la barque de Ludwig... Et ce sont ses cygnes... J'aime bien dire que ce sont eux... Ceux qu'il descendait nourrir ses nuits d'insomnie... Notre roi... Ça vit très longtemps, un cygne... Allez jeune homme, allez Madame, jetez-leur à manger, ça leur rappellera des souvenirs...

Hélène aurait volontiers chanté. Le froid, l'émotion la paralysèrent. Le vieux garde contemplait en riant la femme mince en manteau de deuil et le garçon autrichien.

— Tu es au collège d'Ettal... Reviens quand tu veux nourrir les cygnes du roi...

Hélène Berg était très émue. Elle lisait aussi l'émotion de son fils. C'était un après-midi de neige à Linderhof. Elle pressentait qu'il lui faudrait la nuit pour raconter l'histoire de Wagner et du roi, les châteaux fous. Elle laissa un pourboire considérable.

À leur retour, ils eurent la surprise de rencontrer sur le seuil du monastère l'abbé Korbs. Le prieur, non plus distant comme la première fois, invita Hélène Berg et son fils à prendre place dans son salon. Il leur offrit même un doigt de Porto.

— Tant qu'il ne sera pas remis, Erich Sebastian restera près de mon appartement. Je chargerai un élève de lui apporter les cours.

Hélène Berg remercia le prieur pour sa bienveillance et son hospitalité. L'Épervier au monocle d'or savait se montrer plus onctueux, plus charmeur. Mais Hélène conservait un fond de défiance.

— Il se peut, dit-elle, que l'an prochain je sois amenée à travailler à Paris. Auquel cas, Erich Sebastian viendra habiter avec mes parents dans leur maison de Normandie.

— Madame, répondit Korbs sans dissimuler son agacement, vous ne serez pas seule à décider. Je consulterai votre mari et aussi l'amiral Berg qui a su se montrer très généreux pour cette maison. On reste en règle générale sept ans à Ettal. Je ne souhaite pas, pour son bien, que votre fils échappe à cette règle...

— Nous verrons le moment venu, dit Hélène. Il y a un point sur lequel je vous rejoins : nous voulons tous le bien de cet enfant...

Après un trimestre d'exil dans les appartements de l'évêque, Erich Sebastian Berg revint parmi ses camarades le soir du Jeudi saint. Christoph Schönborn qui lui transmettait tous les soirs la liste des devoirs était son seul lien avec l'univers des adolescents. Il retrouva sa place de premier enfant de chœur. Korbs monta très solennellement en chaire pour le prêche :

— Mes frères, nous fêtons ce soir l'institution de l'Eucharistie. En souvenir des gestes de Notre Seigneur, je laverai tout à l'heure les pieds de douze d'entre vous. Vous formerez alors cette confrérie à laquelle je tiens beaucoup. Mais n'oubliez pas que le soir de la Cène, Judas est auprès du Christ. Le traître est à la Table sainte. Il sera sans doute parmi ceux dont je laverai les pieds, il est aussi dans cette nef. Mes frères, le traître est le germe du mal. Il est la faille par laquelle le mal s'installe. Une année s'achèvera bientôt, une année au cours de laquelle vous aurez souffert, vous aurez appris. Trois périodes jalonnent une adolescence. Le temps du songe, le temps du désir, le temps de la vocation. Le songe, c'est le repli sur soi, une fuite dans un univers de fantasmagories et de chimères. Ce sont toutes ces créatures qui peuplent vos nuits de collégiens. Le temps du désir, c'est la découverte du monde, de ses séductions et de ses dangers. Le songe et le désir mènent de manière identique à la damnation. Il n'y a qu'un temps, mes fils, qu'un temps qui soit digne du Sacrifice que nous commémorerons et célébrerons tout au long de ces trois jours, c'est celui de la vocation. Oubliez votre cœur, votre moi, vos appétits de jouissance, votre aspiration au plaisir. Le seul sacrifice qui compte, c'est celui du Christ. Sortant de l'Académie religieuse d'Ettal, vous devez être prêts à endosser le Christ. Comme vos maîtres l'ont fait, comme je l'ai fait. La plus belle fonction du monde, celle que l'Agneau porte jusqu'à son plus haut accomplissement sur la pierre de la Cène, c'est la fonction sacerdotale. Tout ceci vous sera envoyé comme une épreuve. Mais vous traverserez le songe et le désir pour vous asseoir enfin, lumineux et vainqueurs, à la table du Don et du Service. Amen.

Il était rare que Korbs parlât avec une telle force et une telle concision. Ceux qui tenaient le rôle des douze disciples s'avancèrent alors. Il y avait des garçons de première année, une majorité d'aînés, quant à la classe Saint-Magne, c'est Fabian qui la représentait. Erich Sebastian Berg tenait la vasque et les linges. Il eut ainsi à essuyer le pied de Fabian.

Il revint à l'autel, près du siège du célébrant. Il aimait cette place d'où il dominait l'assistance. Christoph, au moment de l'Élévation, vint se placer au centre du chœur pour l'*Ave Verum*. Il allait chanter lorsqu'il s'effondra en crachant un énorme caillot de sang. Korbs, qui tournait le dos, ne vit rien. Tout à son rôle de célébrant, il poursuivit la messe, imperturbable, tandis que l'on transportait Christoph à la sacristie. Après la distribution de la communion et avant la très longue procession au reposoir, il fit signe à Erich Sebastian d'aller s'informer à la sacristie. On attendait un médecin. Christoph, inconscient, respirait très difficilement. Son état fut jugé suffisamment grave pour qu'on le transportât d'urgence à l'hôpital d'Oberammergau.

Le lendemain, Erich Sebastian suivit la procession du chemin de croix dans un état de vive angoisse. Tout dans la liturgie — les drapés pourpres, la chasuble écarlate du prieur, les fleurs et les chants de deuil — lui rappelait le caillot de sang noir qu'avait craché Christoph à l'instant de l'Élévation. En sa qualité de premier enfant de chœur, il assista Korbs, se prosterna avec lui au pied du tabernacle vide et ouvert, il l'aida même à soulever la très lourde croix de chêne que rituellement le prieur portait jusqu'à l'autel, mais le vrai mystère de ce Vendredi tenait pour lui dans ce caillot que l'enfant chanteur avait laissé au centre de l'étoile qui ornait le pavage du chœur. C'était comme si la vie s'était arrêtée la veille, à l'instant précis de la commémoration de la Cène lorsque l'ange qui s'apprêtait à dire la vertu du sang lumineux avait lui-même fait l'offrande de son sang. L'orgue se tut. Le novice en charge des flambeaux vint éteindre lentement tous les cierges. Mais les verrières laissaient passer le soleil du printemps. Korbs semblait très grave, plus osseux, comme si son visage se fût modelé selon les exigences de la liturgie. Il avait renoncé à la mitre, à la crosse, il était pieds nus. Lorsque, à la fin de la cérémonie, Erich Sebastian s'approcha pour lui parler, il s'esquiva. Le Christ était passé aux ombres. Herman Korbs se réfugiait jusqu'à la nuit pascale dans son oratoire secret.

Erich Sebastian voulut avoir des nouvelles de Christoph. Personne ne pouvait le renseigner. Il décida de partir seul vers la montagne. Les élèves qui le désiraient pouvaient rester en prière devant l'autel déserté. Il voulut marcher dans la lumière. Retrouver le monde, les cris d'oiseaux, le vert cru des pousses, l'exultation de la nature. L'énergie des pas lui faisait oublier le tabernacle vide, les flambeaux éteints, la lourde croix, les clous, les épines — le caillot noir. Il revécut la grâce des vêpres auprès de Christoph — la magie du *Veni Creator* qu'il avait chanté pour l'évêque, le *Remember not, Lord, our offences* de Purcell, le *Warum toben die Heiden* de Mendelssohn —, dans l'ivresse des oiseaux qui s'ébrouaient dans les buissons, il entendait le vertige d'une voix des airs. Et chaque fois il se heurtait à ce mystère, à cet effondrement de l'ange le soir du Jeudi saint. Il aurait pu réciter par cœur l'homélie de Korbs : il se souvenait avec une précision hallucinée des trois temps que le prieur avait distingués, jamais depuis qu'il était à Ettal, il n'avait connu une telle conjonction des signes. Il voulut marcher jusqu'à chez lui. Chez lui en Sébastianie, dans son royaume secret. On ne lui ouvrirait pas la porte de la chambre ou de la grotte de Ludwig. Il ne lui restait donc que la maison des morts et des cerfs. Il y arriva, haletant. Les abords du sanctuaire avaient été fraîchement débroussaillés. Cela ne lui plut qu'à demi. Il sortait de la nef noire d'Ettal, il avait vu le caillot de l'ange, la croix, le tabernacle béant comme un tombeau.

Il s'arrêta pour contempler la danse des morts. Les cerfs, les anges, les hommes allaient d'un même pas dans le chaos de la mort. Des femmes se cramponnaient aux bois des bêtes. Des hommes décharnés avaient un sexe exagérément tendu. La fresque semblait charbonneuse, comme si, dans la nuit des temps, elle eût été tracée sur les flancs d'une grotte enfumée, mais, par endroits, des marques de polychromie affleuraient. Erich Sebastian décida de s'enfermer dans la maison. La porte donnait des signes d'extrême fatigue. Il entra parmi les toiles d'araignée, les ramures, les chauves-souris fichées dans les poutres. Il régnait là une odeur de terre, de vieil humus nourri de fougères, de rhizomes et de cadavres, de bois pourri, comme si la nef avait longtemps vogué dans le dédale des forêts. Erich Sebastian s'effondra dans la barque. Ici il n'y avait pas de cygnes. Simplement des chauves-souris et des massacres. Il rêva. Il revivait cette journée de neige où en compagnie d'une jeune femme en deuil il avait visité la chambre et la caverne magique d'un roi. Ces jours de solitude aussi, enfermé dans l'appartement de l'évêque, à attendre le soir la visite de l'ange musicien. Il sentit une complicité qui le liait au roi fou : tout l'hiver, dans ses insomnies, il avait pensé aux errances du roi à la lueur de la lune. Et il était là, seul dans la maison des morts. L'ange avait peut-être craché d'autres caillots noirs. Il était peut-être mort. Erich Sebastian revoyait son cou tendu, ses longs cheveux blonds de fille, ses belles mains fines. Il pleura. C'était le temps du songe qu'auréolait l'or du désir.

Les nouvelles arrivaient avec parcimonie. On sut enfin que Christoph était atteint d'une maladie du poumon, une maladie extrêmement rare qu'avaient parfois les bûcherons ou les montagnards. Korbs se voulait rassurant, affirmant chaque fois que Christoph serait de retour à l'automne. Erich Sebastian s'était procuré auprès du secrétaire du prieur l'adresse des parents dans la montagne. L'été, il écrivit de Rügen et de la Roque. Il reçut une unique lettre :

Mon cher Erich Sebastian,
Ta lettre m'a procuré un grand plaisir. J'espère pouvoir être des vôtres à l'automne, même si je ne me fais pas beaucoup d'illusions sur mon mal. Je dois partir pour un sanatorium des Alpes. Je sais que je suis fichu. Je suis atteint d'une forme rare de cancer, très foudroyante. Je ne peux plus chanter.
Quand je vais mourir, je te charge d'obtenir de l'abbé Korbs que mon corps soit brûlé. Je voudrais que mes restes soient placés à

71

*Ettal, quelque part parmi vous. Je sais que ma famille et l'Église
seront hostiles. Mais c'est ma volonté.*

*Il faudrait un miracle, mon petit Erich Sebastian, pour qu'on
se revoie. Oui, un miracle. Continue de rêver, de dessiner, d'être
différent. Mais tu ferais un bon prêtre. Je te vois bien un jour à la
place de l'abbé Korbs.*

«Remember not, Lord, our offences.»

Je t'embrasse affectueusement,

Christoph Schönborn

Cette lettre, dès qu'il fut de retour à Ettal, Erich Sebastian la montra au prieur. C'était un soir brûlant d'octobre. Des mouches captives ne cessaient de se cogner aux vitres du bureau. Korbs posa la lettre avec gravité.

— Il est actuellement dans un sanatorium des Alpes. Il irait mieux, mais on doit s'attendre à tout. Donc au pire. Christoph Schönborn m'a écrit cet été quasiment la même chose. L'Église est contre l'incinération. Pas moi. On se débrouillera. Et je ferai déposer les cendres dans le maître-autel d'Ettal… Et toi, quels sont tes projets?

Erich Sebastian demeura muet.

— Il faudra, comme te l'écrit cet ange porteur de Dieu, que tu réfléchisses à ta vocation… Je suis touché qu'il te voie en prêtre. Il y a là, pour toi, de quoi réfléchir…

Christoph Schönborn mourut au début de février 1954. Une nuit, Korbs réunit dans l'église tous ceux qui l'avaient connu. Il avait exigé la tenue de deuil : le costume autrichien avec le brassard noir, les pieds nus. Il faisait un froid atroce. La classe Saint-Magne — rebaptisée pour l'occasion classe Saint-Christophe — arriva par la cour enneigée. Le prieur portait sa chasuble écarlate. Sur l'autel était disposé le plus beau calice du trésor.

— Comme un roi pouvait exiger de ses chevaliers le silence, j'attends de vous, Messieurs, un mutisme total. Nous allons vivre cette nuit une cérémonie peu commune. Ce calice que vous voyez là, le plus précieux de ce collège, contient les restes de notre ami Christoph Schönborn qui a très clairement demandé à être incinéré et enseveli parmi nous... Même ses parents le croient encore dans la tombe familiale... Si trahison il devait y avoir, elle ne pourrait venir que de vos rangs... Un autel, c'est un coffre de marbre. Mais sous la nappe, il y a une pierre — celle du sacrifice de l'Agneau — et, sous cette pierre, des reliques. À celles des pères fondateurs d'Ettal s'ajoutera désormais la poussière stellaire d'un ange qui nous fit ici l'offrande de son intelligence, de son cœur et de sa voix, avant de faire l'an dernier, pour la Cène, celle de son sang. Je vais répandre cette poussière d'étoile dans l'autel. Christoph a rejoint sa patrie de lumière. Il a retrouvé sa vêture et sa condition d'ange.

Puis il monta à l'autel. Trois fois il éleva le calice en disant :

— Tu as rayonné comme un ange et tu as illuminé notre confrérie. À présent que tu appartiens aux chevaleries célestielles, daigne veiller sur ces modestes chevaliers de chair et intercéder pour eux auprès du Père de toute lumière. In nomine Patris, et Filii, et Spiritus Sancti. Amen.

Et il enfonça le calice dans l'autel. C'était une messe fascinante, interdite, une cérémonie comme on n'en voyait jamais. C'était un rite de l'académie des Chevaliers d'Ettal. Un office pour Parsifal et pour Ludwig. Erich Sebastian Berg avait assisté avec émotion et envie à cette messe nocturne où l'Épervier au monocle d'or avait pris la dimension d'un prêtre magnétique et maudit. Il monta, pieds nus comme ses camarades, jusqu'à ce qui était à présent le tombeau de l'ange. Il ne pleurait plus, emporté par la magie de la cérémonie dans la nuit, la neige, le vent glacial.

Les troupes se dispersèrent. Fabian était convaincu d'avoir assisté à un simulacre. Il fut appuyé par d'autres sceptiques qui disaient avoir vu Korbs l'après-midi brûler de vieux effets. La cérémonie les avait tous transportés, mais leur instinct de paysans incrédules les travaillait. Erich Sebastian, qui avait demandé à prendre le lit qui avait été celui de Christoph, ne doutait pas. Depuis qu'il avait vu l'armoire, il connaissait le penchant de Korbs pour les rituels mystérieux. Erich Sebastian savait. Les cendres de celui dont le souffle avait porté Dieu venaient de rejoindre les ossements des fondateurs.

Un collège de garçons, ce sont des pactes, des ruses, des rivalités, des jalousies. À la campagne, dans des solitudes reculées, ce sont des esprits qui fermentent, des clans solidement ancrés, des sens en éveil, des vocations naissantes. La vie, en apparence, est toujours la même. Lever, messe à six heures, traversée d'une cour qu'en hiver il faut souvent déblayer, petit déjeuner rustique, lecture sainte, et une journée de cours. Une douche hebdomadaire. Une promenade hebdomadaire. L'interdiction stricte d'aller regarder les quelques filles du village, dont la postière et la serveuse de l'auberge.

Les mois qui suivirent la disparition de Christoph, Erich Sebastian pensa abandonner. Il se voyait déjà pensionnaire dilettante de la Roque. Trois événements l'en dissuadèrent.

Il y eut d'abord cette lettre qu'il reçut de Karl. « Je comprends ton malaise, écrivait le solitaire du fort. Je t'avais fait découvrir la mort, tu sais maintenant ce qu'est l'absence. Un homme se fait au terme d'un certain nombre de mues, il doit perdre ses pucelages successifs. Reste à Ettal le temps de finir ta mue. Et tu ne seras sauvé que si tu appartiens à un ordre. Ce peut être la Marine, comme pour moi. Ce peut être l'Église, et souviens-toi aussi des mots de ton ami. Ce peut être enfin une autre forme de prêtrise, celle de

75

l'art. À quinze, seize ans les choses te sembleront plus claires. Aie la patience d'attendre. »

Brûlé par un feu qu'il ne dominait plus, il demanda audience à Korbs qui le reçut, comme au jour de son installation à Ettal, dans le petit oratoire.

— J'ai des élans vers Dieu, je passe des heures à prier, je veux tuer mon corps de chair pour me rapprocher de Lui...

— C'est un début, ce n'est qu'un début, murmura le prieur. C'est quoi être prêtre pour toi? Être grand et honoré comme l'évêque qui est venu vous confirmer, être silencieux et caché à prier dans cette chapelle, ou encore, au nom d'un ordre ancien, présider la cérémonie de l'autre nuit? Oui, c'est quoi être prêtre?

Korbs s'était levé, il marchait dans l'oratoire en pensant tout haut :

— C'est renoncer au monde, à la vie. Passer des hivers et des étés ici, loin de tout. C'est douter, avoir peur, se sentir seul. Alors on n'est sauvé que par ses attachements... Christoph, toi, quelques autres... C'est courir après un siège d'évêque, et après... Le chapeau de cardinal... On me dit que c'est ma voie... Si je voulais que tu sois prêtre, je saurais exploiter ton état depuis la mort de Christoph. Tu as le deuil mystique. C'est beau et infiniment respectable. Mais ce n'est pas la souche d'une véritable vocation. Ne me demande pas ton chemin. Invente-le tout seul. Tu es encore dans le temps du songe. Un ange comme Christoph était de naissance dans le temps du sacerdoce. Sa voix était plus juste que tous mes gestes de prêtre. C'est ce que j'essaie de faire comprendre aux élèves de la classe de philosophie...

Il continuait de marcher, sans jamais regarder Erich Sebastian.

— Si Dieu t'appelle, tu iras. Tu bouillonnes, tu te cherches... C'est douloureux mais vital... J'ai mis des centaines de garçons sur la route de la prêtrise. L'Église réclame des fantassins. J'ai trop d'admiration pour toi pour te faire prendre cette route. Elle serait belle... Comme pour moi, prieur, père abbé, évêque bientôt... Moi aussi, à quinze ans, je jouais au cardinal... J'aurai une *capa magna*, un lourd chapeau à glands, un trône... Mais rien ne vaudra jamais ces moments, le souffle et la vitalité de ces garçons en éveil, le souvenir de celui qui nous chantait le *Te Deum* et le *Jubilate Deo*... La neige, le froid, le vide apparent d'Ettal... C'est ici, entends-moi, c'est ici, dans le petit cimetière des moines, que mon enveloppe charnelle se défera... Je veux dormir dans le souvenir de ceux que j'aurai éveillés...

Erich Sebastian laissa le prieur à son soliloque. Il n'était pas certain d'avoir tout compris. Il n'avait qu'une certitude : son amour pour lui.

Un après-midi de printemps, Fabian paressait dans la cour, au soleil. Erich Sebastian l'aperçut de la grande bibliothèque baroque. Il descendit aussitôt et lui proposa une marche à l'extérieur.

— Tu n'y penses pas, répliqua Fabian, timoré, si Korbs nous prend...

— On ne risque rien. À moins que tu ne préfères aller faire du sport avec les autres...

Ils quittèrent l'enceinte du collège pour les chemins escarpés des hauteurs. Fabian avait l'allure souple et virile d'un montagnard aguerri. Ils évoquèrent Christoph, selon certaines sources l'agonie dans le sanatorium avait été atroce, le souvenir de l'ange et de la cérémonie nocturne les liait. Fabian s'étonna que son ami pût connaître les chemins de la montagne. Erich Sebastian resta muet. Ou il partait, ou il s'attachait à ce Fabian qui l'avait toujours défié et combattu. C'était Fabian l'auteur des bruits qui insinuaient qu'une amitié particulière liait Erich Sebastian au prieur. C'était Fabian qui mettait en doute la réalité de la cérémonie d'enfouissement des cendres. Il avait un profil ingrat, un nez busqué, mais beaucoup de majesté dans la silhouette et l'allure. Et il avait séduit Erich Sebastian dès son arrivée en se promenant nu dans le dortoir et dans la salle de douches.

Ils arrivèrent à la maison des cerfs.

— Voici mon repaire, dit Erich Sebastian.

L'autre eut du mal à dissimuler sa surprise. Une maison de bois avec une danse macabre, une sorte de chalet inaccessible. Alors Erich Sebastian ouvrit la porte. Il flottait dans la pièce une lumière blonde saturée de poussière.

— Il faut que les autres voient ça...

— Ah non, rétorqua Erich Sebastian, surtout pas.

— J'avais compris. Je voulais te faire marcher. Comme toujours. — Il éclata de rire.

— Je voulais te faire un autre plaisir. J'aimerais que tu viennes avec moi, chez mon grand-père, dans l'île de Rügen...

— Quand tu veux... C'est promis...

Un pacte venait d'être scellé dans l'arche des cerfs et des morts.

Il y eut un événement à la rentrée de 1954 : l'arrivée d'un nouveau professeur de littérature, de latin et de grec. C'était un jeune maître d'à peine vingt-cinq ans, très distant, très aristocratique, qui fut présenté par Korbs à la fin de la messe qui inaugurait l'année.

— Le père Roman Anton Boos nous vient de l'abbaye de Scheyern, expliqua le prieur. C'est un homme de très grande culture, et je dois avouer que j'envie ceux qui auront la grâce d'entendre ses cours.

Puis il se tourna vers le jeune abbé :

— Père, ces jeunes se connaissent maintenant depuis deux ou trois ans. En votre qualité de titulaire, j'attends de vous beaucoup de fermeté. Nos chevaliers sont fougueux à cet âge. J'entends que vous leur donniez une formation littéraire exemplaire. Je suis de tout cœur avec vous...

Au premier cours, Erich Sebastian et Fabian s'étaient assis côte à côte. Le père Boos arriva en retard, visiblement préoccupé. Délaissant la chaire, il vint s'installer sur une table du premier rang.

— Je ne commencerai pas l'année par une dictée... Ni

79

par des récitations... Le père Korbs m'a succinctement présenté. Je suis Roman Anton Boos. Je voudrais vous faire aimer notre littérature. Puisque nous sommes si près de Linderhof, je voudrais lire avec vous un texte récent, extrait du *Docteur Faustus* de Thomas Mann, un ouvrage très récent puisqu'il date de 1947, un texte qui décrit Linderhof et notre abbaye bénédictine d'Ettal. Ensuite, je propose une visite du château... Au fait, qui pourrait ici me parler du roi Louis II ?

Erich Sebastian Berg garda le silence. Il préféra écouter ses camarades évoquer, certains avec une vénération intacte qui leur venait de la tradition familiale, la figure du roi-lune. Roman Anton Boos parlait avec aisance et passion. Il lut le texte de Thomas Mann sur un ton qui parut très inhabituel. Il marchait à grands pas dans la classe, interpellant tel ou tel, suscitant la participation permanente, et l'écoute. À la fin du cours, il dit très simplement qu'il habiterait dans l'aile nord et que sa porte serait toujours ouverte.

Une période folle commençait. Sous l'impulsion de Roman Anton Boos, de ses cours, de ses discours. Sur un vieux gramophone, dans sa cellule de l'aile nord, il invitait ses élèves à venir écouter la chevauchée des Walkyries et la marche funèbre de Siegfried. En classe, il parlait du Graal, il fit découvrir en français les textes de Chrétien de Troyes, il évoquait la nécessité des rites et la présence du *Grand Temps* qui rédime l'aveuglement des jours. Il avait une passion pour les romantiques allemands. Des heures, sous sa conduite, les élèves méditèrent ce fragment de Schlegel : « Le nectar des choses divines, quand on le verse dans le vase clos des religions positives, pétri d'une argile grossière, se décompose, s'aigrit et fermente. Il ne peut être conservé pur que dans la coupe d'or de la contemplation.» La coupe d'or de la contemplation enflamma toutes les imaginations. «Restez des heures regarder la neige, disait Boos, allez attendre le passage des cerfs sur la route de Linderhof, pendant les vêpres, basculez la tête et contemplez la merveilleuse coupole de l'église...»

Il avait un ascendant et une autorité sans pareils. Korbs s'était effacé. On le disait malade, requis par l'écriture d'un document théologique. Pendant ce temps, Boos racontait Parsifal au château du Graal, Wagner, Ludwig, la Pentecôte sacrificielle de Ludwig. Tous connaissaient par cœur et récitaient sans se faire prier les «Chants de la forêt» de Lenau :

> *Comme Merlin,*
> *Je voudrais errer dans les bois;*
> *De la tempête qui souffle,*
> *Du tonnerre qui gronde,*
> *Des éclairs qui jaillissent*
> *Et des arbres qui se brisent,*
> *Je voudrais, comme Merlin,*
> *Comprendre le langage.*
>
> *Dans l'ivresse de l'orage,*
> *Merlin, au milieu de la tourmente,*
> *Jette son manteau.*
> *Et les vents rafraîchissent*
> *Et les éclairs baignent*
> *Son torse nu.*

Le Graal, Merlin, les bois, la musique de Wagner, tout cela emportait les adolescents. Erich Sebastian et Fabian avaient constitué une sorte de confrérie. Ils faisaient venir la nuit quelques-uns de leurs camarades dans le refuge de la montagne, les invitaient à méditer en contemplant à la

81

lumière de la lune les morts au sexe bandé, puis ils les adoubaient sous l'épée de Karl dans la nef poussiéreuse, sous les ramures des cerfs. Dix furent ainsi initiés pendant l'automne. Ils avaient élaboré un rituel qui convoquait les cerfs, les morts, le roi-lune, et la coupe de l'adoration pure. Ils revêtaient des capes noires et portaient des torches. Erich Sebastian et Fabian tenaient alternativement le rôle du grand maître. Ils avaient déménagé du grenier du couvent des dalmatiques, des flambeaux, de vieilles nappes moisies. Ils fêtèrent à douze le 1er novembre, l'entrée dans la saison sombre. On célébrait la Nature, l'Un et le Multiple, l'Infini et le Fini, Dieu et le Monde, l'Esprit et la Matière. Pour le solstice, il fut décidé que les douze se baigneraient nus dans le torrent. Mais il fallait un prêtre de l'ancienne religion pour assister à la mise à mort du christianisme. Erich Sebastian, qui recueillait tous les prix en littérature, en latin et en grec, fut chargé d'inviter Roman Anton Boos. « Il se baignera avec nous dans le torrent et subira comme les autres son rite d'intégration », clama Fabian avec autorité.

Un soir, après l'audition wagnérienne, Erich Sebastian s'attarda dans la cellule de Boos.

— Nous ferons une petite fête pour le solstice, dans une maison qu'a l'un de nous dans la montagne. Nous aimerions que vous soyez des nôtres...

— Je vois, dit Boos en riant, je vois... Volontiers... Je viendrai. Je suppose qu'il faut rester discret devant la hiérarchie...

Erich Sebastian courut au dortoir annoncer la nouvelle. Les douze complotaient avec jubilation. Le lendemain en cours, Boos fut distant, impénétrable. Il s'agissait d'une leçon très aride sur l'architecture des phrases complexes. L'assistance somnolait. Boos travaillait des exemples au tableau, jouant de toute une panoplie de craies de couleur. Il sentit l'attention qui fléchissait.

— Je vais vous lire quelque chose dit-il. J'ai longtemps dormi dans le grenier de mes pères. Il y avait là un alchimiste qui triturait de la cendre. Le grenier abritait de vieilles fourrures, un autel de pierre, des heaumes, un sablier... J'attendais la neige, la neige que creusent les pas des cerfs, la neige qu'emperle parfois un sang mystérieux... L'attention venait de renaître.

— Je vous lirai d'autres fragments. C'est un roman que j'écris...

La grande fête nocturne fut fixée au 17 décembre, deux jours avant la dispersion des vacances. Le soir, aux vêpres, chose inhabituelle, Korbs prit la parole :

— Je vous mets en garde, mes fils, contre tout ce qui pourrait vous détourner de l'Église du Christ. Il n'y a qu'une voie, celle tracée par les préceptes de notre Mère...

Il parla, un brin haineux, sans jamais remarquer que la Vierge d'Ettal avait été déshabillée : le camail d'or de la Mère et celui du Fils avaient été arrachés la nuit précédente, de manière à enrichir le trésor de la maison des cerfs.

— Il sait quelque chose. On nous a vendus..., murmura aussitôt Fabian, qui était toujours soupçonneux.

Erich Sebastian gardait son calme. Il répliqua :

— Il ne sait rien. Il sent simplement que les choses lui échappent...

Le plan de fuite avait été minutieusement préparé. La bande des conjurés se dispersa le repas avalé. Les torches étaient planquées dans un buisson à la naissance du chemin. La nuit était douce et lumineuse. Erich Sebastian passa prendre Boos chez lui. La cour était déserte, l'appartement de Korbs complètement noir. Il y avait longtemps qu'Erich Sebastian attendait ce moment. Il conduirait celui qui le fascinait dans la maison des cerfs.

— Le prieur devine-t-il quelque chose ? risqua l'adolescent.

— Non, je ne crois pas. En revanche, il sait tout de mes cours. Des élèves, des plaintes de parents très traditionnels le renseignent. Je n'étudie pas assez la Bible et la littérature classique...

— Mais c'est superbe ce qu'on fait. On sort transformés de vos cours. Korbs devrait le comprendre. Il est original — sa vieille fascination pour le prieur remontait là.

— Original ? Je ne dirai pas cela. C'est un homme fin, sensible. Je n'en dirai pas plus, c'est surtout un initié. Mais un initié qui veut faire carrière. Il a une ambition dévorante. Il veut devenir évêque. Et il le sera...

— Et vous ?

— Évêque ? Jamais. Je suis devenu prêtre parce que ma mère le voulait. J'aimerais être professeur d'université, écrivain... C'est cela qui m'intéresse...

Roman Anton Boos avait gardé une juvénilité intacte. On eût dit qu'il aimait se promener ainsi de nuit avec des adolescents. Quand il arriva à la maison, sous les étoiles, il salua la bande qui l'attendait en cercle, les torches allumées.

— Vous entrerez dans cette maison, dit Erich Sebastian, comme l'ont fait tous ceux que nous y avons admis. Vous regarderez la frise des morts, puis nous vous adouberons...

— Je respecterai votre rituel puisque je suis votre invité...

L'homme à la soutane noire contempla avec une extrême attention la fresque macabre. Pas un détail ne lui échappa. Les seigneurs, les chevaliers, les femmes enceintes qui affleuraient encore dans le filigrane charbonneux, tous basculaient, fauchés dans l'abîme. Alors Erich Sebastian invita le prêtre à entrer. Des centaines de bougies avaient été disposées dans les bois des cerfs. Un

84

linge blanc garnissait l'arche. L'adolescent prit l'épée, la posa sur l'épaule gauche du prêtre, qui aussitôt s'agenouilla. Erich Sebastian avait préparé un petit discours :

— Nous vous reconnaissons comme membre de notre ordre. Ici, au sommet de la nature, loin du collège et de sa mascarade, nous venons vénérer la coupe d'or de la contemplation. Dans cette maison de morts, de cerfs, de poussière, elle apparaît quelquefois... Roman, tu es des nôtres...

— Je suppose que vous attendez une réponse, dit Boos, tout souriant. C'est un grand honneur que vous me faites et j'ai apporté un vieil alcool blanc pour fêter ce solstice... Jacob Boehme disait que la nature est le corps de Dieu... Dans la maison des morts et des cerfs passeurs des âmes, nous habitons le Grand Temps... J'ai toujours cru aux confréries, aux rites, aux fêtes qui célèbrent le monde... Ce qui nous rassemble ici cette nuit, c'est le rêve, c'est l'imaginaire... Puissiez-vous les servir toute votre vie !

Il sortit la bouteille d'alcool blanc. Chacun but au goulot. La présence du prêtre, son discours avaient donné plus de gravité au rituel. Très vite la bonne humeur s'installa. On sortit des saucissons, des pâtés volés aux cuisines. Du vin, des bières. Erich Sebastian entendit Boos qui murmurait : « Le bateau comme à Linderhof... Ce devait être un refuge de Ludwig... » Puis les garçons se dévêtirent et plongèrent dans le torrent glacé. Boos s'amusait comme un fou : il eut tôt fait de jeter sa soutane et de les rejoindre dans la vasque verte, au pied de la cascade. Il était fin, musclé, avec un petit sexe court. On alluma un feu près de la maison pour se sécher. Fabian resta longtemps nu à tourner auprès des flammes.

Harassés, les garçons revinrent dans l'arche. Boos racontait l'histoire du Parsifal qu'il était en train d'écrire. À trois heures, il donna l'ordre de tout ranger. À six heures, tous se retrouvèrent sous la coupole d'Ettal pour la messe qu'il célébrait.

La vie était désormais supportable parce qu'elle avait son envers mythique et secret. Des capillarités indiscernables pour des regards profanes reliaient la matière du cours aux cérémonies de la montagne. Les romantiques allemands, les légendes du Rhin, la matière de Bretagne et les langues infinies de Novalis trouvaient leur point de confluence et leur écho dans la maison des cerfs. Les gendarmes étaient venus enquêter pour savoir ce qu'était devenu le camail précieux de la Madone de Pise. Rien n'avait filtré. Plus que les jeux de la cour, plus que les glissades ou les bagarres dans la neige, ce qui agitait désormais la vie d'Ettal, c'était Boos et son enseignement. Il emmena les élèves à Oberammergau pour contempler le groupe de la *Déposition de croix*, il proposa aussi une visite commentée de l'église de Wies.

Comme pour le mettre à l'épreuve, le prieur le chargea de prêcher le Carême de 1955. Devant les paroissiens et les parents venus écouter cette personnalité hors du commun, il parla du Verbe, de la Passion, du Messie souffrant avec la pénétration d'un grand mystique. Le dimanche des Rameaux, auprès d'un Korbs en ornements rouges qui pâlissait, il fut éblouissant, évoquant le Christ, sa triple nature prophétique, sacerdotale et royale. «Il est en vêtements de lumière et de sang, le Verbe qui fonde le monde, l'Agneau qui rachète nos turpitudes, le Roi de miséricorde qui nous lave dans les linges de Son sacrifice... Il est la pierre de scandale et d'achoppement, Celui qui place l'amour au-dessus de tout...» Roman Anton Boos, raide dans les ors de la chaire, avait l'éloquence et l'autorité d'un prélat. Il avait plus de chaleur, plus d'élan que Korbs qui paraissait toujours méfiant et emprunté.

Ce succès lui laissait une petite marge de manœuvre. Il appela Erich Sebastian et Fabian un soir :

— Ce qui m'intéresse, c'est de rester encore un peu parmi vous et de finir mon roman. Tout ce que je vis avec vous nourrit mon livre. Il faut fêter l'équinoxe et le solstice dans la montagne... Je dérange... Certains ici sont bien décidés à avoir ma peau...

Il les rejoignait certaines nuits. Il leur lisait des passages entiers de son Parsifal dans l'arche. Puis on se baignait dans le torrent. Tout l'enseignement de Roman Anton Boos reposait sur cette triade : les textes, les corps, les rites. Il aimait que les élèves missent du temps à se rhabiller. Il les contemplait dans l'écume verte du torrent ou dans le jeu des flammes. Il les regardait comme il observait la danse des morts.

Pour le solstice d'été, il fit allumer un très haut brasier. Au sortir de la vasque verte, tous dansèrent autour des flammes. Et on brûla le camail précieux de la Madone en l'honneur de l'été qui venait. Le mystique qui avait prêché le Carême dans la chaire d'or d'Ettal riait aux éclats. On but un alcool de mirabelle, on but à l'amitié, aux folies de l'été, à la soif.

Profitant de l'absence de Korbs qui venait d'être appelé par l'évêque, Boos attendit un soir de juin que tous fussent couchés pour entraîner Erich Sebastian dans l'oratoire secret du prieur. Il connaissait les lieux par cœur et désamorça sans problème le système de surveillance. Il connaissait même l'emplacement de la clé dans le tiroir central du bureau. Boos était d'un mutisme infrangible. Il ouvrit le tabernacle noir et sortit une statuette très primitive, une Vierge basaltique ou brûlée. Il avait simplement mis une étole avant de manipuler la Vierge noire. Puis il la posa sur l'autel et l'ouvrit : la statuette se creusait à la façon d'un tabernacle. Au centre, un vieillard d'or portait un crucifix incrusté d'émeraudes et une coupe elle aussi décorée de pierreries. La Vierge chthonienne, le Père, le Verbe blessé et la coupe... Le Père, le Verbe et la coupe enfermés dans la Mère basaltique.

— C'est une représentation de la Trinité comme tu n'en verras plus. Ces Vierges ouvrantes qui furent toutes interdites et détruites après le Concile de Trente contiennent en général le Père, le Fils et le Paraclet... Ici la Vierge noire renferme le Père, le Verbe et le Graal... C'est l'emblème de l'ordre secret auquel appartient Korbs... C'est la vraie Vierge d'Ettal. Je ne saurais dire si c'est de la pierre volcanique ou un bois très précieux carbonisé ou fossilisé... Contemple et enfouis au plus profond de toi cette image... Tu n'as bien sûr rien vu...

Erich Sebastian regarda longuement cette statue. C'était le talisman de Korbs et l'objet de toutes ses dévotions. Il imagina le prieur prosterné au pied de la Vierge noire. Il pensa aussi à Christoph qui avait voulu revenir dans ce périmètre magique. À Korbs encore qui le jour venu pourrirait sous la neige dans le petit cimetière des moines. Une terrible émotion l'étreignait. Il se jeta dans les bras de Boos et l'embrassa.

On attendit la grande dispersion de l'été pour faire triompher l'ordre. Un envoyé de l'évêché arriva dès le début de juillet. Il avait en sa possession d'innombrables plaintes de parents et de professeurs d'Ettal. L'entrevue avec Korbs fut orageuse. Le prieur protégeait Boos.

— C'est un esprit original et brillant, plaida-t-il. Je le défendrai, devant Monseigneur s'il le faut.

Le fonctionnaire de l'évêché, maigre, étriqué et sans envergure, aurait pu servir sous le régime nazi. Il ne lui manquait que l'uniforme.

— Comment pouvez-vous, Monsieur l'Abbé, défendre un homme qui n'enseigne pas la littérature, ne respecte pas les règles de l'école, se promène la nuit avec les élèves et se baigne nu avec eux ?

— Cela est impossible. C'est de la pure calomnie.

— J'ai des témoignages. Je peux vous les lire...

— Non. Si tout cela s'est passé dans ces murs, je suis prêt à remettre ma démission...

— On se moque de votre démission. Vous restez à Ettal encore un an et vous serez évêque. À moins que vous n'ayez changé d'avis... Il me faut la tête de Boos... Pouvez-vous l'appeler ? À moins qu'il ne soit dans la montagne...

89

Roman Anton Boos rangeait ses livres quand le secrétaire de Korbs vint l'appeler. Il retrouva le prieur et le procureur dans le grand bureau, sous les portraits des abbés d'Ettal. Korbs se pinçait les lèvres. Il semblait proche du malaise.

— L'envoyé de Monseigneur est venu me demander votre tête, dit Korbs sans ambage.

Boos s'avança vers la longue table cirée.

— Messieurs, je peux deviner ce qu'on me reproche... J'ai enseigné dans la passion et la sincérité. Je suis tout sauf un perroquet qui impose des leçons apprises. Comme vous, Monseigneur Korbs, je crois à l'éveil et à l'initiation... Moi, je ne cours après rien... Veuillez enregistrer ma démission, et vous, Monsieur, ayez l'obligeance d'annoncer à ces messieurs de Scheyern que je les quitte... Je crois, je sais que j'ai mieux à faire...

Cela n'avait pas duré une minute. Roman Anton Boos était libre.

Erich Sebastian et ses camarades n'apprirent qu'à l'automne le renvoi de Roman Anton Boos. En chaire, le jour de la messe de rentrée, Korbs eut ces mots :
— Nous avons perdu un grand maître. Je tiens à dire que si je ne suivais pas le père Boos dans tous ses excès, je désapprouve son renvoi qui m'a été imposé. Son départ laisse un grand vide en ces murs et dans nos cœurs. Roman Anton Boos a un grand avenir, en dehors de l'Église. Avec lui, vous étiez entrés dans le temps du désir, pensez plus que jamais au sacerdoce...

Erich Sebastian, Fabian et les autres délaissèrent la maison des cerfs et des morts. L'automne fut morose. Erich Sebastian passait des heures à regarder Fabian. Il fit une série de portraits que Korbs jugea extraordinaires : Christoph, Boos, Korbs et Fabian. Il jouissait de nouveau d'un statut particulier, boudant les cours du successeur de Boos. Une froide journée de décembre, dans un brouillard givrant, il prit le car pour aller à Cramer-Klett. Il y avait plus de quatre ans qu'il n'avait pas mis les pieds au domaine. Son père était absent. Un homme jeune qu'il ne connaissait pas — un jockey peut-être — le fit attendre. Il monta dans sa chambre. Son lit, ses livres, ses affaires, tout avait été vidé. Le car suivant était à cinq heures. Il redescendit au salon. Le jockey lui offrit à boire. La maison paraissait sale, mal entretenue. Hans Berg était un grand buveur de champagne. Le jeune homme servit abondamment Erich Sebastian. Il était grand, fin, d'une beauté froide. Il portait des bottes souples et cirées qui captivèrent l'adolescent.

— Ton père est parti vendre des chevaux. Il vend tout. Les dettes se sont accumulées. Un antiquaire est venu hier évaluer les meubles.

Erich Sebastian répondit que cela avait peu d'importance. Le trésor et les portraits des Berg étaient à Rügen. Le jockey apporta de fines tranches de saumon fumé. Puis il mit de la musique. Il paraissait ivre. Il avait peut-être bu toute la nuit. La lumière faiblissait. Erich Sebastian alla jusqu'aux fenêtres pour voir une dernière fois la pente et l'incurvation des prairies. Le brouillard givrant masquait la perspective de la rivière et des bois. Quand il se retourna, le jockey était nu. Il avait simplement gardé ses bottes. À l'aine gauche, il arborait un tatouage en forme de croix gammée. Puis il commença à se masturber en regardant Erich Sebastian.

— Déshabille-toi et fais comme moi, dit-il d'une voix presque féminine.

L'adolescent eut un instant de peur. Puis il s'exécuta, fasciné par la toison blonde, le sexe dur, les bottes. Il voulait embrasser le tatouage, caresser le cuir souple.

— Tu es puceau ?

Erich Sebastian acquiesça. Il sentait une force invincible qui l'attirait vers le tatouage, les bottes, le sexe gonflé du jockey. Dans un mouvement de folie il rassembla ses vêtements et s'enfuit.

Le voyage de retour fut horrible. Quand il arriva à Ettal, le collège était fermé. Le veilleur de nuit ne voulait pas ouvrir. Les temps heureux où l'on pouvait aller et venir comme on l'entendait étaient révolus. Erich Sebastian hurla. Le veilleur prévint Korbs qui descendit, furieux. Quand il vit l'état de désarroi de l'adolescent, il le reçut chez lui. Erich Sebastian hoquetait. Korbs n'eut pas à déployer ses talents d'inquisiteur. Erich Sebastian raconta tout : la maison abandonnée, l'ivresse, le jockey qui l'avait séduit. Le prieur écoutait avec une extrême attention.

— Tu dois combattre ces tendances, dit-il avec gravité lorsque Erich Sebastian eut achevé son récit. Ne retourne plus là-bas. Confesse-toi plus souvent. Évite de trop regarder les garçons... Il faudrait que tu changes d'air... Je téléphonerai demain matin à ton grand-père. Rassure-toi, pas pour lui raconter cette mésaventure. Pour lui demander de t'accueillir au plus vite. Tu partiras avant les autres...

Le lendemain, il n'alla pas en cours. Rien ne l'attirait plus dans cette maison. La chapelle, le repaire du grenier où il avait tant dessiné, la bibliothèque avec ses stucs et ses galeries dorées. Il revoyait Cramer-Klett, sa chambre vidée, le jockey. Il monta au dortoir et se mit à fouiller dans les affaires de Fabian. Il caressa avec un plaisir qui le rasséré-nait les chemises, les chaussettes de laine, les maillots. Au fond du placard, il y avait des vêtements récemment portés par Fabian : il les huma. Il retrouvait la sueur, l'odeur de Fabian. Il les étala par terre et se roula avec frénésie parmi les caleçons, les brodequins. Il caressait Fabian. Il caressait le jockey tatoué. Il bandait, grisé par l'odeur du linge. Il jouit sur le cuir boueux des brodequins.

*

C'est un vieillard fatigué qui l'attendait au fort.

— Je suis usé, mon petit. Je suis usé...

Telles furent ses premières paroles. Le linceul était disposé sur la pierre de la chapelle.

— Le prochain naufragé, c'est moi..., dit Karl en éclatant de rire. Je sais que je n'en ai plus pour longtemps...

Érich Sebastian avait apporté la dernière série de ses dessins. Il y avait là Korbs, l'Épervier au monocle d'or, Christoph, Fabian et Roman Anton Boos qu'il avait tant aimé.

— Je vais te laisser beaucoup d'argent, dit Karl en reposant les dessins. Tu as un talent considérable. Mais tout cela n'est qu'un début. Il faudrait que tu domptes tes énergies en allant apprendre chez un maître. Il y en avait un extraordinaire autrefois à Anvers. Il s'appelait Van Johansen. Adam Van Johansen. J'ai visité son académie... Il est peut-être mort. Mais c'est chez lui ou chez ses successeurs que tu devrais apprendre...

Erich Sebastian dormit plusieurs jours. Il pensait à Fabian. Il ne pensait plus qu'à Fabian. Les grottes, les falaises de craie, les moirures des courants, les signaux des navires la nuit, la lumière du Nord, rien n'avait de réalité. Il se sentait orphelin. Orphelin de l'enfance, d'un paradis qu'il avait vu souillé, orphelin des rites la nuit dans la montagne, orphelin de Boos.

Il se confessa à Karl. Il lui raconta Ettal, la déchéance de Cramer-Klett, l'enchantement qu'avait été l'enseignement de Boos. Il décrivit la Vierge noire d'Ettal.

— Le prieur Korbs, expliqua alors Karl, doit certainement appartenir à la loge des Trinitaires... C'est une société secrète qui traverse toute l'histoire du clergé allemand, un peu comme une loge maçonnique ou templière... Ils croient au Verbe fondateur, au Christ, mais pour eux la coupe de la Cène a plus d'importance que l'Esprit Saint... Le prieur a certainement un rang élevé dans la loge si c'est lui qui détient la statue. Je n'ai, pour ma part, jamais vu de telles statues. Et les Vierges ouvrantes des Trinitaires sont sculptées dans un bois noir extrêmement rare et précieux...

Un soir, auprès des verres de whisky, dans l'atmosphère enfumée du bureau, Karl donna lecture à son petit-fils de son testament. Le document qu'il venait de rédiger comportait sept articles :

Article 1ᵉʳ : J'entends que ma dépouille soit enterrée dans mon fort, au bout du couloir des Ancêtres.

Article 2 : Mon unique héritier sera mon petit-fils Erich Sebastian Karl Berg, né à Munich le 10 août 1940, de Hans Siegfried Berg et d'Hélène Laure Berg, née de Vormer.

Article 3 : Il aura ce fort, et une somme d'argent qu'il recevra à sa majorité. Il y a là de quoi payer ses études. Je charge l'abbé Herman Korbs, père abbé d'Ettal, de veiller au bon usage de cette somme qui lui sera confiée à ma mort.

Article 4 : Mes autres biens iront à l'État et, en désespoir de cause, à mon fils.

Article 5 : L'abbé Korbs achètera pour Erich Sebastian un logement dans la ville où il fera ses études.

Article 6 : En aucune manière, Erich Sebastian Karl Berg ne vendra ce fort qui sera mon tombeau.

Article 7 : Il devra honorer le souvenir de ses ancêtres et de son grand-père, mais libre à lui de le faire comme il l'entend.

Fait au fort de Herz, sur l'île de Rügen, le treize décembre mil neuf cent cinquante-cinq.

Karl, Amiral Berg

Ils burent en riant aux éclats dans le bureau aux meubles blonds. Erich Sebastian s'était assis dans le beau fauteuil canné de son grand-père. Il jura de respecter à la lettre les recommandations testamentaires. On eût dit qu'il prenait tout cela pour une comédie. Le whisky donnait à Karl une volubilité superbe.

95

Des heures, Erich Sebastian écoutait le mouvement des vagues. Et il se levait la nuit pour éclairer les portraits des ancêtres. Il connaissait Georg le chasseur à la baleine, Gregor l'explorateur des hommes-rennes de Mandchourie, et Sebastian l'archevêque de Berlin. Il les connaissait et il les vénérait. Une nuit, profitant de l'absence de Karl qui était monté sur le toit du fort pour tirer les oiseaux de mer, il installa ses dessins dans le couloir. Et manipulant la lanterne comme un encensoir, il éclaira Korbs, Christoph, Fabian et Boos.

Il écrivit à Boos. Il avait appris que son ancien maître s'était retiré dans un couvent de Munich.

Mon père et cher ami,
Je vous écris du fort de Herz, sur l'île de Rügen. L'automne a été affreux. Avec Fabian, nous ne sommes jamais montés à la maison des cerfs. Je ne sais pas ce qu'ils ont pu inventer pour vous chasser. Je rêve de quitter Ettal. Je ne sais pas si j'aurai la force d'attendre le diplôme.
Nous relisons, avec Fabian, les romantiques allemands en souvenir de vos cours. Où en est le roman de Parsifal ? Vos mots nous manquent. Vous aussi.

Votre dévoué,
Erich Sebastian B.

P.-S : Écrivez-moi poste restante à Ettal. J'aurais trop peur qu'on n'intercepte votre lettre, si vous voulez bien me répondre.

Les vagues, les oiseaux marins, la compagnie d'Urga, la chienne labrador, les rituels nocturnes ne suffisaient plus à l'adolescent de plus en plus soucieux de retrouver Ettal et Fabian. Il n'y eut pas de naufragé ces vacances. Erich Sebastian laissa à sa solitude le vieillard de plus en plus parcheminé. Il partait avec un testament en poche. Une autre ivresse le taraudait.

De retour à Ettal, il se précipita à la poste. Il n'y avait rien. Il raconta avec exaltation ses vacances. Fabian se montra distant, agacé. Il avait deux occupations, deux rituels désormais : la poste et l'armoire de Fabian. Il fouillait encore parmi les brodequins et les vêtements lorsqu'il trouva une lettre froissée. Il ne put s'empêcher de la lire :

Mon amour,
Je t'aime, tu le sais. Nous avons passé des vacances merveilleuses. Tu es mon seigneur, mon amour. Pour toi, je volerai par-dessus les montagnes. Tu dois t'ennuyer, enfermé dans ta vallée. Mais on se verra à Pâques. Ça viendra vite. Je te fais plein de bisous.

Sophie D.

Ce fut comme un coup de poignard. De rage, il claqua la porte du placard et courut en pleurant dans la chapelle. Des heures il pleura au pied du maître-autel.

Il fit celui qui ne connaissait plus Fabian. Pendant les compositions, lorsque l'autre lui demandait un renseignement, il ne répondait pas. Il fallut pour les réconcilier qu'arrivât enfin la lettre de Boos. Erich Sebastian montra à Fabian le pli précieux. Il ne le décachèterait qu'en présence de Fabian. Il fut décidé qu'on monterait pour l'occasion dans la maison des cerfs. Erich Sebastian insista pour qu'il ne fût convié personne d'autre. Ils partirent dans la neige. C'était un après-midi de grand soleil. Là-haut, tout était intact. Il y avait même devant la maison les traces des cendres du brasier de juin. Ils s'installèrent sur

le seuil. Erich Sebastian déchira l'enveloppe remplie d'épais feuillets et commença la lecture :

Munich, le 6 I 56

Cher Monsieur,
C'est avec plaisir que j'ai reçu votre lettre. Ce n'est pas parce que j'ai pris de la distance — forcée — que je vous ai oublié. C'est l'époque des vœux. Recevez tous les miens, de bonheur et de réussite, transmettez-les en mon nom à vos amis, et à votre complice des rites montagnards, Fabian.
Je ne reviendrai pas sur les événements de l'été dernier. Je ne regrette rien. L'abbé Korbs m'a défendu avec une vigueur qui l'honore. Mais il était bon que je parte. J'ai loué une chambre à Munich au couvent Saint-Michel — si vous avez l'occasion de passer, venez me voir —, j'ai déposé un sujet de thèse sur mes chers Romantiques, et j'ai pratiquement fini mon roman. J'ai même rencontré un éditeur qui dit s'intéresser à mon travail.
Non, cher Monsieur, n'abandonnez pas Ettal avant le diplôme. Ce serait une faute. Restez, endurez, tant que Korbs sera là, vous êtes tranquille. Il se peut — mais ce ne sont que des rumeurs — qu'il soit nommé évêque en juin. On l'expédierait dans le Nord. Mais les Trinitaires auxquels il appartient — souvenez-vous de la Vierge noire — sont puissants. Je vous souhaite une belle et sainte année. Ne désespérez pas. Continuez de dessiner. Un jour, je préfacerai un de vos catalogues ! Embrassez pour moi tous nos preux chevaliers et buvez en mon nom dans la maison des morts et des psychopompes. Fidèlement à vous,

Roman Anton Boos

Il restait dans la cave secrète une bouteille de prune. La lettre de Boos avait effacé la douleur d'Erich Sebastian. Ils burent, en jurant de se rendre à Munich dès qu'ils le pourraient. Fabian, à son tour, avait pris les feuillets. Il voulait lire, en se recueillant, la lettre du grand Roman Anton Boos.

À la rentrée de 1956, les élèves ébahis découvrirent un nouveau prieur, le père Groer. Herman Korbs avait été nommé évêque et appelé pendant l'été auprès de l'archevêque de Munich. Le nouvel abbé était un homme petit et timide. Il rappela le magistère et l'autorité de Korbs. Groer assura que Korbs reviendrait saluer ses chevaliers pendant l'hiver.

Dès la fin de la messe, les anciens se retrouvèrent. La nouvelle les avait stupéfiés. Korbs n'avait laissé aucun message. «Ils l'ont vidé, comme Boos, l'an dernier. Ils ont attendu un an, mais le résultat est le même…» Les élèves erraient dans la cour, désemparés. Erich Sebastian Berg ne semblait aucunement affecté. Il rentrait de Normandie, bronzé et heureux. Il monta à la bibliothèque et écrivit une lettre à Fabian. C'était une lettre d'amour très violente et très crue. Il la signa très lisiblement. Au premier cours de latin qu'assurait le nouveau prieur, il s'arrangea pour passer le billet à Fabian sous le nez du professeur. Groer, qui voulait manifester son autorité, s'empara aussitôt du papier.

— Qu'est-ce que c'était? demanda Fabian dès qu'ils sortirent.

Erich Sebastian fut cinglant :

99

— Tu le sauras un jour, pauvre con ! Va baiser ta Sophie !

Fabian se rua sur Erich Sebastian et le plaqua au sol. Des surveillants s'interposèrent. Le préfet de discipline s'en mêla. Quelques minutes plus tard, Erich Sebastian Berg et Fabian étaient enfermés dans l'ancien oratoire de Korbs. Il n'y avait plus d'autel, plus de tabernacle. La chapelle avait été vidée.

Le préfet de discipline vint chercher Berg. L'abbé Groer avait pris place à l'ancien bureau de Korbs, sous les portraits des prieurs d'Ettal. Il fulminait.

— J'ai lu cette chose immonde, dit-il en tendant le billet. Un garçon de seize ans écrire de pareilles horreurs ! Vous êtes possédé par le Démon. Mais d'où tenez-vous ces connaissances sordides ? Je ne saurais tolérer cela dans cette maison. Berg, qu'avez-vous à dire pour votre défense ?

Erich Sebastian regardait le gros abbé en souriant.

— Vous vous moquez de moi, sale gosse ! Oui, qu'avez-vous à dire pour votre défense ?

— Rien, sinon que j'aime ce garçon.

— Vous pourriez répéter ?

— J'aime ce garçon...

— Que font vos parents ?

— Ma mère chante et mon père liquide ses affaires...

— Je vois, dit l'abbé d'un air songeur.

Le préfet de discipline venait de lui passer un mot. Il le lut à peine.

— Cette affaire est d'une extrême gravité. Vous êtes un bandit, une très sale graine. Monsieur se prend pour un artiste. Monsieur a été éduqué par Boos et soutenu par mon prédécesseur. Cette époque est révolue. Vous irez poursuivre votre scolarité ailleurs. Je vais téléphoner à vos parents ou à votre tuteur. Berg, à partir de cet instant, je considère que vous ne faites plus partie de cette école...

Vous attendrez dans la pièce voisine qu'on vienne vous chercher...

Quand il entra dans l'ancien oratoire, Fabian avait disparu. Erich Sebastian contenait sa jubilation. Il entendit le gros homme qui téléphonait. Il connaissait les lieux par cœur. Il s'esquiva, gagna la sacristie. Il voulait, une dernière fois, embrasser l'autel. Il ne monta pas au dortoir. Il y laisserait ses vêtements, ses dessins, une partie de sa jeunesse. Il s'enfuit.

ATELIER PORTATIF

(notes intimes)

J'ai commencé à écrire dès que se sont refermées sur moi les portes du collège d'Ettal. J'ai écrit bien avant de commencer à peindre. Un hasard miraculeux — sans doute fils de la Madone de marbre et de neige — a voulu que je n'ai pratiquement rien perdu de ces notes, malgré les errances, les voyages, les déménagements divers. Ces textes qui relèvent de l'écriture de circonstance — quand ce n'est pas plus simplement de la purge intime —, j'ai décidé de les retranscrire en me disant qu'ils dessinaient une ligne de forces, un chemin d'unité nécessaire si l'on veut comprendre un homme qui s'est beaucoup dépensé — dispersé.

Je sortais du domaine de mon père, Cramer-Klett, quand j'ai entrepris l'écriture de ces carnets. Conduit par ma mère, j'entrais sous la domination du prieur Korbs. J'ai peint des personnages, de grands oiseaux au camail cendreux, des éperviers au monocle d'or, en souvenir de Korbs. J'ai peint des corps, des croix, des paysages, des sexes, des visages. Trois hommes m'ont mené au seuil de la vérité. Korbs, mon grand-père paternel Karl, et Adam Van Johansen, mon maître d'Anvers. Je leur dédie la mise en forme définitive de ces carnets. Korbs repose dans le petit cimetière du monastère d'Ettal. Conformément à ses

102

dernières volontés, Karl est enterré dans son fort et il veille dans la rumeur des flots. Les cendres d'Adam Van Johansen ont été répandues dans le jardin japonais de son pavillon lacustre. Ces trois hommes que rien ne devait réunir, les voici rassemblés en un motif trinitaire et lumineux au seuil de mon *atelier portatif.*

E.S.B.
Paris, passage de la Folie,
12 VII 93

2 X 51

Les portes se sont refermées. J'ai quitté ce que je connaissais, ceux que j'aimais. Les prairies de Cramer-Klett, les chevaux, les garçons d'écurie. La montagne est proche, elle est juste au-dessus du dortoir glacial et humide dans lequel j'écris. Je crois avoir déjoué la vigilance du surveillant. Mais il y a assez de lune pour que je puisse griffonner. Ces lieux sont magiques et hantés. Vu tout à l'heure dans le cabinet de l'Épervier Korbs une petite armoire secrète. Vu aussi l'Image miraculeuse, une statuette de marbre sculptée peu après 1300 dans un atelier de Pise (précision due à un aîné savant). Tout cela rayonne, de manière confuse, dans ma solitude et dans mes larmes.

Maman m'a avoué tout à l'heure qu'elle ne remettrait plus les pieds à Cramer-Klett. J'avais compris. Je n'ai plus de maison. Pas un lieu secret pour me laver, pour regarder mon corps. Horrible salle de douches commune dans laquelle les tuyaux grincent. Il me reste ce plumier de cèdre que j'ai volé à Hans Berg. Et la protection de l'Épervier au monocle d'or.

Découvert dans la montagne une maison bizarre, avec sur la façade des crânes, des tibias, des morts qui dansent, et, à l'intérieur, un bateau. Je suis resté là deux jours, sans manger, heureux enfin. J'étais un prince, un chevalier, un évêque. Je m'étais taillé un bâton à l'image de celui du prieur. Des vagues venaient se fracasser contre les racines. Des gardes forestiers qui patrouillaient m'ont retrouvé : j'avais oublié d'arracher l'image de la Vierge cousue à mon manteau.

Je pars demain pour le Nord, une destination inconnue. Je ne mange plus, je n'étudie plus depuis ma fugue. Depuis que j'ai dormi dans la maison des morts et l'oratoire du prieur. Je viens d'écrire une longue lettre à ma mère. Je lui décris ce monde atroce, ce prieur barbare qui fait de la magie sur l'autel de sa chapelle. J'ai envie de le dénoncer. « Ma petite Maman, n'oublie pas ton fils que tu as laissé aux mains de fous. Je n'ai parlé à personne cet automne. Je dépéris. La neige est venue, heureusement, elle me rappelle Cramer-Klett, je t'entends chanter. Tu chantais toujours des arias de Bach quand il neigeait. J'ai peur de rencontrer le grand-père Karl. Je voudrais passer ces fêtes avec toi, en France, à la Roque. Quand je ne dessine pas des cartes ou des écorchés, je rêve et je me dis que je suis un roi, le roi Erich, roi de Sébastianie, je surpasse le prieur, l'Épervier au monocle d'or et je connais le secret de l'armoire goudronneuse… »

Nuit d'insomnie et de frayeur. D'un côté un homme qui me parle et m'offre à boire, de l'autre son double, un spectre qui marche seul dans les couloirs, une lampe à la main, en regardant des carrés de tissu rouge. Monde de doubles. Le bureau pourpre du prieur et sa chapelle avec l'armoire noire. Franz, l'employé de mon père qui m'a accompagné jusqu'ici, sortant la nuit, dans la couchette, son sexe, et jouant avec lui en râlant, en me regardant dormir.

Je suis allé écouter ma mère chanter la *Passion selon saint Matthieu* dans l'église de Wies. Assistance nombreuse sous les anges et les ors. Pas une église, un théâtre plutôt. Mon plus grand moment d'émotion : l'instant de la mort du Christ.

Après le concert, quand nous nous sommes retrouvés seuls dans la sacristie, je lui ai demandé une faveur : pouvoir enfin porter sa longue robe rouge. Faveur accordée.

Je délaisse ces carnets. Depuis que Korbs m'a choisi comme premier enfant de chœur pour toutes les cérémonies de la Semaine sainte — je suis le premier à qui il ait lavé et baisé les pieds le Jeudi saint —, je bénéficie d'un régime de faveur. Je me suis installé dans un petit réduit attenant à l'infirmerie. De là, je peux gagner les greniers du monastère qui sont devenus ma propriété. Le dimanche, je ne vais jamais à Linderhof ou à Oberammergau. Je monte seul dans la montagne et je rêve au creux de l'arche vermoulue. J'ai retrouvé l'envie de vivre. Le printemps, toutes ces fleurs sur l'autel rose, l'image du Christ ressuscité sortant des buissons d'hortensias, la joie de retrouver, fût-ce un soir, ma mère. J'ai ajouté à mes dessins le matelot de Rügen. Dans cet univers de garçons durs et brutaux qui ne pensent qu'à se battre, il est mon double et mon confident. Je me suis appliqué à le représenter sur la pierre, les traits plissés et bouffis. Korbs devine-t-il ce que je fais? Dois-je à mon grand-père ces faveurs? A-t-il richement payé mes trimestres de scolarité? Je commence à me plaire à Ettal. Je déteste les bagarres de la cour, le dortoir, les douches communes, vêtus du ridicule maillot noir que les frères nous donnent. Le soir, j'aime l'étude, la lecture sacrée qu'on nous fait pendant le repas, les vêpres, j'aime être tout près de Korbs quand il monte à l'autel dans son habit d'or.

12 VIII 52

Été sur l'île de Rügen. J'ai renoncé à rejoindre ma mère à la Roque. La nuit, sur le toit du fort, j'apprends à déchiffrer les constellations. Karl me raconte des histoires de naufrages, d'intersignes, de vaisseaux fantômes. Il m'apprend à tirer. La mer est très lumineuse, même la nuit. On reste des heures sur la terrasse à regarder le ciel, l'île, les tracés des courants. Il s'enferme parfois pour la journée dans son bureau. Il doit revivre ses navigations. La nuit, il nous arrive de faire le tour de l'île. Je passe des heures à dessiner des cartes, des relevés du fort, des croquis qui montrent l'effondrement des falaises. Je commence à connaître les noms des morts du couloir. Avec Urga, la chienne labrador, nous pataugeons dans les marécages, tout près du fort. Je ne veux pas rentrer à Ettal.

Un automne pour perdre pied. Oui, j'ai perdu la puissance de l'été sur le toit du fort. Il a suffi qu'arrivent ici deux nouveaux. Christoph le chanteur est pour moi un frère, une sorte de double. Je crois que je vis chaque jour pour l'entendre chanter le soir. C'est une grâce, comme la venue de la neige. L'autre, Fabian, me semble plus mystérieux. Souvent, avant de m'endormir ou dans mes insomnies, je revois son corps nu sous la douche. Je prie pour chasser cette image. S'il ne met pas de maillot, c'est pour me torturer.

Horreur de ces dortoirs qui sentent la sueur, les pieds. La Sébastianie, c'est l'église, l'encens, les fleurs, la neige aussi, et la maison des cerfs et des morts.

La neige est tombée sur Ettal. Par un petit colimaçon, je gagne le grenier. Là, je suis bien, parmi les dalmatiques, les lutrins, les chaises délabrées, les vieux livres. Je dois dessiner l'emblème de l'Épervier Korbs. Il faut que je lui trouve un animal et un insigne. Et sous la forme d'un tabernacle je dessinerai son armoire secrète.

Janvier 1953

J'habite pour l'hiver ce qu'à Ettal on appelle l'appartement de l'évêque, juste à côté de celui du prieur. Depuis cette chute mystérieuse, je vis seul. Christoph m'apporte tous les soirs les devoirs. Je les fais le plus vite possible. Je préfère dessiner le blason de Karl.

Je me suis composé un monde à moi. La Sébastianie est un royaume qui embrasse Rügen et Linderhof, le veilleur du fort et le roi fou. Je m'installe dans la cathèdre de l'évêque, je m'amuse à bénir une foule imaginaire, je

retrouve les gestes de la vieille momie qui nous a confirmés. Puis j'attends Christoph. Il ne me parle jamais de
Fabian. Je voudrais être certain qu'il se réjouit de mon
absence. Fabian me manque.

Christoph m'a pris à la bibliothèque un livre sur Louis II.
Le roi vierge qui aimait les lys et les cygnes est devenu mon
compagnon. Le livre raconte les errances nocturnes du roi
dans un traîneau qu'emmenaient des chevaux blancs.
Christoph m'a confirmé qu'aujourd'hui encore les paysans
de cette région ont conservé l'amour de leur « kini ».

La nuit, Ludwig, à la lueur des torches, seul, enveloppé
dans ses fourrures, glisse dans un traîneau doré précédé de
cavaliers sur les hauteurs de la Sébastianie. Il va vers la maison des morts et des cerfs.

Comme Ludwig, j'ai décidé de tenir ce carnet en français. Je lis de la poésie française. Rimbaud, rapporté de la
bibliothèque par Christoph. Je connais par cœur « Le dormeur du val ».

Le médecin aurait dit à Korbs qu'il était urgent de me
remettre parmi mes camarades. Je prétexte une fatigue
durable. Korbs ne semble pas pressé de me voir partir.

12 II 54

Mon dormeur du val est entré dans l'autel de l'église. Au
cours d'une incroyable cérémonie, l'Épervier a répandu les
cendres de Christoph sous la pierre d'autel. La voix, les
visites l'hiver dernier, le caillot du Jeudi saint, l'absence ne
cessent de me hanter. Je ne me fais pas à ce vide. Aux vêpres,
il m'arrive de l'entendre chanter. Christoph est là, auprès
de moi. Les mots de sa lettre de l'été me hantent aussi. Il

me demandait de dessiner, de continuer à être différent. Et il me voyait un destin de prêtre. Prêtre comme Korbs.

Christoph, depuis ta mort, je ne sais plus rien. Je rêve de cérémonies dans la montagne, avec des flambeaux, de grands rassemblements dans la maison des cerfs et des morts. Ton esprit est là qui dirige en secret notre confrérie. Korbs me surveille étroitement. Je me rapproche de Fabian.

4 VI 54

Montré à Fabian mon refuge secret. Dans un moment de joie, je l'ai même invité au fort. Je ne suis pas sûr que Karl accepte cette présence.

Une certitude, j'aime Dieu. Je reste des heures devant le Saint Sacrement. Je serai prêtre. Comme Herman Korbs.

Projet de lettre à Christoph.

La vie est triste sans toi. Ma vie, c'est le silence et la contemplation. J'essaie de trouver des états que tu connais là-haut. Je reste des heures à prier dans ce qui était ton lit au dortoir. Quand on pose le Saint Sacrement sur l'autel, je suis le seul à voir ton visage apparaître dans l'hostie.

J'ai montré à Fabian la maison des cerfs et des morts. Là où les morts courent avec des sexes monstrueux. Je voudrais tant être auprès de toi.

Été 54

Mois de folie à Rügen. Karl nous laisse courir sur les falaises, visiter les grottes, marcher de nuit sur les chemins de garde. Fabian m'entraîne. On ne voit guère Karl, de plus en plus enfermé dans le fort. Il écrit des journées

109

entières, sa guerre, des histoires de naufrages et de baleines géantes. Le soir, on l'entend marcher, allumer ses lanternes. Puis il repart vers son bureau.

Fabian est le fils d'un architecte. Ses parents mènent une vie heureuse. Il a deux sœurs. Certains soirs, je le trouve mélancolique, comme s'il rêvait de retrouver les siens. Il n'a plus l'audace et l'arrogance d'Ettal. Il partage ma chambre et nous ne dormons pas. Des heures nous racontons la vie de Christoph, la messe du Jeudi saint, la cérémonie de l'enfouissement de ses cendres. Nous avons raconté à Karl cette cérémonie. Il a éclaté de rire, se contentant de nous demander : «Et, à votre avis, quelle était la *muette*?»

Avec Fabian, pour l'hiver prochain, nous rêvons de cérémonies de chevaliers dans la maison des cerfs. Nous allons adouber quelques-uns de nos camarades. Il nous faut des armes, une épée. J'ai demandé cette épée à Karl pour mon anniversaire.

Des visiteurs traversent souvent mes rêves ou mes insomnies. Korbs, Christoph, Fabian. Pas le Fabian qui dort ici près de moi. Le jeune homme nu des douches.

20 II 55

Des fils magiques tissent ma vie. Avec Fabian, je suis maître d'un ordre secret, qui a sa chapelle, ses rites, ses chevaliers. Nous avons plongé l'épée de Karl dans la rivière avant de la déposer dans l'arche. Roman Anton Boos est des nôtres. Il boit, raconte la quête du Graal, le roman qu'il écrit et se baigne avec nous dans le torrent.

110

Il me fascine chaque dimanche en chaire, peut-être encore plus qu'en cours. Il a l'éloquence, la force d'un maître de la vieille Allemagne, un quêteur de Graal. Il me fait peur, vivant dans les plis d'or de la chaire. La foudre va tomber sur lui.

21 VI 55

Je ne pourrai plus vivre comme avant. Je connais maintenant, grâce à Boos, le secret que je rêvais de connaître depuis mon arrivée ici. Je suis passé de l'autre côté.

22 VI 55

Ces lignes sont écrites au lendemain d'une fête qui avait pour moi un air d'adieu. Bu à la nature, à l'été, à la soif. Brûlé le camail précieux de la Vierge dans notre brasier. Le rire de Boos à cet instant, tandis que le gilet de pierres crépitait dans les flammes, annonçait son départ.

Je l'ai quitté sans oser lui demander son adresse. Je sais que je le reverrai.

Janvier 1956

Des mois que je n'ai pas visité ces carnets. Depuis quelques semaines, je suis l'héritier en puissance du fort de Herz. J'ai juré de garder pour la vie cette bâtisse qui sera le tombeau de Karl. Renoué aussi avec Roman Anton Boos. Je veux aller le voir à Munich.

Je suis de plus en plus attiré par Fabian. J'ai trouvé dans ses affaires la lettre d'une mystérieuse Sophie, une rencontre de vacances. La jalousie me dévore.

Je dessine. Je ne fais plus que cela. Des portraits, des corps, Fabian encore et toujours, et le jockey tatoué de Cramer-Klett. Je voudrais retrouver le nom de ce maître d'Anvers dont m'a parlé Karl. Il est clair qu'Ettal, c'est fini. J'emmène Fabian en promenade sous prétexte de lui parler de Boos. Il n'y a que lui qui me lie encore à Ettal. Je ne sais pas comment faire pour lui déclarer mon amour. Oui, j'attends *l'événement* qui me permettra de quitter Ettal. Ce peut être le départ de Korbs. Mon grand-père m'a lié à lui, la clé est toute trouvée.

7 II 56

Ettal, tu m'as vu naître à ma vocation, à mes désirs. Je crois que je ne sortirai jamais du temps du songe. Et du temps du désir. Je me souviens de cette lettre où Karl me parlait de la prêtrise de l'art. Ce sera la mienne.

Je ne cesse de mettre en ordre mes affaires. Sitôt le départ de Korbs annoncé, je pars pour Munich. Je lis et relis jusqu'à l'obsession les poèmes de Rimbaud, ceux de 1872, les poèmes de la soif. Je voudrais être un marcheur, un errant, un piéton, comme lui. Verlaine me paraît fade. C'est Rimbaud que j'aime, tendu comme un arc, tout crépitant de foudre. Je veux partir à sa suite, arriver à Munich, m'installer chez Boos. Je veux vivre. Je hais Ettal.

Octobre 1956

Quand je suis arrivé à Munich, il y avait longtemps que Boos n'habitait plus au couvent Saint-Michel. Il a fallu que

j'insiste pour qu'on me donne sa nouvelle adresse. Il venait
de s'installer dans un grand appartement, non loin de la
Pinacothèque. C'était un appartement à peine meublé
qu'il partageait avec un garçon. Je suis resté là quelques
jours. Il m'a prêté de l'argent, le temps que ma mère me
fasse parvenir un mandat. Les choses étaient claires. J'irais apprendre à peindre
à Anvers. Karl, que j'avais eu au téléphone, m'avait
confirmé qu'Adam Van Johansen était toujours vivant et
qu'il dirigeait encore son académie. Roman Anton Boos
m'avait déçu. Un matin, je suis parti sans rien dire. J'ai
commencé à errer. J'ai pris un train pour Paris. Puis j'ai
marché jusqu'à Charleville. Je voulais voir la tombe de
l'Amputé — un petit berceau de marbre blanc —, sur les
quais de la Meuse, je me suis engouffré dans ce qui avait
été la maison de la mère Rimb. Le vieil escalier sentait
le moisi. J'ai caressé la rampe avec dévotion. J'ai pris
ensuite la direction des Ardennes. Je rêvais de dormir à
la belle étoile dans la vallée de la Semoy, une vallée her-
bue sous des taillis noirs, dans laquelle coule la *rivière de
cassis* du poème. J'ai dormi sur ses rives. Des chouettes
ne cessaient de hurler. Et je me suis lavé dans les eaux
de cassis. Le Piéton fabuleux, l'homme aux semelles de
vent, avait vécu là. Dans la forêt, au-dessus de la Semoy,
il y avait des maisons fortes, des abris à demi ruinés dans
lesquels j'ai passé quelques jours. Il restait dans ces maisons des ustensiles, des capotes pourries, comme si un
désastre avait chassé les soldats. J'ai marché jusqu'à la
Belgique. Je suis passé par Mons, Gand, Bruges. J'ai vu
des tableaux. Van Eyck, Memling. Le retable de *L'Agneau
mystique*, la châsse de *Sainte-Ursule*. J'avais étreint la réalité rugueuse de l'Ardenne. J'avais vu l'ultime demeure
de l'Amputé, la maison où il avait rêvé le Bateau ivre, la
rivière de cassis et du Dormeur. J'étais pouilleux et halluciné. Je parlais tantôt français, tantôt allemand. Des

religieuses du béguinage de Bruges m'ont gentiment prêté une cellule. J'avais seize ans. J'étais Erich Sebastian Berg. Personne ne me connaissait. Je voulais être peintre.

LE MAÎTRE D'ANVERS

« Le peintre ne doit pas peindre seulement ce qu'il voit devant lui, mais ce qu'il voit en lui. S'il ne voit rien en lui, qu'il renonce à peindre ce qu'il voit au-dehors. Sinon, ses tableaux ressembleront aux paravents derrière lesquels on ne s'attend à trouver que des malades, ou même des morts. »

C. D. FRIEDRICH

Un matin de décembre 1956, un garçon sale et mal réveillé sonna au 16 de l'étroite Jezuïtenrui à Anvers. Il insista avant qu'une vieille femme ne vienne ouvrir.

— Qui est-ce ? cria-t-elle en entrouvrant la porte.

— Je suis Erich Sebastian Berg, dit l'adolescent sur un ton presque maniéré. J'ai rendez-vous avec Maître Van Johansen.

La femme fit entrer le visiteur. Erich Sebastian découvrit un porche de briques, une cour pavée et suintante, et à gauche la loge de la concierge.

— Je suis Tanneken. Cela fait cinquante ans que je suis ici. Tout le monde m'appelle Tanneken. Venez avec moi dans ma loge. Le maître sonnera.

Erich Sebastian la suivit dans sa cuisine. C'était une pièce vétuste, mal éclairée, avec sur les murs des carreaux de Delft très anciens.

— C'est vendredi, dit Tanneken. Le maître fait sa leçon. Il vous recevra après...

Sur la table au plateau entaillé d'innombrables écorchures, il y avait une montagne d'huîtres aux coquilles épaisses et algueuses. Tanneken, oubliant l'intrus, se mit à ouvrir les huîtres. Elle le faisait d'un coup sec, avec une belle régularité. Puis elle disposa les coquillages sur un grand plateau bleu.

— Le maître mange ici le vendredi, expliqua Tanneken. Et les huîtres pour lui, c'est sacré.

Le téléphone sonna. Elle alla répondre en maugréant. Le décor était d'une extrême modestie : une lourde table de campagne, des chaises à demi défoncées, une belle collection d'étains et de moulins à café. Rien n'avait dû être refait dans cette maison depuis trente ou quarante ans. La seule chose qui eût encore de l'éclat, c'étaient les murs, tapissés de carreaux bleus de Delft. Pendant que Tanneken parlait au téléphone, il y eut plusieurs coups de cloche.

— Montez, c'est à l'étage, tout de suite à gauche...

Erich Sebastian s'engouffra dans l'escalier. Il sautillait. Tant et si bien qu'il bouscula Adam Van Johansen qui venait à sa rencontre. Le maître fit entrer Erich Sebastian et il s'assit à son bureau, une longue table de chêne absolument nue. Il n'y avait pas de siège pour le visiteur. Il regarda avec gourmandise le gamin aux cheveux blonds, très élégant dans son ciré jaune de marin. Van Johansen n'avait pas d'âge. Il avait une peau très blanche, des yeux bleus très mobiles, une épaisse chevelure blanche. Il se taisait, observant d'un regard pénétrant le jeune androgyne de seize ans que l'amiral Berg lui envoyait. Le cabinet était comme la table, totalement nu. Pas une esquisse, pas une œuvre d'art. Des pans de briques noircis.

— Ainsi, vous voulez peindre...

Ce furent ses premiers mots, suivis d'un long silence.

— Peindre... On vit mieux sans, mais puisque vous le voulez... D'où venez-vous ?

— J'ai traversé la Belgique à pied. Je suis passé par Gand et par Bruges...

— Vous avez vu des tableaux ?

— La châsse de *Sainte-Ursule*, le retable de *L'Agneau mystique*...

118

lumière ruisselait des toits, des gouttières, des frontons. Un poêle qu'on n'allumait jamais trônait au centre de la chapelle. À l'emplacement de l'autel, dans ce qui avait été le chœur, étaient disposés les modèles. Il y avait là des moulages d'après Michel-Ange — dont le Jules II et le David —, un masque de William Blake moulé de son vivant, toute une série de photos de Muybridge représentant des garçons nus en train de jouter. Les élèves pouvaient choisir le thème de leur travail. Tout à côté des modèles se dressait une estrade sur laquelle montait le maître pour les harangues. C'étaient les fameux discours du vendredi où il faisait ses leçons d'histoire de la peinture. Il demandait alors à voir les travaux. Il arrivait qu'il déchirât certaines productions en hurlant. Mais ce que les élèves redoutaient le plus, c'était l'ancienne tribune d'orgue qui surplombait la chapelle. Le maître qui ne s'aventurait jamais dans la nef à l'exception du vendredi surveillait la classe depuis cette tribune. Il se postait en silence et observait les élèves. Certains assuraient qu'il se munissait pour l'occasion de jumelles de théâtre. On ne savait jamais quand il était là-haut. Il se déchaussait, glissait en silence sur le vieux bois qu'il avait fait garnir de feutre. C'était une sorte de présence invisible et terrifiante. Les élèves, qui avaient reçu la consigne de ne jamais se parler pendant les heures de dessin, sentaient au-dessus d'eux la présence muette et magique du grand sphinx.

Les cours passant, tous étaient convaincus que le maître était constamment posté à la tribune. D'autres prétendaient que Tanneken le relayait. Il était rigoureusement interdit de se retourner pour voir qui était posté là-haut. Pareille audace pouvait conduire à l'éviction. Au sein de l'académie de Van Johansen la classe de dessin était donc la section la plus redoutée. D'ailleurs, on ne quittait la chapelle que lorsqu'on avait maîtrisé les techniques du dessin à la bosse. Un infime pourcentage — jamais plus de dix pour cent — pouvait gagner le cours de dessin d'après modèle. Cette classe était installée quelque part sous les combles. L'architecture de l'académie était telle qu'il était rare que les élèves se rencontrassent. Il y avait un lieu de ralliement, mais extérieur : le bistrot Les Anges. La classe des combles fascinait les élèves de première année. Là, des modèles venaient se dévêtir : des filles d'une école de danse toute proche, de vieilles putes du port ou du quartier de la gare centrale, et des marins. On pouvait rester des années sous les combles à dessiner les corps. Ensuite — ou parfois en parallèle — on était autorisé à suivre le cours de peinture et d'histoire de la peinture. Il restait alors deux ou trois élèves qui bénéficiaient de l'enseignement direct du maître. Ces privilégiés constituaient son public préféré. Erich Sebastian avait appris aux Anges que ces privilégiés étaient parfois invités chez Van Johansen, dans un appartement moderne qu'il venait d'acheter au sommet d'une tour, dans les quartiers reconstruits. De là-haut, on voyait tout Anvers, l'estuaire de l'Escaut, la cathédrale, les miroitements du port et de la ville. Van Johansen offrait à ses disciples un whisky irlandais qu'il adorait. Et il leur lisait des fragments de ses écrits secrets.

Dès qu'il avait entendu cela aux Anges, Erich Sebastian s'était promis de faire un jour partie de ces délégations élues. Pour l'heure, il était élève de la chapelle, condamné à l'anonymat dans un groupe d'une cinquantaine de novices. Il n'aimait guère sa chambre tout près de l'académie. Au sortir de la nef humide et glaciale, il n'y avait que les pintes de bière et les marmites de moules qui pussent le réjouir. Le rendez-vous était toujours aux Anges. C'était une superbe maison, à quelques encablures de la cathédrale, décorée à tous ses étages de statues religieuses. Des bougies tremblotaient sur les tables. Rien n'était plus beau que la vision des flammes vacillant le soir derrière les vitrages épais. Une froidure montait des pavés. L'académie était fermée. Tanneken plumait une grosse oie sur le carreau ensanglanté de la loge. Adam Van Johansen avait disparu.

Les quelques élèves du cours de dessin qui avaient sympathisé restaient aux Anges jusqu'à la fermeture. Et ils regagnaient leur logis du 20, Jezuïtenrui en titubant. Erich Sebastian qui avait eu tant de fascinations adolescentes en Allemagne restait volontairement distant. Il buvait seul, à sa table, toujours au même endroit, près d'un horrible saint Christophe criard. Il commandait pinte sur pinte. Il avait ouvert un compte aux Anges. D'emblée, il s'était singularisé en choisissant les lutteurs de Muybridge. Les autres avaient préféré Michel-Ange ou le masque de Blake. Il buvait comme un trou. Mais il aimait Anvers, les pavés gras au crépuscule, les bougies qui tremblotent derrière les vitraux des bars, les lustres hollandais dans les intérieurs douillets, les volets de bois, le port et ses ombres interlopes.

Le mystère d'Adam Van Johansen l'excitait. Il n'était pas de ceux qui imaginaient le maître constamment posté à la tribune. Les quelques rares formules qu'il avait entendues à l'occasion des harangues du vendredi l'avaient électrisé. Il n'avait pas eu à les noter : il les connaissait par cœur. «Tout jeune artiste devra s'armer d'une technique, et du pouvoir d'aller du connu au senti. C'est-à-dire du déjà révélé, à ce qu'il aura à révéler.» «Ce qu'il aura à dire et qui ne peut pas être appris, exige ce détour par cette mise en échec des dons naturels des candidats. Cette mise en échec est à l'artiste ce que la forge est à l'acier. La forge, c'est le feu. Il importe donc que les initiateurs initient pendant qu'il brûle.» Et encore : «Voilà, j'espère, de quoi détourner pas mal de jeunes gens de l'idée que la peinture est un délassement ou un gagne-pain.» Le soir, à sa table solitaire, ivre ou lucide, Erich Sebastian répétait tout haut ces préceptes. Il buvait. Il se lavait rarement. Il portait presque toujours le même pantalon, un chandail gris troué, et son mythique ciré jaune.

Un aîné l'aborda un soir. Il s'appelait Piet et était élève de fin de cycle.

— C'est toi qui as choisi les photos de Muybridge? dit-il d'emblée.

— Et alors? rétorqua Erich Sebastian avec insolence.

— Rien. C'est un beau choix. Personne ne prend jamais ça. Trop difficile, ça fait peur. Mais il paraît que le maître attend cela depuis des années...

Ils partirent marcher le long des eaux lentes de l'Escaut. Une brume glaciale brouillait les formes et les lumières. Piet entraîna Erich Sebastian chez lui, dans une mansarde qui donnait sur les quais. Il avait un vieil alcool de genièvre. Il remplit généreusement les deux verres qu'il avait placés sur la malle de marin qui lui tenait lieu de table basse.

— C'est beau chez toi, dit soudain Erich Sebastian, j'aime bien ces poutres, et la vue sur les grues et sur les docks...

Piet était fou d'orgue et de musique classique. Il mit sur un phonographe archaïque qu'il avait hérité de sa grand-mère un disque de Bach. Il avait vingt et un ans. Il étudiait depuis quatre ans chez Van Johansen.

— Les anciens parlent de toi... Ton choix de Muybridge, tes airs aux Anges d'artiste maudit... On attend le jugement d'AVJ... On l'appelle tous comme ça... Soit il te vide, soit il te fait passer directement au cours de modèle vivant...

Touché par l'affection que lui témoignait cet aîné, Erich Sebastian était un peu désemparé. Piet raconta qu'une seule chose l'occupait désormais : la réalisation du chef-d'œuvre. Il s'agissait de l'œuvre libre que les élèves devaient accomplir à la fin de leur parcours.

— J'ai du mal, confessa Piet. Je passe trop d'heures à jouer de l'orgue... AVJ m'attend au tournant... Quand on est diplômé de son école, on trouve tout de suite un poste de prof aux Beaux-Arts... Mais il faut qu'AVJ reconnaisse le chef-d'œuvre...

— Tu es déjà allé chez lui ? demanda Erich Sebastian qui s'enhardissait.

— Plusieurs fois. Les premières années, il ne m'a pas remarqué. Puis j'ai peint une danseuse qui lui a plu. L'invitation a suivi de très près. Il habite un appartement très blanc, avec des masques hindous, des statues nègres, des mappemondes anciennes, des crânes, des dagues... Chez lui on marche sur des tapis précieux... On domine tout Anvers, le port, la cathédrale, la verrière de la gare qu'il aime beaucoup... On boit un whisky, toujours le même. Et il parle de peinture, de méditation visuelle, de taoïsme, de mystique juive, de bouddhisme zen...

— Mais tu as vu ses œuvres ?

— Personne n'a jamais vu ses œuvres. Cela fait partie du mystère du personnage. On l'a vu reprendre quelquefois des travaux d'élèves, et c'est chaque fois éblouissant... Mais peindre, jamais. Son appartement, dans lequel il doit vivre seul, est vide... À part ses objets fétiches... La légende dit qu'il va travailler dans un pavillon qu'il a au milieu des marais sur la route de Delft... Mais ce n'est peut-être qu'une légende...

Piet servait abondamment le genièvre.

— Il y a une chambre à louer à côté. C'est pas cher. Tu devrais la prendre... Quitte la rue de l'Académie... Change d'air... Je t'emmènerai à la cathédrale lorsque je répète...

Erich Sebastian était allé si loin dans l'ivresse qu'il resta dormir chez Piet.

Il y avait la ville, ses pluies, ses vents glacés qui cinglent, ses docks ruinés, ses quais visqueux, sa cathédrale levée comme une masse impénétrable, et au centre des maisons de briques, dans un labyrinthe étroit, une académie suintante, avec des fenêtres opaques, des murailles couvertes de lichen, des paroles étouffées et la domination d'un maître invisible. Le soir, las d'avoir contemplé des heures les lutteurs nus de Muybridge, Erich Sebastian regagnait sa table attitrée aux Anges. Pour lui, le Nord, c'étaient ces veilleuses qui tremblent au crépuscule sur les tables, ces lourds volets qui se ferment sur des intérieurs cossus dignes de Vermeer, ces carreaux bleus qui tapissent les hottes des cheminées, ces cours grasses au pavé huilé par les averses et les émanations du port, ces lingots de tourbe qui se consument dans les âtres. C'était aussi cette présence insidieuse de l'eau, sous les rues, dans ces canaux étroits qui ceinturaient l'académie, dans les ondées marines qui fouettaient les vitraux. Anvers, il en était convaincu, abritait un secret, celui qu'avaient jalousement gardé les guildes, les Juifs, les diamantaires, les bâtisseurs de la cathédrale, et sur lequel veillait aujourd'hui Adam Van Johansen. Le nom du maître le fascinait, avec ses consonances de fjord, de glacier, d'étoile Polaire. L'invisible maître reclus dans son pavillon lacustre près de Delft, le maître qui au-dessus d'Anvers arpentait seul et nu son appartement blanc. Lorsqu'il était las de l'académie, de l'humidité glacée de la chapelle, Erich Sebastian partait à vélo du côté du port. Il avait racheté à un élève qui quittait l'académie un grand vélo hollandais à cadre noir. Il parcourait les digues, les hectares de quais, le long des entrepôts, des bâtisses désertes, auprès des carcasses rouillées qui vibraient dans le vent froid. La nuit, dans la brume et la pluie, les navires prenaient l'apparence de cathédrales démantelées, des zones de luminescence perçaient un brouillard épais, des formes allaient, vagabonds de la mer et du vice. Un adolescent vêtu de jaune se faufilait par ces goulots dangereux, un adolescent qu'obsédaient les lutteurs nus de Muybridge. Les images qu'il avait à contempler détaillaient les phases de la joute, les garçons qui se testent, puis s'empoignent, s'étreignent, basculent, s'effondrent et s'accouplent. Il avait observé avec une rigoureuse précision la forme des cuisses, les bosselures des muscles, les jambes tendues dans l'effort, les pectoraux, les fesses, les sexes, les pieds. Ces collégiens très anglo-saxons lui rappelaient d'autres collégiens, d'autres affrontements, d'autres postures. Mais il lui importait de restituer les différents moments de ce rituel guerrier avec une acuité et une netteté de trait qui séduiraient AVJ.

La ville, la vie, tout lui paraissait fade. Il allait quelquefois aussi sous la belle verrière néo-baroque de la gare centrale pour lire les noms des destinations nordiques. Il lisait ces noms comme il aurait lu des noms rares de couleurs. Il revenait par le Meir. La chambre qu'il avait louée près de celle de Piet, sur le même étage, était remplie de bouteilles, de dessins, de planches, d'ouvrages consacrés à Rubens et Vermeer, de pantalons et de polos sales. Et quand il retrouvait Piet, c'était pour évoquer AVJ, son secret. On disait maintenant qu'il détenait le secret du bleu de Patinir.

D'autres prétendaient qu'il avait renoncé à la peinture, effrayé par l'abîme qu'elle lui désignait. Il se disait encore que depuis treize ans il travaillait au même tableau, une toile géante qu'il effaçait et corrigeait sans cesse. On était toujours bien reçu chez Tanneken. Les matins froids et brumeux, elle offrait à quelques privilégiés une tasse de thé brûlant. Dans la loge de Tanneken on oubliait le vertige des eaux noires et le feu mort des astres. L'eau des huîtres, le sang des oies avaient patiné la table. Il devait y avoir des années que Tanneken n'avait pas quitté cette pièce. La chambre, derrière, donnait par un soupirail sur le petit canal. Erich Sebastian attendit un matin que les autres gagnent leur pupitre.

— Vous connaissez la maison du maître? demanda-t-il avec audace.

— Tu es bien curieux, l'Allemand. Elle le disait avec affection. Non, je suis la gardienne de l'académie. Je m'occupe des repas du maître quand il est ici. Les élèves me racontent des choses. À la longue, je sais tout. Mais c'est pas mon affaire...

Erich Sebastian resta un moment encore, pour le plaisir de la voir évoluer, laver les tasses dans son évier de pierre. C'était vendredi. Les huîtres seraient livrées d'un instant à l'autre. Et la vue de Tanneken déchirant les coques vertes et ruisselantes l'émouvait. Erich Sebastian était là à rêvasser quand soudain la silhouette du maître se profila dans l'embrasure.

— On traîne, jeune homme... Pendant ce temps les nus de Muybridge sont en mouvement...

Erich Sebastian sursauta. Jamais encore le maître ne lui avait adressé la parole. Jamais il n'avait daigné regarder l'état de ses travaux. Voilà qui accréditait la thèse de la tribune et du regard surplombant. Il était à peine installé à sa table qu'Adam Van Johansen se promenait dans les rangs. Il n'y avait pas d'électricité. C'était un matin de brouillard plombé. Il avait fallu allumer les appliques et les coupelles du lustre hollandais. Le maître se pencha sur quelques travaux et les déchira. Il était d'un mutisme terrifiant. Quand il fut près d'Erich Sebastian, il ignora ostensiblement ce qu'il faisait. Puis il monta sur l'estrade :

— Vos dessins me désolent, dit-il d'un ton sinistre. Vos dessins sont compartimentés, extraordinairement statiques. Il n'y a pas de figure fermée dans la nature. Voilà votre credo. Un fruit, un objet, dans la lumière, n'ont plus une surface continue. Pensez chez Rembrandt à l'irruption de nappes lumineuses ou obscures dans le corps de l'objet. Déformez, organisez rythmiquement la surface. Je vous rappelle cet aphorisme que Degas hurlait souvent et que vous devez faire vôtre : *Le dessin n'est pas la forme, il est la manière de voir la forme.* Peindre, ce sera vivifier le dessin. Mais le dessin d'abord...

Au tableau, à la craie, il fit une démonstration éblouissante. Puis il appela Erich Sebastian et il l'invita à montrer à la classe ses jouteurs.

— Les corps sont fluides, mobiles, peu marqués... Il y a là une assez belle écriture du mouvement... Jeune Berg, continuez. Vous êtes sur la voie...

Le soir, aux Anges, tous n'avaient d'yeux que pour lui.

— Méfie-toi, vint lui dire un ancien. Il est capable de te complimenter aujourd'hui et de t'incendier demain...

Ces paroles du maître avaient récompensé un hiver de travail et de méditation. Les écarts, les seuls écarts qu'il se fût permis — les promenades par les docks, les balades à vélo, le ciré ruisselant, les ivresses — avaient préparé la maturation de ces corps de lutteurs. Et loin de les dessiner comme de simples formes, Erich Sebastian les avait tracés, en les rêvant, en essayant de capter la part de désir qui animait leur joute — en les désirant. La patronne des Anges — une ancienne prostituée reconvertie dont on disait qu'elle avait posé pour AVJ — vint féliciter Erich Sebastian à sa table. Elle lui offrit une pinte de cette bière blonde de l'abbaye d'Aulne qu'il aimait tant. Et il profita de son ivresse pour dissimuler dans son ciré la statue du saint Christophe. Il sortit en titubant. Il alla échouer contre les portes de la cathédrale. Il y avait une messe, un concert d'orgue pour les ombres. Il écouta les bourdonnements, les ronflements qui se propageaient dans la pierre. Il était ivre mort et caressait son saint Christophe de plâtre.

Il laissa son vélo près des Anges et regagna sa maison à pied. Il frappa chez Piet. Il n'y avait personne. Il dégagea les étagères qui surmontaient son bureau et installa la statue sur les gradins de ce qui était pour lui un autel. Il ouvrit la fenêtre. L'haleine de la mer le fouetta. À présent dans le fracas d'orgue de la cathédrale, il entendait, avec la luminosité d'un pic neigeux, la voix de son Christoph. Ce mort, ses compagnons désirés et disparus le hantaient. Le lit tanguait. La nausée était proche. Il lui sembla que le balancement de la mer cernait la maison. Ce n'étaient pas les garçons de Muybridge qu'avait salués Adam Van Johansen le matin même. C'étaient les modèles vénérés d'Erich Sebastian, enlacés dans le secret du fantasme.

Comme autrefois à Ettal, il partait seul et il marchait des heures. Il allait contempler Patinir, ce paysage bleu du Musée royal, Bruegel, les *Sept Sacrements* de Van der Weyden. Il marchait le long de l'Escaut dans la pluie peuplée de cris d'oiseaux de mer. Les cargos, les pontons, les péniches qui sillonnaient lentement le fleuve éveillaient en lui un désir de large et d'infini. Il était solitaire, introverti. Son voisin de palier Piet était son unique confident. Il était rare qu'il appelât le veilleur du fort. Il marchait, sur les digues, les poutrelles d'acier qui s'avancent dans le fleuve, les eaux calmes et huileuses glissaient vers l'estuaire, le soir c'étaient des cortèges de feux, de lumignons qui brasillaient sur d'énormes embarcations noires et ventrues. Il marchait dans la ville, le long des murailles de briques, près des volets vernis qui cachaient des intimités quiètes, opulentes, les façades, les frontons, des statues, des plaques attiraient son regard. Il était devenu un marcheur anonyme qui portait en lui toutes les couleurs et les trésors d'Anvers. Lui plaisaient la brique hivernale, les coulures de lichen qui la parsèment, les vitrages épais, à gros bouillons, les résilles de plomb, et ces coupelles de feu qui vacillent sur les tables. Un désir le taraudait, une filiation aussi. Il voulait peindre, saisir l'énigme des corps. Il n'avait plus de

131

famille. Il était le fils de tous ceux qui avaient peint là. Lorsqu'il entrait à la cathédrale, c'était pour contempler jusqu'à l'hallucination le rouge de la toge de saint Jean sur la *Descente de croix* de Rubens. Au corps sculptural et affaissé du Christ, il préférait la robe de sang ruisselant de celui que Jésus aimait. Il poursuivait sa marche. Sur les conseils d'Adam Van Johansen, il s'attardait devant les étals des bouchers. Il regardait les blocs de viande, les chairs noircies, la graisse, les quartiers de bœuf pendus à des crochets. AVJ avait longuement commenté les natures mortes de Jacques Callot, les morceaux de viande tranchés, les têtes de mouton livide et mutilées. La grande beauté de la couleur de la viande l'émouvait. Un soir, il s'introduisit dans une arrière-boutique pour le plaisir de marcher parmi les blocs de bidoche crucifiés, sur un pavage tout glissant de sciure et de sang.

Alors, lorsqu'il allait par les dédales de la ville, il portait en lui ces couleurs de la viande oxydée, ces têtes, ces masses dépecées, il avait humé l'odeur nue de la mort. Et pour lui c'était cette odeur que découvrait l'apôtre ensanglanté du tableau de Rubens. Des corps passaient, jeunes filles, marins ivres. Erich Sebastian n'avait qu'un désir : les dévêtir pour les dessiner. Les photographier pour les peindre dans l'extase des odeurs de boucherie.

À vélo, dès cinq heures, il suivait des corps, des silhouettes qui un instant l'avaient charmé. Il rôdait autour de l'abattoir, stationnait devant ses boucheries favorites. Parfois il allait aux vêpres pour la simple joie d'entendre les voix des petits choristes de la maîtrise, pour la grâce aussi de pouvoir rester au pied du tableau de Rubens dans la nuit qui tombait. Le cours de dessin d'après modèle vivant auquel il avait eu accès dès sa reconnaissance publique par Adam Van Johansen le décevait. Les modèles — des filles de l'école de danse d'une perfection physique qui le désolait, de vieilles femmes adipeuses, des garçons trop sportifs — l'ennuyaient. Ces scènes de déshabillage contraint lui paraissaient dépourvues de la moindre poésie. Lui qui avait rêvé le mystère des combles s'ennuyait à mourir près de ces corps pour lesquels l'acte de poser était devenu un automatisme. Aussi arrivait-il qu'il redescendît dans la chapelle pour dessiner. Le maître avait fait placer sur l'estrade une Vierge primitive rescapée de l'incendie d'une église, un Christ d'origine espagnole, convulsif et baroque. Son carnet de croquis s'enrichissait. C'était le butin qu'il avait accumulé au cours de ses déambulations dans la ville : la descente de croix de Rubens, le rouge de la robe du saint, les hauteurs irréelles et lavées de Patinir, des briques, des passages dans les cours avec des lierres, des silhouettes, des visages de marins, et de gigantesques blocs de viande suspendus à des pals.

La nuit aussi, il rejoignait Piet dans la cathédrale. Piet répétait au petit orgue du chœur. Les travaux de restauration avaient transformé les abords du chœur et de la sacristie en un énorme champ de fouilles. Tandis que Piet répétait ses morceaux de Calviere et de Bach, Erich Sebastian armé d'une lampe torche explorait les galeries et les fosses. Il descendait avec jubilation dans le terreau blanc creusé d'excavations et de sarcophages. Les ouvriers avaient étayé les flancs des galeries. Il y flottait une poussière crayeuse. La rumeur de l'orgue s'enfouissait dans les profondeurs de la terre. Erich Sebastian aimait par-dessus tout cette odeur de charogne et de catacombes, de vieille crypte engloutie. Les ouvriers n'avaient pas encore suffisamment creusé pour qu'on pût se perdre dans le réseau des souterrains. Erich Sebastian allait, le cœur battant. Le bruit de l'orgue s'estompait. On s'attendait soudain à trouver au détour d'une galerie une société secrète en tenue, des prêtres cryptiques poignardant des hosties à l'aide de coutelas. Erich Sebastian s'amusait à se faire peur. Le sol devenait bourbeux. On s'enfonçait dans les fondations marécageuses de la ville. Le secret était au bout de ces incurvations, de ces coudes, de ces boyaux calcaires tapissés de formules et d'inscriptions ésotériques. Il y avait des bases de colonnes tronquées, des autels, des pierres, des cuves, des cercueils de tuf. Des ossements, des crânes. Erich Sebastian en ramassa un plein sac. Des chefs d'évêques des profondeurs, de princes de la nuit souterraine. Au-dessus de lui la nef blanche abritait l'organiste solitaire et la tache de sang de la robe qu'avait peinte Rubens. Les longs cheveux blonds d'Erich Sebastian étaient poussiéreux et poisseux. On irait aux Anges fêter cette macabre prise. Si le bar était fermé, il suffisait de passer par la cour : la patronne ne refusait jamais une pinte. Les crânes et les ossements iraient rejoindre saint Christophe dans la mansarde, au-dessus des quais.

Une jeune fille vint habiter la maison des quais. C'était la sœur de Piet. Elle était rousse, avec un teint brouillé. Elle avait une timidité campagnarde. Elle étudiait la médecine. Dès qu'elle croisait Erich Sebastian, elle le saluait en baissant les yeux. Elle travaillait beaucoup. Lorsqu'elle s'accordait quelques instants de répit, elle jouait du clavecin. Ingrid était très brillante, très secrète aussi. Il arrivait parfois qu'elle fût installée dans la chambre de Piet quand Erich Sebastian entrait. Elle fuyait aussitôt. L'humour, l'insolence, la saleté parfois d'Erich Sebastian la rebutaient. Les deux garçons riaient de la timidité d'Ingrid.

Piet invita Erich Sebastian à passer quelques jours de vacances dans leur maison, non loin de la côte. Le père était pasteur. Piet, qui s'était tourné vers le catholicisme, n'était guère en odeur de sainteté familiale. Les parents habitaient une maison austère, avec des meubles sombres, des crucifix, des tableaux édifiants partout. Piet ne retrouvait l'attention parentale que lorsqu'il parlait de musique. Il avait appris à jouer sur le petit harmonium du temple. Il présenta Erich Sebastian comme un futur peintre. La vie d'artiste effrayait les parents. Les garçons allèrent marcher des heures sur le rivage. La mer était d'un gris compact. Des chevaux se baignaient. Erich Sebastian regarda avec un certain émerveillement les bêtes qui couraient dans l'écume. Les lads les tenaient avec des longes. Les chevaux glissaient à la ligne des vagues, comme des ombres jaillies de la mer, les robes frémissaient, ruisselantes, les montures arrivaient du large avec des crinières d'algue et de sel. Plusieurs fois Erich Sebastian s'échappa pour aller voir les chevaux de la plage. Il étouffait dans l'univers clos du presbytère. Il avait soif de vent, d'horizon marin, de bêtes qui caracolent dans l'écume. Il remercia les parents de Piet avec beaucoup de politesse en se jurant qu'il ne viendrait plus s'enfermer dans ce maudit presbytère.

Lorsqu'il franchit le seuil de l'académie le lundi suivant, Tanneken le héla.

— Le maître vous attend ce soir, chez lui. Dans son appartement, près du port. Il veut que vous lui apportiez votre carnet de croquis…

Il y avait sur la table des bols en désordre, des poissons tout brillants et visqueux, des branches de cerfeuil. Erich Sebastian était si surpris qu'il embrassa Tanneken.

Quand il arriva sous les combles, tous étaient déjà en cercle pour écouter Adam Van Johansen. Il parlait d'Ingres, de ce qu'il appelait le modèle charnel et le modèle spirituel, de Rembrandt aussi, qui, selon lui, avait abandonné de plus en plus l'homme anatomique pour peindre des fantômes. «La viande et les fantômes, voilà l'équation fascinante qui vous permettra d'atteindre à la pureté de l'archétype humain. Pour voir, mes amis, il faut d'abord savoir. Dix à trente minutes par jour, cessez de travailler, méditez et écoutez ce que vous dit la déesse Peinture... »

Le maître disparut. Il fallait toujours plusieurs minutes pour que la classe se reprît. Erich Sebastian se dit que la déesse Peinture s'embusquait peut-être dans les caves de la cathédrale, dans la poussière des crânes. Il s'assit à son chevalet, obsédé par la visite du soir. Il interrogea autour de lui pour savoir ce que les uns et les autres feraient à la sortie des cours. Il semblait être l'unique invité.

Dans l'après-midi le maître revint à l'improviste, saisit deux dessins, les déchira en piquant une colère effroyable.

— On ne tirera jamais rien de vous, hurlait-il, allez voir ailleurs, allez voir au cours de dessin municipal, c'est un cours pour les bourgeoises et les femmes de ménage, c'est de votre niveau !

Il avait les traits tirés. Il portait un costume bleu sombre à col fermé. Jamais il n'eut un regard pour Erich Sebastian. L'atmosphère était lourde. AVJ ne cessait de rôder dans la maison. Dans la chapelle, il renversa de rage plusieurs pupitres. Des étages on l'entendait hurler : « Cette académie va à la dérive. Mes élèves sont de plus en plus nuls. Vos parents jettent leur argent par les fenêtres. Vous n'avez rien d'artistes, bande de dindes et de chapons gras ! »

Erich Sebastian s'éclipsa. Il voulut demander à Tanneken l'adresse exacte. La loge était fermée. Il rentra chez lui. Il croisa dans l'escalier Ingrid qui l'invita à venir boire un thé. Ils s'assirent auprès du minuscule clavecin. Ingrid était vêtue de manière estivale. Elle avait une robe légère à impressions. On lui voyait la gorge, la naissance des seins. Tout en buvant, elle s'allongea sur le lit, étirant ses jambes sous les yeux de son visiteur. Elle vouvoyait Erich Sebastian. Ils parlèrent du travail, des études, de l'académie. Ingrid rêvait d'apercevoir Adam Van Johansen. Puis elle demanda à Erich Sebastian de lui raconter l'Allemagne, son enfance, le divorce de ses parents, les années à Ettal. Une chape recouvrait depuis longtemps ces souvenirs. Erich Sebastian s'efforça de retrouver des dates, des faits, des sensations précises. La chose qui parut passionner Ingrid fut l'évocation de la découverte de la Vierge noire dans l'oratoire secret du prieur.

Il était temps de se présenter chez le maître. Erich Sebastian se doucha et choisit une tenue qu'il n'avait jamais portée. Il passa chez Piet de façon à avoir l'adresse exacte.

— Tu y vas seul... Attention ! ironisa Piet.

Il laissa le vélo noir au pied de la tour. Très haut, sur un balcon, il avait aperçu une silhouette qui regardait les lointains. Il se perdit dans les ascenseurs. Il se présenta haletant à la porte. Au-dessus de la sonnette, il y avait cette simple indication :

MAÎTRE ADAM VAN JOHANSEN

Le maître arriva, en costume de soie noire. Il demanda à son visiteur de bien vouloir laisser ses brodequins dans le vestibule. Erich Sebastian s'avança, intimidé. L'appartement était d'une blancheur aveuglante, avec quelques zones de lumière auprès des œuvres d'art. Les gigantesques baies vitrées surplombaient la ville, le site portuaire, la cathédrale, les quartiers anciens. Erich Sebastian, pétrifié par la timidité, attendit que le maître l'y invitât pour se débarrasser de son ciré.

— Je t'ai souvent vu aux Anges, tu ne refuseras pas un verre de whisky...

Le service était disposé sur une table chinoise.

— Je suis heureux de t'accueillir ici...

Adam Van Johansen était extrêmement calme et souriant. Ce n'était plus le maître colérique et distant de l'académie. Dans le soir de son appartement blanc, parmi ses mappemondes et ses carreaux de Delft, il avait une lenteur orientale. Il s'était assis sur une grande cathèdre avec des têtes de lion. Il buvait vite, se taisait, contemplant son visiteur.

— Tu joues un peu moins ton Rimbaud, dit-il en riant. Quel âge as-tu maintenant?

— Dix-sept ans...

— Le bel âge. Un âge qui m'a toujours fasciné. Tu as ton carnet?

Adam Van Johansen se plongea en silence dans les trois volumes qu'avait apportés Erich Sebastian. Il regarda tout avec une extrême attention, revenant, comparant, tournant parfois les pages avec fébrilité. Erich Sebastian avait l'impression de revivre la scène de la première entrevue lorsqu'il avait dessiné la main.

— C'est beau ce que tu fais. Je lis tous tes circuits dans la ville. Tu as presque tout vu, les docks, les abattoirs, les cryptes de la cathédrale, le musée... Pour voir, il faut d'abord savoir... Je vais m'occuper du reste... Tu as compris qu'il ne fallait pas rester enfermé dans l'académie... J'attends beaucoup de ton chef-d'œuvre... Je serais toi, j'y songerais déjà...

Tout en parlant, Adam Van Johansen regardait le visage, les cheveux, les pieds fins de son visiteur. Au troisième verre la langue d'Erich Sebastian se délia.

— Mais vous ne peignez pas?

Le maître éclata de rire.

— C'est votre obsession à tous... Tu le sauras un jour!

Il s'était levé, superbe, avec derrière lui tous les feux de la ville. L'Escaut traçait un chenal ponctué de luminescences. Erich Sebastian le suivit sur le balcon. Il montrait la cathédrale avec sa flèche unique, la gare, l'académie.

Erich Sebastian sentit une force qui le poussait vers cet homme. Ils rentrèrent. De nouveau le maître avait soif.

— Je n'aime que le Nord, que les breuvages du Nord. Je suis allé une fois en Égypte. Mais c'est autre chose. Non, mes terres ce sont l'Islande, les Orcades, les hautes terres d'Écosse... Si je pouvais vivre de... — il mangea ses mots —, j'irais tout de suite me retirer là-bas. Je suis las de cette académie, las de ces élèves de plus en plus mauvais... Je rêve de la lumière du Nord, de la calligraphie des vols des migrateurs dans cette lumière... Un jour, je t'emmènerai dans le petit pavillon que j'ai près de Delft. Dans un paysage de bois et de lacs...

Il se leva, vint s'asseoir sur le canapé près d'Erich Sebastian.

— Tu es vierge ?

La question le décontenança. Il ne sut que dire. Il s'inventa une idylle avec Ingrid. Elle habitait sur le même palier que lui, c'était sa maîtresse. Tout en écoutant cette fable, Adam Van Johansen passait sa main dans les cheveux souples d'Erich Sebastian. Puis il revint dans sa cathèdre.

— Un jour tu viendras et tu poseras pour moi. J'aimerais te dessiner...

L'émotion, l'ivresse, la confusion d'esprit avaient jeté un brouillard sur cette scène. Erich Sebastian croyait entendre Van Johansen parler de sa mère et du secret d'Anvers. De la peinture, de la nécessité de cheminer et de rompre sans cesse. Il lui semblait que le maître avait encore la main dans ses cheveux. Derrière la cathèdre, la ville levait des crêtes lumineuses qui déferlaient... Erich Sebastian s'avança pour prendre congé. Adam Van Johansen l'étreignit longuement.

Il retrouva difficilement son vélo. Il avait bu, sans manger. Il lisait ce qui venait de se passer avec une grande lucidité, et en même temps une extrême confusion. Il se précipita à la cathédrale. Il entendait l'orgue, mais personne ne vint lui ouvrir. Il aurait voulu se réfugier dans les sarcophages du chœur. Il mangea une soupe aux Anges. Il parlait avec beaucoup d'agitation. Il demanda de la bière, repartit en titubant dans la direction du port. Il alla boire dans des tripots, se lia à des marins espagnols, se retrouva avec eux dans des chambres. Il se rhabilla, prit la fuite. Cette image d'une ville en feu ne le quittait pas. Ses tempes cognaient. Il ne savait plus ce qu'il avait vécu. Il revoyait avec une netteté hallucinante le maître, l'appartement blanc, la cathèdre aux têtes de lion, le maître près de lui sur le canapé, le maître qui l'étreignait. Il retrouva sa maison par miracle. Il s'effondra dans l'escalier, passa boire une rasade de genièvre chez Piet qui découchait. Quand il ouvrit sa porte, il aperçut les crânes, le saint Christophe verdâtre. Il recula, courut désemparé chez Ingrid. Il hoquetait. Il avait le visage d'un fou. Elle le dévêtit et le coucha auprès d'elle.

Aux yeux d'Erich Sebastian, il y avait deux maîtres désormais. Celui qui régnait comme un tyran sur l'académie, fulminant, prophétisant, s'égarant dans des délires visionnaires sur l'avenir de la peinture. Et l'autre, l'homme intime, secret, qui marchait au-dessus d'Anvers parmi ses masques, ses dagues, ses sphères armillaires. Un arpenteur claustral de Vermeer. Un géographe qui rêvait et dormait le monde, l'infini, derrière les vitraux et les lourdes tentures de son cabinet. C'était ce visage du maître que l'adolescent désirait. Plusieurs fois, il alla se poster au pied de la tour, guettant une apparition au balcon. Au retour, il se faufilait dans le lit d'Ingrid, faisait l'amour avec elle tout en songeant à Adam Van Johansen. Il caressait ce corps fragile, délicat, ces seins petits et durs, Ingrid lui offrait des déclarations enflammées auxquelles il ne répondait jamais. Il n'était pas sûr d'aimer les hommes. Il avait désiré Fabian dans l'univers clos d'Ettal. Les pratiques des marins avec lesquels il s'était perdu une nuit l'avaient dégoûté. Mais il était sûr de son amour pour Adam Van Johansen. Pourtant, le désir que le maître avait révélé en lui caressant les cheveux l'avait un moment fait tomber de son piédestal. Horrifié, Erich Sebastian avait pensé fuir. Puis il s'était habitué à l'idée de cette entente ambiguë et secrète. Il attendit un

141

signe du maître. Il ne vint jamais. Une appréciation, un clin d'œil, une invitation que transmettrait Tanneken. Il lui arrivait de traîner dans la loge en contemplant les membranes vertes et transparentes des huîtres. Il observait la table, le bois vieilli, l'évier de pierre bleue, les moulins à café, les patineurs et les animaux mythologiques des carreaux de Delft, les giclures du sang des oies sur le pavage. Il avait des bourdonnements, des hallucinations. Il racontait à Tanneken qu'il avait surpris dans les catacombes de la cathédrale des hommes avec des masques dignes du Ku Klux Klan en train de poignarder des hosties consacrées. Il disait encore que la mer ne cessait de monter et qu'elle engloutirait bientôt Anvers. Des heures il parlait de la mer, des chevaux qui se baignaient sur la côte, d'îles lointaines, perdues, au-delà des polders du Nord.

Il prit seul la direction de Delft. Il fit le tour de la ville, marcha le long des canaux. Les fenêtres, les façades, la perspective des ponts, la ville décadente et léthargique l'enchantèrent. Il voulut voir la tombe de Vermeer. Il acheta des carreaux anciens chez un antiquaire ivrogne. Des heures il arpenta cette ville encerclée par l'eau, cette ville avec ses tuiles, ses briques, ses ponts, sa lumière surtout, macérée dans les canaux et les douves, vibratile et dorée, perpétuellement automnale. Il n'y avait rien à voir. Pas même un tableau de Vermeer. Tout était dans l'impression, dans le plaisir de pas gratuits dans des espaces humides, sous les nuages, une citadelle de chambres closes et de corps lumineux. Au retour, du car, il lui sembla apercevoir de vastes étendues de taillis et de marécages. Il y avait un arrêt. Il aurait pu descendre. Il préféra rentrer à Anvers.

Il se mit à peindre. Il acheta un chevalet, des pinceaux, des couleurs. Puisqu'il passait désormais le plus clair de son

142

temps chez Ingrid, il transforma sa chambre en atelier. Il commença à imaginer son chef-d'œuvre. Il avait le temps. Il avait quelques années devant lui. Il avait encore beaucoup à apprendre sur la fabrication de la matière picturale. Il voulait une composition multiple, un triptyque peut-être. Un ensemble de figures qui dirait l'essence d'Anvers. Avec Ingrid, il alla à Bruges, à Gand, à Bruxelles. Il voulait se nourrir des œuvres des maîtres flamands. Une autre fois, Piet l'accompagna à Amsterdam. Il resta interdit devant l'or de Van Gogh. La boue de Nuenen, le soleil qui monte, les corbeaux dans le blé et l'imminence de la foudre. Il pleurait. Il lui fallut plusieurs heures pour se remettre de cette rencontre.

C'était l'été. Ingrid rentrait chez ses parents. Erich Sebastian ne voulait ni de Rügen, ni de la Roque. Il ne voulait pas plus du presbytère d'Ingrid. L'académie fermait. Un instant, il pensa se rendre à Munich. Il avait écrit à Mgr Korbs qui lui avait répondu une longue lettre. Il avait été ému de voir que les armes de l'évêque auxiliaire de Munich étaient celles qu'il lui avait dessinées à Ettal. Il passa à l'académie, demanda à Tanneken qui tricotait près de la fenêtre où il pourrait trouver Adam Van Johansen.

— Il est encore là, chez lui..., bougonna la vieille femme.

Il prit son vélo noir et fonça du côté des quartiers neufs. Il s'engouffra dans l'ascenseur comme un fou. Sonna. Le maître vint répondre.

— Ah, c'est toi ? Je ne t'attendais plus... Entre quand même...

Erich Sebastian avait préparé une tirade qu'il ne put prononcer. Il reprit sa place sur le canapé face à la cathèdre.

— Tu passes l'été à Anvers ? interrogea le maître. Il y fait lourd, c'est affreux…

Erich Sebastian, vaincu par l'émotion, restait muet. Il était venu poser, il était venu parler de son projet de chef-d'œuvre : il ne savait plus pour quelle raison il était là. Adam Van Johansen, en fin stratège, versa le whisky. Une brume de chaleur brouillait la perspective de la ville.

— Je me sens libéré, à présent que les cours sont finis. Je ne sais pas si j'aurai la force de tenir encore longtemps… J'espère que tu continueras à travailler tout l'été. Surtout pas de pause…

Le maître semblait absent, ou très las. Il regardait à peine son visiteur. Erich Sebastian, tant qu'il n'aurait pas avoué le motif de sa visite, aurait beaucoup de peine à susciter l'attention de Van Johansen. Une émotion de plus en plus vive lui nouait la gorge. Il préféra se retirer.

Dans la rue il pleura. Son malaise, sa timidité, son désir, tout se mêlait. Il courut, comme toujours, se réfugier aux Anges. Il y rencontra Kees, un pensionnaire de l'académie, qui restait tout l'été à Anvers pour fouiller les cryptes de la cathédrale. Kees était un condisciple de Piet. Innocent, Erich Sebastian avoua son trouble.

— La légende veut en effet que le maître ait eu des amants parmi les élèves. Je n'en sais rien… Tu m'as l'air bien mordu. Viens plutôt avec nous sur le champ de fouilles dès demain matin… On te donnera un tamis et tu passeras le sable des sarcophages médiévaux…

Le lendemain, dès huit heures, Erich Sebastian travaillait agenouillé dans la poussière des sépultures. On cherchait des monnaies, des bribes d'ossements, des fragments d'étoffes ou de pierreries. Il se pouvait qu'on remuât des kilos de sable pendant des heures pour un résultat vain. Kees voulait être archéologue. Soudain on annonça la visite de l'ingénieur chef de chantier. Erich Sebastian sursauta. L'ingénieur était accompagné d'Adam Van Johansen. Les deux hommes utilisèrent les échelles abruptes pour descendre dans les cryptes. L'ingénieur, qui parlait très fort et paraissait sûr de lui et brillant, avait une trentaine d'années. Il guidait Van Johansen qui lui racontait l'histoire de la construction de la cathédrale. À leur passage, Erich Sebastian se redressa. Van Johansen fit celui qui ne le reconnaissait pas. En revanche, il serra longuement la main de Kees en l'invitant à passer à l'académie dès qu'il aurait fini. Van Johansen détenait des plans anciens et secrets de la cathédrale. Les hommes chuchotaient. Dans son délire qu'aiguisait sa jalousie, Erich Sebastian crut les entendre parler d'un réseau de souterrains.

— Puis-je t'accompagner? demanda-t-il à Kees dès que les inspecteurs se furent écartés.

— Sans problème... On ira en fin d'après-midi...

Erich Sebastian feignit de poursuivre ses fouilles, obsédé par sa visite du soir. Il savait que sa présence déplairait au maître. En même temps, que faisait là AVJ? Était-il sur ses traces? Il se souvint qu'en prenant son travail le matin il avait inscrit son nom et sa qualité sur un registre. Kees croyait savoir que l'ingénieur, qui appartenait à une riche famille anversoise, était un ancien élève de l'académie. Il y avait là un faisceau de signes obscurs qui dépassait Erich Sebastian.

Le soir, Kees se présenta à l'académie en compagnie d'Erich Sebastian. Tanneken fit barrage en disant que seul Kees était attendu. Erich Sebastian s'installa dans la loge. Quand Kees redescendit, Tanneken, à la demande d'Erich Sebastian, lui signala que son ami buvait une bière aux Anges. Erich Sebastian était décidé à attendre le maître. Dès qu'on entendit son pas dans l'escalier, il se précipita.

— Vous ici? fit Van Johansen d'un air agacé. Les cours reprennent en septembre...

— Je voudrais vous voir, murmura l'adolescent.

— Pour quelle raison?

— Je voudrais poser pour vous comme vous me l'avez demandé...

— J'avais oublié cela. Passez chez moi demain quand vous sortirez de votre chantier...

Erich Sebastian se rua aux Anges. Kees le cherchait désespérément. Il avait auprès de lui un jeune homme en soutane.

— Je voudrais te présenter Isaac. Un ami de longue date, un ami de Piet aussi. Isaac étudie au séminaire. C'est aussi le secrétaire de l'archevêque.

Le jeune homme avait beaucoup d'élégance. Il s'assit à la table de Kees, ce qui surprit beaucoup Erich Sebastian.

— Ici, je ne suis pas dépaysé. L'enseigne, toutes ces statues, dit Isaac en riant.

Il connaissait sur le bout des doigts l'histoire de la cathédrale et suivait avec passion l'évolution du chantier de fouilles. Il expliqua que les travaux dureraient une trentaine d'années. La cathédrale était dans un piteux état. Il donnait des dates, les noms des constructeurs et des artistes. Kees lui avoua son admiration devant une telle érudition.

— Je ne connais rien... Celui qui a la connaissance, c'est Mᵉ Van Johansen. L'archevêque le consulte pour tout. On dit en riant que c'est lui qui a bâti la cathédrale. Il connaît tout. Les pigments des peintures, les pierres, l'emplacement des tombes, la symbolique des motifs les plus secrets.

— On raconte, dit Kees, qu'un souterrain relie l'académie à la cathédrale et qu'AVJ y passe ses nuits...

— Mais il n'habite plus là, protesta Erich Sebastian.

— Si, répondit Kees. Il a plusieurs domiciles. Il a encore un grand appartement très riche, avec beaucoup de mobilier flamand, juste au-dessus de la chapelle. Depuis qu'il a acheté son appartement moderne, il n'y vit plus beaucoup. Mais c'est là, dans la salle à manger verte, qu'il mange ses huîtres le vendredi.

— Il vous fascine! s'amusait Isaac. L'archevêque se méfie de lui. Il trouve qu'il en sait trop. Ils ont des rapports tendus.

Erich Sebastian ne songeait plus qu'à sa visite du lendemain. Pour conjurer sa peur, il décida de faire le généreux et d'offrir des huîtres à Kees et Isaac. Ils étaient sales, terreux. Ils sortaient du ventre de la cathédrale. Seul Isaac, qui passait ses journées dans les antichambres et les bibliothèques de l'archevêché, était net et élégant. Aux Anges, arrosée de belles pintes, ils s'apprêtaient à manger cette chair translucide et salée qui avait pour le maître la valeur d'une nourriture sacrée.

Une ville imaginaire se constituait progressivement. Elle avait ses limites bordées d'une mer grise que bosselaient les tempêtes, ses quais noirs, ses chambres sordides dans lesquelles des marins à tatouages s'accouplaient comme les lutteurs de Muybridge, ses labyrinthes pavés, ses volets fermés sur des intimités secrètes, sa cathédrale avec ses cryptes, ses sarcophages et ses souterrains, ses quartiers de viande crucifiée, sa lumière dorée qui vibre sur les vagues, ses veilleurs et ses arpenteurs, son maître. L'Anvers délirante et mythique qui croissait dans la rêverie d'Erich Sebastian avait pour centre la gigantesque cathédrale levée à la rencontre des flots, arche, tabernacle du Secret. Et le Secret était inséparable de la figure de celui qui la nuit marchait par les galeries et les coursives de la cathédrale, nyctalope, en manteau de loup, à la tête d'une confrérie de sacrificateurs d'hosties. AVJ n'aimait que le sang des oies et le jus iodé des huîtres. Lui qui parlait avec passion de la composition chimique des palettes picturales — il insistait sur ce fait que le mélange chimique des couleurs avait plus d'importance que le mélange pigmentaire si l'on voulait que les toiles vieillissent — avait plutôt l'allure d'un alchimiste amer et stérile. Il n'a plus à peindre, se disait Erich Sebastian, il a bâti la cathédrale aux temps

148

immémoriaux, levé et assemblé les pierres, convié quelques élus à la table de l'académie, mûri l'enseignement de Patinir et de Vermeer. Même l'archevêque le redoute. L'archevêque plus occupé de morale que de transcendance. Adam Van Johansen avait l'éclat d'un grand prêtre de la Tradition. Il était trop solitaire, trop jaloux de sa solitude pour appartenir à une société secrète. Cette société se limitait à l'orbe de sa méditation hallucinée.

Erich Sebastian se retrouva dans l'appartement blanc. Le maître lui offrit un verre de champagne. L'adolescent passa à la salle de bains, revint vêtu d'un peignoir. Van Johansen était prêt à crayonner. La timidité paralysait Erich Sebastian qui demanda s'il pouvait fumer. Le maître accepta. Tout en buvant et en fumant, imperceptiblement, l'adolescent laissa tomber le peignoir. Les veines affleuraient sur ses longs bras fins. Il avait les pectoraux bien marqués, le sexe légèrement érigé. Van Johansen lui demanda de se tourner. Il voulait tracer la silhouette de profil, avec la cambrure des reins, les fesses, le membre dressé. Erich Sebastian transpirait sous l'effet de l'émotion. Le maître, extrêmement silencieux, contemplait et dessinait. Il ne buvait pas, seulement occupé par son travail. L'observation minutieuse et le dessin dissipaient le désir. Il avait assez à saisir le secret de ce corps androgyne qui avait passé la journée dans la poussière des cryptes.
Il posa le crayon et ferma son carnet.
— Tu verras une autre fois. Approche-toi plutôt et sers-moi du champagne.
Erich Sebastian s'exécuta. Il aurait pu remettre le peignoir. Il voulait s'offrir à la convoitise du maître. Tout le temps de la pose, en regardant s'allumer tous les feux de

la ville, il avait attendu cet instant où le maître enfin le prendrait et entrerait en lui. Là, entre la cathèdre et le canapé, au-dessus d'Anvers. Il se savait ivre, mais suffisamment conscient pour goûter l'enchaînement des caresses. Il se courba, sentit une main qui lui découvrait le sexe. Le maître avait une retenue et une extrême audace. Il semblait ne chercher que le plaisir de celui qu'il initiait. Il ne parlait pas, mais il caressait et explorait le corps de son disciple, uniquement soucieux de le voir frémir et se tordre dans la jouissance. Il prenait le sexe, les couilles, branlait avec vigueur. Sa main était plus voluptueuse qu'un ventre de femme. Ils s'effondrèrent, roulèrent sous les têtes de lion. Le maître lâcha un cri effroyable.

Tout l'été, et l'automne, et l'hiver, et les saisons qui suivirent, Erich Sebastian rejoignit le maître en secret. Personne ne sut rien de cette amitié, pas même Ingrid dans le lit de laquelle il se coulait pourtant dans ses moments de doute. Il avait découvert la jouissance. Le maître jouissait en lui en poussant chaque fois ce cri mystérieux. Le cri était plus violent encore lorsqu'ils se retrouvaient dans le pavillon japonais au milieu des eaux. Il y avait des pontons, des nénuphars, des espaces de gravier et de sable, des tortues. À l'automne le pavillon se dressait dans un écrin de frondaisons rouges et d'eaux brumeuses. La pièce centrale était meublée d'un lit bas, de tapis grèges, de corps de bronze qu'avait sculptés Adam. «Ce sont mes hommes. Je vais te sculpter comme eux. Ils avaient tous dix-sept ans lorsque je les ai initiés…» Il fallait une heure et demie à vélo pour atteindre la maison lacustre. Erich Sebastian préférait le pavillon à l'appartement blanc. De l'intérieur on entendait plonger les canards. Les tortues venaient paresser sur la terrasse. La nuit, on percevait le bruissement des oiseaux, la respiration des eaux. Quand il voulait méditer, Adam montait dans une barque et il ramait dans la direction des bois. Sur les murs de l'autre pièce — laquelle tenait lieu de chambre — étaient accrochées des esquisses, un alphabet de postures érotiques. Des garçons toujours, des adolescents crayonnés à la hâte, dans l'urgence du désir.

Lorsqu'ils se retrouvaient là, Erich Sebastian et Adam se parlaient peu. L'adolescent vouvoyait toujours le maître. Il avait une fascination pour ce grand corps sec. Il était surtout puissamment amoureux d'Adam, mais lorsqu'il allait pour le lui dire, celui-ci avait toujours la même réponse :

— Pas de sentiments. Des actes. Des actes de peintre. Des actes d'homme amoureux. Des gestes, des actes. Pas de mots.

Le cri de jouissance d'Adam effrayait toujours autant l'adolescent qui ne supportait guère cette décharge primitive et brutale. Après ce cri, le maître s'enfermait dans un mutisme total. Il écrivait, poursuivait à l'encre de Chine l'alphabet des postures érotiques. Pendant ce temps Erich Sebastian contemplait le mouvement de la lumière sur les étangs, le vol et la chute des canards. Il regardait aussi dans le pavillon du désir les corps de bronze, les modèles, féminins et graciles. C'était son propre corps, sculpté déjà. Comme en une litanie le chiffre du désir d'Adam Van Johansen.

Ses crises, ses hallucinations s'étaient calmées depuis qu'il avait relié les deux visages du maître. Il pouvait boire des pintes et des pintes aux Anges, jamais il ne parlait de rien. Cet amour si peu commun était frappé du sceau du secret. Il n'était pas l'amant d'Adam Van Johansen. Il était rare qu'il restât dormir avec lui, seulement au pavillon. Le maître pouvait avoir d'autres relations. Erich Sebastian le regardait chasser à l'académie, fureter, passer dans les rangs pour repérer des corps. Il eut des moments de lassitude. Il ne traversait plus le pont du petit canal. Il ne prenait plus la route de Delft. Il n'y eut jamais un mot, un geste d'Adam Van Johansen. Mais Erich Sebastian revenait et cédait toujours à sa fascination.

Ils étaient tous un soir dans la chambre de Piet quand soudain on frappa. Kees alla ouvrir. C'était Adam Van Johansen.

— Je passais, dit-il, j'ai vu de la lumière...

Il s'assit sur le lit et prit un verre de genièvre avec ses étudiants. Ingrid était là. Erich Sebastian était rouge de gêne. AVJ se montra très galant, il s'enquit des études d'Ingrid, la fit parler, l'invita à venir visiter l'académie. Elle était d'ailleurs la seule à bavarder avec le maître qui plusieurs fois la fit rire. Elle osa ce que personne n'avait jamais osé.

— Vous peignez aussi?

— J'ai peint. Quand j'étais jeune. J'étais très connu et très apprécié, sous un autre nom. J'ai sculpté aussi, sous un autre nom encore. La division du nom, avant le tarissement de l'inspiration...

Il s'était levé. Comme il le faisait souvent chez lui, il s'était posté à la fenêtre. Il était invinciblement attiré par les bateaux, les grues, les signaux du port.

— Ce soir, en venant ici, j'ai pris la décision d'arrêter. Rassurez-vous, je vous suivrai jusqu'au chef-d'œuvre. Mais la saison prochaine, je ne recruterai personne... Je suis un peu fatigué... Je voudrais surveiller de plus près les travaux de restauration de la cathédrale. Ils sont capables de faire n'importe quoi... — il changea radicalement de sujet. Qui habite ici? Montrez-moi vos chambres...

Il était venu voir la chambre d'Erich Sebastian. Piet joua le guide. Adam Van Johansen avait un œil de lynx. Quand ils arrivèrent à la porte d'Erich Sebastian, le regard de Van

Johansen se posa immédiatement sur l'écriteau parodique qu'y avait apposé son disciple :

MAÎTRE ERICH SEBASTIAN BERG

— J'ai déjà vu cela quelque part, dit sobrement Van Johansen. On peut entrer ?

La chambre était un épouvantable capharnaüm. Le lit avait disparu sous une montagne de vêtements, de livres et d'ébauches. Sur le mur du fond étaient accrochés trois panneaux de toile vierge. Van Johansen regarda longuement, mais il ne fit aucun commentaire.

— Mademoiselle et messieurs, je ne vous remercierai jamais assez pour votre hospitalité. Je vais mieux à présent. Passez une bonne nuit...

Il descendit. Kees, Ingrid et Erich Sebastian se réinstallèrent chez Piet, interdits.

— Il doit aller mal, dit Kees. D'ailleurs, il abandonne. Mais Diable, qu'est-il venu faire ici ?

La plus émue, c'était Ingrid. Elle accusa les garçons d'avoir toujours dépeint AVJ comme un personnage inaccessible et inhumain. Elle avait aimé sa franchise, sa beauté d'aigle brisé. Elle jura de répondre à son invitation et d'aller visiter l'académie.

Cette nuit-là, un homme allait seul sur les interminables quais d'Anvers. Il avait en lui un vertige, une douleur. Il avait dominé cette ville, séduit et terrifié des générations. Celui qui ne croyait qu'en la vertu des actes et des gestes était venu confier sa souffrance à une jeune étudiante. Comment aurait-il avoué qu'Erich Sebastian lui manquait ? Il avait vu la chambre, les lieux, les travaux en cours de son favori. Il rêvait d'abandonner l'académie. Pour la première fois, il avait même dit qu'il avait peint. C'était avant-guerre. Les dictionnaires disaient de ce peintre qu'il avait été tué dans les bombardements d'Anvers. Ce soir, devant ses étudiants, il s'était souvenu qu'il avait été architecte. Qu'il était fondamentalement architecte. Il avait même dit qu'il surveillerait les travaux d'embellissement d'une cathédrale que les hommes de son ordre avaient érigée.

Cette nuit-là, pour la première fois, depuis longtemps Erich Sebastian s'enferma dans sa chambre. Il se souvint de l'étymologie et de la légende des matelots, telles qu'elles lui avaient été dites par son grand-père. Il regardait avec terreur les trois rectangles de toile blanche qu'il avait crucifiés sur le mur. Les intonations de la voix blessée qu'il avait entendues lui étaient jusqu'alors inconnues. Il se souvint d'un cri qui froissait les eaux autour du pavillon d'automne. Il devinait le mouvement des pas d'un arpenteur ivre qui sanglotait dans la nuit.

Une seule chose occupait désormais Erich Sebastian : la réalisation du chef-d'œuvre. L'usage voulait qu'on pût habiter tout le temps de cette élaboration une des cellules du dernier étage de l'académie. Ceux qui étaient arrivés en fin de parcours, qui connaissaient tout des lois de la composition, de la perspective et de la couleur, avaient le droit de s'enfermer dans ces loges qui faisaient penser à de petits oratoires monastiques. La règle voulait encore qu'on annonçât au maître le projet du chef-d'œuvre. Ensuite on devait travailler seul.

Erich Sebastian fit simplement savoir qu'il peindrait un triptyque. Comme il tenait à prendre ses distances à l'égard de l'académie, il annonça qu'il n'occuperait pas sa cellule. Il préférait travailler dans sa mansarde des quais. On ne le vit plus à l'académie. Il peignait chez lui du matin au soir. Il était devenu un grand consommateur de café. Il lui fallait avaler plusieurs tasses avant de se mettre au travail. Quand il était las, il marchait sur les quais ou il rejoignait Ingrid dans le parc de l'université. Il couchait chez elle, chez Piet ou chez Van Johansen, jamais dans sa chambre qu'il avait transformée en sanctuaire interdit. Il avait même fait installer un nouveau verrou, de manière à ne pas être dérangé. Le triptyque serait montré pour la première fois dans la chapelle de l'académie, le jour de la présentation des œuvres.

Il connaissait les goûts, les fascinations d'Adam Van Johansen. Aussi décida-t-il de peindre des hommes. Il voulait trois figures liées à l'histoire et à l'image qu'il se faisait d'Anvers. Un soir, il partit du côté du port, de ces tripots où il s'était perdu une nuit. La pluie fouettait. Il se réfugia dans un bar. Les matelots commençaient à arriver, les vareuses ruisselantes. Il en avisa un très jeune, avec des cheveux bruns coupés court. Il lui fit signe, l'invita à venir à sa table. Le marin, qui se nommait Boris, accepta sans l'ombre d'une réticence. D'autant qu'Erich Sebastian avait la pinte généreuse. Ils parlèrent des destinations, des escales, des ports que connaissait Boris. L'Angleterre, l'Allemagne, l'Afrique, les contrées nordiques. Dans le déluge des bières, Erich Sebastian déclara qu'il était peintre. D'autres s'étaient agglutinés, mais le plus beau, sur fond de vitres constellées de luisances par l'averse, demeurait Boris. C'était un vrai marin, le frère du matelot de Rügen. Il restait à Anvers une semaine.

Erich Sebastian proposa de lui montrer la ville. Il y avait longtemps qu'il n'était pas apparu aux Anges. Il gardait un attachement vivace pour la taverne aux mille statues. Il retrouva sa table, eut du plaisir à se faire voir en compagnie. Les derniers élèves qu'avait recrutés le maître avaient établi leurs quartiers dans la taverne de leurs devanciers. Erich Sebastian les dédaigna. Boris avait des yeux noirs très vifs, un long corps fin et musclé. La pluie, le vent marin qui cinglait, l'ivresse excitaient Erich Sebastian qui se sentit bientôt en état de béatitude créatrice. Il se souvint qu'il avait peut-être chez lui une bouteille de genièvre que lui avait offerte Piet. Ils prirent la direction des quais. Erich Sebastian, halluciné, parlait d'un débit très rapide. Il voyait son triptyque. Un marin, un moine, un chevalier. Trois corps taillés dans le mystère d'Anvers.

La maison était vide. Erich Sebastian passa prendre un flacon et des verres chez Piet. Le vent mouillé frappait les vitres. L'ivresse, cette sensation d'éruption du monde, la ligne des flots que l'on voyait brasiller électrisaient le peintre. Dans la conversation, Boris raconta qu'il s'était fait tatouer à Marseille. Erich Sebastian n'eut pas à insister pour voir le tatouage : c'était un scorpion vert dessiné à la naissance de la cuisse. Un scorpion des pierres et des sables, la queue venimeuse et dardée. Tout naturellement, Boris s'était dévêtu et il posait. La vareuse, les chaussettes marine, le maillot gris, le tatouage, tout plaisait à Erich Sebastian qui se mit à peindre directement. Il était saoul. La pluie redoublait de violence. Il y avait comme une ligne de feux dressée à la crête des vagues. La timidité revenant, Boris adopta un profil fuyant qui séduisit encore plus le jeune peintre. On ne voyait pour l'heure qu'un brouillard de traits, le fuseau d'une cuisse peut-être, et le scorpion des sables.

Boris revint plusieurs soirs. Erich Sebastian allait boire quelques pintes en l'attendant. Le jeune homme reprenait sa place près de la fenêtre, le profil perdu, il avait un corps maigre de navigateur que les flots ballottent, il posait en retrait, comme à regret, exhibant seulement son tatouage. C'était son talisman, le souvenir d'une extase à Marseille. C'était, disait Erich Sebastian, un signe magique destiné à un peintre novice d'Anvers. La marque d'une élection ou d'un pacte. Le volet gauche du triptyque prenait forme. Le corps rêveur, la fenêtre comme une cage de verre criblée de pluie. Une souche frêle, noueuse, avec de longs pieds osseux très blancs, et à la place du sexe le scorpion dardé. On reconnaissait les cheveux bruns rasés, l'éternelle cigarette, l'air intrépide du marin. Erich Sebastian avait toujours son verre de genièvre près de lui. Le beau temps était revenu sur Anvers, mais chaque fois que Boris se déshabillait, il entendait la pluie, le vent, les vagues qui battaient les quais. Il avait réussi à rendre le visage avec une précision étonnante, après, le corps s'estompait, se fondait en un glaive de scarifications et d'aplats, avec la morsure du scorpion d'émeraude. Très loin derrière la vitre voguait le matelot, le double du marin au scorpion. Dans un blason d'écume et de roses.

Boris ne vint plus. Il naviguait. Erich Sebastian allait traîner du côté du bar où il l'avait rencontré, devant les flots noirs. Il était enchâssé dans le tableau, sous la pluie, avec son scorpion vert. Il venait de Marseille, il s'était fait tatouer sous l'œil de la Madone isiaque, là même où l'on avait amputé le Piéton fabuleux. Il était le premier modèle, la première figure d'Erich Sebastian Berg. Il allait sur la mer.

Il y eut plusieurs semaines pendant lesquelles Erich Sebastian ne fit rien. Il boudait le maître, l'académie, le pavillon d'automne, les Anges. Il cherchait le moine qu'il peindrait sur le volet droit. Il traîna à la cathédrale. Il ne voulait voir ni les cryptes, ni la toge rouge de Rubens. Il se tapit dans les stalles, observa les petits chanteurs des vêpres, les maîtres de chant, les chanoines. Rien ne l'attirait. Il frémit : il venait de se souvenir d'Isaac, le secrétaire de l'archevêque. Aussitôt il rêva de ce palais qu'il ne connaissait pas, ce palais avec ses ruisseaux de moquette pourpre, ces gigantesques tableaux de prélats — plus impressionnants que ceux qui décoraient le bureau du prieur à Ettal —, ces coffres, ces cathèdres, ces sièges rouges et ces crucifix d'ivoire. Il avait une image en tête, un fantasme : il voulait Isaac nu et priant dans les plis de la cape de l'évêque.

Il lui fallut déployer des trésors d'ingéniosité libertine pour obtenir ce qu'il désirait. Et cette image, ce n'étaient pas ses sens qui la demandaient, c'était le tableau. Le triptyque inachevé verrouillé dans son atelier des quais. Il faisait l'expérience de ce désir si particulier aux artistes : je ne veux votre corps que pour mon tableau, mon livre. Mon voyeurisme naît de ce fantasme que je veux déchiffrer dans mon œuvre. Je veux emporter et saisir le secret de votre nudité. Je veux dénuder votre nudité. Jusqu'à la viande, jusqu'à l'os. Rarement jusqu'à l'âme.

Il passa par Kees. Il parla d'un saint Jérôme qu'il voulait peindre. Isaac résistait, demandant à voir des œuvres d'Erich Sebastian. Impossible de lui montrer le marin. Erich Sebastian fit porter à l'archevêché une version douce et édifiante de son saint Jérôme. Il avait réaperçu Isaac un soir, près de la cathédrale. Il voulait ce corps nu dans les plis de la pourpre. Des semaines s'écoulèrent. Irrité, Erich Sebastian écrivit à Isaac pour lui faire savoir qu'il avait trouvé quelqu'un. La réponse fut immédiate : Isaac lui demandait de venir dès le lendemain, en fin d'après-midi.

L'archevêque était à Rome. Isaac le reçut dans un bureau exigu, rempli jusqu'au plafond de dossiers jaunis. Erich Sebastian, toujours aussi impatient, eut un moment de déception. Mais très vite Isaac lui ouvrit les salons, avec les torchères, les grands rideaux, les consoles dorées et les alignements de portraits, ces grands portraits de rapaces dressés dans des cascades de soie rouge ou violette pour lesquels le jeune peintre éprouvait une attirance irrésistible.

— Tu te trouveras un grand manteau rouge, une cape comme celle-là, dit-il en désignant un des tableaux.

— Mais tu n'y penses pas, c'est impossible...

— C'est oui ou c'est non, tonna Erich Sebastian. Je reviendrai demain avec mon matériel et un chevalet léger... Je ne ferai que des esquisses. Tu as la nuit pour réfléchir...

Il vint plusieurs nuits. Avec son chevalet, un carton à dessin, ses couleurs. Il se faufilait par une porte dérobée. Le salon d'apparat était éclairé. Les éperviers à monocle, les princes satinés, les vieilles défroques engoncées dans leur rochet de dentelle surplombaient le jeune moine nu dans un flot de soie. Des flambeaux brûlaient autour de lui. On n'entendait que les craquements des boiseries, les courants d'air qui sifflaient dans le vestibule. Erich Sebastian avait encore dû se battre pour qu'Isaac se débarrassât de son caleçon. Il faisait maigre, terrifié d'exhiber une chair qu'on lui avait toujours appris à cacher et à haïr, le moindre craquement des lambris l'affolait. Il avait des côtes très marquées, un ventre creusé. Erich Sebastian le trouvait christique dans les plis de la moire et les flammes qui l'éclaboussaient. Un soir, il apporta un de ces crânes qu'il avait naguère volés dans les cryptes de la cathédrale. Isaac le prit et laissa tomber la pourpre : il avait une expression extraordinaire, un mélange de fièvre mystique et d'hallucination. Ce fut cette image entre toutes qui s'imposa : la flaque rouge, une forêt de flammes fauchées par le vent, et le saint nu du Greco brandissant la relique.

Alors Erich Sebastian put s'enfermer dans son atelier. Il peignit la cape comme une longue traîne féminine, les biseaux des cierges, il voulut donner à cette vision qui le hantait encore une charge d'érotisme. L'image prit une dimension sacrilège : le moine embrassait le crâne et il bandait. Autant le marin semblait dilué dans une irréalité mythique, autant le moine paraissait saisi dans l'impudeur de l'extase. Sur le mur de la mansarde des quais, l'adorateur de Thanatos avait rejoint le matelot lumineux.

Surtout, ce qui était plus frappant encore, c'était la facture très classique de ce panneau. Le corps du marin n'était qu'ébauché : la pluie, la fumée de la cigarette, le désordre des vêtements épars atténuaient le tracé des formes. Pour le moine, Erich Sebastian avait retenu tout l'enseignement de la peinture flamande : les perspectives, la blancheur du sol sur lequel éclatait la richesse de la cape sanglante, la précision anatomique dans le rendu des détails — lèvres, cage thoracique, sexe — et le vernis.

Il laissa passer plusieurs semaines encore. Pour le chevalier, il pensa un instant à Van Johansen. Il connaissait suffisamment son corps pour le peindre de mémoire. Mais ç'eût été enfreindre un secret. Et ce triptyque ne devait contenir que des corps jeunes. Il erra dans la ville. Aux Anges, il repéra un étudiant qui se prénommait Jehan. Il avait de longs cheveux blonds ondulés, une démarche très fluide. Il paraissait assez sauvage. Erich Sebastian l'aborda un soir, lui offrit quelques pintes. Tout en le regardant, il se souvenait du Parsifal de Roman Anton Boos. C'était lui, merveilleux, androgyne, avec de la puissance et de la grâce, et la blondeur sacrée. Comme à Boris, il dit qu'il était peintre et qu'il cherchait un modèle. L'adolescent éclata de rire, il venait de poser pour un autre artiste. Il promit de venir le lendemain au crépuscule.

Dès son lever, Erich Sebastian se précipita chez un armurier du quartier de la gare centrale pour acheter une épée. Il ne la fit pas emballer et remonta le Meir l'arme à la main. Les souvenirs des rituels de la maison de la montagne lui revenaient. Il s'assit à une terrasse de la grand-place, prit un café tout en crayonnant. Puis il alla saluer Tanneken.

— Tu seras prêt ? demanda la vieille femme. La présentation des œuvres est fixée au 25 juin. Tu devras apporter ton travail la veille et l'installer au dernier étage, dans la cellule qui t'a été attribuée. Tu auras fini ? Le maître est furieux. Certains ont déjà demandé des délais...

Le téléphone sonna. Erich Sebastian en profita pour gober quelques huîtres laiteuses et charnues.

Quand il rentra, il trouva Ingrid en pleurs sur son palier.

— Je suis enceinte, dit-elle entre deux sanglots.

— De moi ? répondit Erich Sebastian, irrité.

— De qui ? Je ne couche pas avec tout Anvers.

— Tu m'excuseras. J'attends quelqu'un. Un jeune homme pour mon triptyque. On verra ça plus tard.

Quand il eut fermé sa porte, il contempla le tableau avec un immense plaisir. Le marin et le moine encadraient une grande portion blanche encore. Mais il avait le modèle, et l'épée. Il avait déjà oublié ce que venait de lui apprendre Ingrid. On frappait.

— Qui est là? demanda-t-il, agacé.

— Je suis Jehan. Je viens pour le tableau.

Erich Sebastian fit disparaître les volets qu'il avait déjà peints. Il était excédé. Il n'avait pas assez mangé. Il avait soif. Jehan vit l'épée sur la table et la saisit. Erich Sebastian l'observait, à contre-jour.

— Si tu acceptes de poser nu, tu auras cette épée...

Jehan s'exécuta et braqua l'épée dans la direction du peintre. Dans le soleil, la lame bouillait comme une ligne de feu. Les traits du jeune Parsifal étaient d'une grande finesse, ses cheveux blonds ruisselaient sur des épaules puissantes. Pour mieux apprécier la beauté de la musculature et le jeu des nerfs qui couraient sous cette peau souple et mate, Erich Sebastian lui demanda de jouer avec l'épée. Selon les postures, les veines du cou, le creusement des aisselles, les pectoraux avec leurs aréoles sombres, les marques des côtes, le membre court et légèrement relevé se dessinaient. Jehan jouait avec la lame, la garde, Parsifal aguerri. Il la chérissait, la brandissait, comme si elle eût été Excalibur. On aurait pu croire qu'il passait ses journées à poser. Erich Sebastian lui fit essayer plusieurs attitudes, sans choisir. L'effet d'ensemble du triptyque dépendrait de la pose qu'il retiendrait. Le marin était saisi de profil, appelé par la pluie, le large, son frère de hamac. Le moine, lui, jaillissait thanatique de sa robe de sang. Erich Sebastian imagina Parsifal, légèrement de profil, dressant l'épée des deux mains comme pour défier le ciel.

Il sortit dans la ville en compagnie de l'adolescent. Il ne

voulait pas rencontrer Ingrid. Il invita Jehan à venir manger une marmite de moules aux Anges. Il était séduit par l'humour, l'audace de Jehan. Après le dîner, il voulut lui montrer le bar des flots noirs, où il avait rencontré Boris. Peut-être cherchait-il Boris de manière inconsciente. Avec sa vareuse bleue et un pardessus gris qu'il disait avoir hérité de son père, Jehan se fondait parmi les marins. Le bar était bondé. Ils durent s'installer à une table à laquelle était déjà assis un homme d'une trentaine d'années, un Français, blond, racé, avec des lunettes dorées. La conversation s'engagea. L'homme avait une faconde aussi intarissable que sa soif. Après des études qui auraient dû le conduire à la haute fonction publique, il venait de reprendre une affaire familiale. Erich Sebastian se présenta. Aussitôt l'homme lui demanda quels étaient ses liens avec la cantatrice Hélène Berg. Il était grand mélomane, amateur d'art. Il s'appelait Luc de Teffène.

Jehan se sauva, en promettant de repasser à la mansarde le lendemain. Luc de Teffène évoquait la situation politique en France, la guerre d'Algérie et le retour de De Gaulle au pouvoir. Erich Sebastian n'y connaissait rien. Luc de Teffène semblait être un gaulliste fervent. Il parlait de Malraux, d'amis à lui qui appartenaient au proche entourage du Général. Il avait fait Sciences-Po, l'E.N.A. Il traînait seul dans ce minable bistrot. Il commanda du champagne. Erich Sebastian était subjugué, comme il l'avait été par Korbs, Boos, Van Johansen. Luc de Teffène se montra très intéressé par ce que raconta Erich Sebastian du fonctionnement de l'académie. Ses affaires l'appelaient souvent à Anvers. Il reviendrait de façon imminente. Erich Sebastian promit de lui montrer le triptyque à son prochain passage.

C'est un Piet très grave qui fit irruption dans sa chambre dès qu'il fut rentré.

— Je trouve immonde la manière dont tu as reçu Ingrid...

Erich Sebastian était ivre, excité par sa rencontre.

— C'est son affaire, hurla-t-il.

— Comment son affaire ? La vôtre ? Tu vas avoir vingt et un ans ! Tu es bientôt père. Il n'y a qu'une seule solution : le mariage...

— Tu veux rire ? Je ne me marierai jamais. Je ne veux pas de mariage et je ne veux pas de cet enfant. J'ai mon triptyque à finir. Je veux peindre, tu m'entends, je veux peindre — il hurlait littéralement en gesticulant —, je veux peindre, il n'y a que cela qui m'intéresse...

Piet s'était radouci. Il essaya de le calmer.

— Sors d'ici. Dégagez d'ici, toi et ta sœur. J'ai assez d'argent pour payer le loyer de trois chambres. D'autant que je vais bientôt partir. Je vais m'installer à Paris. J'ai rencontré quelqu'un !

Il lui fallut plusieurs heures pour dissiper sa rage. Il était incapable de dessiner ou de peindre. Dans ses hallucinations il revoyait Jehan tournoyant avec l'épée. L'épée, les crânes, les ossements, ses palettes, ses cadavres, ses livres : ses objets magiques l'entouraient. Il imagina la vie d'Ingrid claquemurée avec son enfant dans le presbytère du bord de mer. Cela ne lui fit rien. Le lendemain, Kees vint frapper. Il ne répondit pas. Il n'ouvrit qu'à Jehan.

L'adolescent était un modèle docile. Pour le panneau central, Erich Sebastian avait imaginé une superposition de figures, ce qu'il appela une décomposition stratifiée. On suivait toutes les phases de la prise et de l'adoration de l'épée par Parsifal, le corps du chevalier se fragmentait à

164

l'infini dans la nuit du volet central, une lumière tournoyait qui faisait advenir l'or de la chevelure et de la lame. Jehan continua de visiter l'atelier, lors même que le tableau semblait achevé. Erich Sebastian ne se lassait pas de sa beauté d'ange armé. Il avait promis de lui offrir l'épée quand le cycle des poses serait terminé. Mais Erich Sebastian tenait maintenant à cette épée qui avait resplendi dans l'atelier. Il courut chez l'armurier et en choisit une plus belle. Jehan vint la chercher, se déshabilla une dernière fois, et il disparut.

Luc de Teffène prévint par télégramme Erich Sebastian de son retour. Le séjour coïncidait juste avec la présentation des œuvres à l'académie. Erich Sebastian le reçut dans son atelier mansardé des quais. Quand il découvrit le triptyque, Luc de Teffène ne put cacher son admiration.

— C'est prodigieux, cria-t-il. C'est superbe. Vous êtes déjà un grand... J'achète, j'achète *Le marin, le moine, le chevalier*...

Il signait déjà son chèque, invitait Erich Sebastian dans l'un des plus grands restaurants d'Anvers. Du restaurant, il appela un ami qui tenait une galerie à Paris.

— On part demain. Je te présente cet ami.

— Je ne peux pas, fit observer Erich Sebastian. Demain, je dois porter le triptyque à l'académie. Il faut que je sois là pour la présentation finale.

Le champagne coula à flots. Les projets foisonnaient. Luc de Teffène s'occuperait de la carrière d'Erich Sebastian. Il le voyait déjà peignant à Paris dans une vieille maison qu'il avait dans le XIe arrondissement, ou encore dans le sud de la France dans sa propriété de Montmuran. Après le dîner, ils retournèrent sur les lieux de leur rencontre, dans le bistrot des flots noirs. Erich Sebastian n'avait pas voulu voir le chèque. Il le caressait dans sa poche tout en écoutant Luc de Teffène. Là encore, parmi les marins, Luc commanda du champagne. Il invita à sa table ceux qui le voulaient. Il fêtait la naissance d'un peintre. Il décrivait le triptyque, le marin encagé sous la pluie, le moine qui embrassait le crâne, Perceval avec son épée lumineuse. La petite troupe ainsi rassemblée but une quinzaine de bouteilles. Et quand il n'y eut plus de champagne, on se mit à la bière. Erich Sebastian hurlait, embrassait les marins. Lorsqu'il fut bien ivre, il montra le chèque. Vingt mille francs français! Il paya d'autres bières. Il se souvenait de Boris, du scorpion, des chambres là-haut. En sortant, Luc de Teffène demanda à revoir son tableau. C'était le petit jour. Ils étaient allés loin dans la folie, dans l'ivresse. Ils firent l'amour au pied du triptyque.

Erich Sebastian se confia à Luc. Il lui parla d'Ingrid, de cet enfant qui allait naître. Luc de Teffène se montra rassurant. Il avait une femme, deux enfants. Et cela ne l'empêchait pas de se laisser séduire par les marins et les jeunes peintres. Sitôt la présentation finie, ils partiraient. Luc raconta Montmuran, la vieille propriété écrasée de soleil, avec ses chambres fraîches, son immense bibliothèque, sa chapelle fissurée qui la nuit émettait des craquements effroyables... C'était tout près des châteaux cathares. La femme et les enfants de Luc de Teffène n'aimaient pas Montmuran. Ils préféraient Chamonix et Deauville. En écoutant Luc, Erich Sebastian se dit qu'il n'épouserait pas Ingrid, mais qu'il reconnaîtrait l'enfant. Son enfant, l'enfant de ses nuits d'angoisse lorsqu'il fuyait Adam Van Johansen. Il écrirait à Ingrid. Il regretta sa cruauté. Une cruauté seulement justifiée par le tableau.

Il fallut des heures et des heures pour qu'il obtienne un texte satisfaisant. Les mots lui échappaient. Il jugea les moutures précédentes pompeuses. Il tenta de cerner et de creuser son émotion.

Ma chère Ingrid,
Je regrette ma cruauté et ma violence. Cet enfant que tu attends, c'est le nôtre. Je ne t'abandonne pas, je ne te rejette pas. Il faut simplement que je vive ma vie de peintre. Il n'y a que cela qui m'intéresse. Je t'ai aimée, je t'aime, mais je ne suis pas sûr d'aimer les femmes. Et je sais que tu trouveras le bonheur en étant loin de moi. Je pars pour Paris. J'ai rencontré un homme extraordinaire, un mécène, qui m'entretient. Dès que j'aurai de l'argent, je vous installerai, comme il le faut. À Anvers ou à Paris. Je veux connaître cet enfant. Mais dans ma vie il y a cette épouse mystique, la peinture. Je veux être un grand peintre. J'y mettrai toute ma foi, toutes mes forces.
Des baisers, et plein d'autres choses, comme au temps des nuits des quais.

E. S., 24 VI 61

*

Tanneken vint annoncer qu'elle avait fermé le porche. Toutes les œuvres étaient là. Adam Van Johansen traîna encore dans son bureau. Il voulait s'assurer que deux ou trois personnalités d'Anvers n'avaient pas oublié qu'elles étaient membres du jury. Puis il rappela Tanneken pour lui demander si elle avait dépoussiéré le grand appartement flamand. Il savait les œuvres là-haut, mais il tardait à monter. Il entra dans la salle à manger voisine. Deux douzaines d'huîtres l'attendaient. Il vida une bouteille de vin du Rhin. Quand il fut bien gris, il monta. Les cellules étaient fermées. Chaque élève avait apposé un écriteau avec le titre du chef-d'œuvre. Il lut des noms, des titres : *Chevaux de mer, Les digues, Le labyrinthe, Anvers 1961.* Il éclata de rire. Il cherchait une porte, une seulement. Le bristol était d'une grande austérité, on aurait dit un cartouche de musée :

Erich Sebastian Berg
(1940-...)
Le marin, le moine, le chevalier
Triptyque. 1961. Huile sur toile.
Chaque panneau 198 cm x 142 cm.

Il poussa la porte. Le triptyque était au fond de la cellule, sur un chevalet. Il observa avec une attention décuplée les formes, les couleurs, les variations de volet à volet. Le marin dans sa nef de verre, le chevalier transfiguré et l'adorateur du crâne. C'était un travail irréprochable, d'une facture parfois traditionnelle et aussi d'une grande invention. Il n'avait jamais vu cela chez un élève. Il se souvint des morceaux de toile qu'il avait aperçus sur le mur de la mansarde des quais ce soir d'errance où il avait montré sa solitude. Un instant, il pensa aller frapper à la mansarde des quais. Il se retint. Il était le maître. Il redescendit dans la salle à manger, ouvrit une bouteille de vin du Rhin. Le triptyque qu'il venait de voir validait sa présence à la tête de l'académie. Sa présence et ses sacrifices. Berg avait tout compris : la peinture, Anvers, le corps de l'homme. Adam Van Johansen but sa seconde bouteille à une vitesse vertigineuse. La nuit tombait dans les escaliers humides de l'académie. Cette maison dégageait une odeur de caverne ou de sépulcre. Avant d'aller marcher, insomniaque, dans la cathédrale, avant d'aller humer la nuit des cryptes et le sang de Rubens, il voulait contempler une dernière fois le triptyque. Il pleura devant le chevalier androgyne.

Tanneken avait mis sa robe des grands jours. Elle accueillait les invités sous le porche et leur indiquait la direction de la chapelle. Toutes les œuvres avaient été placées dans le chœur. Erich Sebastian arriva en compagnie de Luc de Teffène. Il portait un costume autrichien à col vert qu'il venait de s'offrir. On n'avait jamais vu une telle foule dans la chapelle. Des invités avaient même pris place à la tribune. Luc de Teffène alla voir les autres travaux. Une série de portraits d'écrivains l'intéressa. Tanneken demanda le silence. Le jury arrivait. Pour la circonstance, Adam Van Johansen s'était entouré de notables, d'élus municipaux, de professeurs des Beaux-Arts. L'archevêque et le conservateur du Musée royal faisaient également partie du jury. Adam Van Johansen les avait reçus le matin pour qu'ils pussent regarder les œuvres en toute quiétude. Ce beau monde venait de déjeuner dans l'appartement flamand.

La tradition voulait que le lauréat de l'année précédente — qui était membre de droit du jury — proclamât les résultats. Il y avait le Chef-d'Œuvre et deux accessits. L'ancien élève avait l'air d'un bourgeois satisfait. Il monta sur l'estrade, fit une plaisanterie plutôt douteuse et dit sèchement :

— Le Chef-d'Œuvre de l'académie de M⁰ Van Johansen pour 1961 est le triptyque d'Erich Sebastian Berg. À l'unanimité du jury.

Erich Sebastian s'avança, très intimidé. Le maître, accompagné de l'archevêque, du représentant du bourgmestre et du conservateur du Musée royal, s'était levé pour la remise du diplôme officiel. Il monta sur l'estrade et prit la parole :

— C'est une grande joie, pour ce jury et pour moi, de couronner ce très beau travail. Erich Sebastian Berg, vous êtes un peintre. Je l'ai su dès ce matin de décembre 1956, quand vous avez dessiné cette main qui vous ouvrait la porte de cette maison. Puissiez-vous ne jamais nous décevoir !

On se pressait autour du lauréat. Tanneken ouvrit le grand salon aux murs tendus de cuir doré malinois. Ces pièces n'étaient montrées que pour la proclamation du Chef-d'Œuvre. L'archevêque vint demander à Erich Sebastian quel était le modèle qui l'avait inspiré. Erich Sebastian mentit en répondant qu'il s'agissait d'un modèle purement imaginaire. Luc de Teffène attendait qu'Adam Van Johansen fût libre. Il se présenta, évoqua ses relations dans le monde des galeries, avant d'annoncer qu'il venait d'acheter le triptyque. Le maîtra entra dans une colère noire :

— Pas d'argent ici ! Le Chef-d'Œuvre appartient à la mémoire de l'académie et il restera ici...

Luc de Teffène fit poliment observer que le peintre le lui avait vendu.

— Sortez d'ici, Monsieur, sortez, je ne vous connais pas. Pas de marchands ici !

Les colères du maître étaient réservées, d'ordinaire, à l'intimité des cours.

— Si Berg a vendu son triptyque, hurlait-il, c'est un traître !

Erich Sebastian, qui visitait les profondeurs de l'appartement flamand, n'avait pas assisté à l'algarade. On vint le prévenir. Il n'eut pas peur d'affronter le maître.

— Oui, si c'est ce que vous voulez savoir, j'ai vendu mon triptyque à ce monsieur...

Le maître écumait.

— Berg, je ne vous connais plus. Je vous ordonne de quitter ces lieux sur-le-champ. Avec votre triptyque. Vous avez vendu votre âme au siècle... Disparaissez !

Erich Sebastian Berg et Luc de Teffène quittèrent aussitôt le 16, Jezuïtenrui, les volets du triptyque dans les bras. Il ne se trouva personne pour venir les aider.

LA CHAMBRE URSINE

« Tout est caché à l'intérieur de la cave, que chacun se flatte de ne point connaître. »

PIERRE JEAN JOUVE

Montmuran se présentait comme une enclave de végétation et de vieilles pierres tout à côté du village. Après la Révolution, la chapelle du domaine avait même servi d'église paroissiale. Faute d'entretien régulier, l'ensemble tombait en ruine. La voûte de la chapelle était entamée de larges fissures, des ruissellements d'orage particulièrement violents avaient attaqué les fondations, de véritables failles étaient apparues dans le pavage. La nuit, des craquements montaient de la chapelle, ils se propageaient jusque dans la maison et l'on croyait que l'ancien sanctuaire allait s'effondrer, entraînant dans sa chute toute une partie du pignon. Le jardin était très beau lorsqu'on descendait vers la rivière, avec ses plantes tropicales, ses massifs de cactées, ses palmiers et sa végétation fourmillante, ses bancs de pierre. Des passages entièrement couverts menaient à la rivière. L'été, ils regorgaient d'insectes et d'oiseaux. Quand on parvenait au bout de ces promenoirs de verdure et de ces volières, on découvrait un ruisseau qui se tordait dans un lit de pierraille. La maison avait plus de charme encore, avec sa façade décrépie, ses lierres, ses volets écaillés, et, dès que l'on s'aventurait dans le hall garni de masques africains et d'armures, elle révélait la profondeur de ses salons, de ses chambres, de ses couloirs labyrinthiques. On ne savait jamais où l'on était : il suffisait de pousser une porte, on se retrouvait dans une chambre d'enfant avec des lambris peints, un berceau, une table de toilette, quelques pas de plus et l'on entrait dans une chambre-sarcophage remplie d'une poussière sèche, seules les fentes des volets laissaient passer la lumière, elle ricochait sur des globes funèbres, des fauteuils enveloppés de housses, des commodes au marbre fendu, des animaux naturalisés. Montmuran avait ce charme chaotique et débraillé qu'ont encore parfois certains petits musées de province, des générations s'étaient succédé là, dissemblables, parfois ennemies, broyées par le train du temps, mais à se promener un jour d'été aveuglant dans ces pièces que la vie avait depuis longtemps désertées, il apparaissait qu'elles avaient toutes communié à une même esthétique de l'engrangement et de la saturation. C'était une maison de poussière et d'ombres, d'esprits embusqués sous les trumeaux, d'autels, de dédales, de noms vénérés. Sans doute suffisait-il se lever la nuit, quand la chapelle lançait ses craquements d'épouvante, pour trouver dans le grand salon une réunion de famille, une communauté d'ombres et d'esprits occupée à régler des histoires de mariage et de dot, de legs ou d'héritage, affaires qui avaient occupé jusqu'à la hantise les jours et les nuits des habitants de Montmuran. On parlait encore, sous de Gaulle, de la chambre de l'amiral, du salon du préfet — un fonctionnaire de Louis-Philippe —, de la chambre du cardinal... L'usage avait transmis ces appellations sans qu'il fût question de les remettre en cause. Le cardinal avait dû servir sous Pie VII. Sa chambre, comme il convient, était tendue de tissu rouge. Ce fut, sans hésitation, celle que choisit Erich Sebastian Berg dès son installation à Montmuran. Elle avait l'avantage d'être située à l'écart de la chapelle, ce qui fait qu'on pouvait y dormir.

La chapelle aussi était tout à fait fascinante avec ses

pierres très blanches, ses statues rongées, ses fenêtres tendues de lierre et surtout ses pierres tombales. Avec leurs inscriptions usées et leurs filets de mousse verte, elles constituaient des litières bien fraîches pour la sieste. Il s'agissait, pour Luc de Teffène, d'une habitude qui venait de l'enfance. Les après-midi brûlants, quand montait la menace de l'orage, on allait chercher un peu de fraîcheur sur les plaques des caveaux des ancêtres.

Le soir, des gens venaient dîner. Des énarques, de hauts fonctionnaires en vacances, des amis d'enfance de Luc. Erich Sebastian se cachait. Il aimait vivre reclus dans les salons obscurs, derrière les volets. Rien ne lui faisait plus peur que le soleil. Il sortait la nuit, marchait sous les tunnels jusqu'à la rivière. Il descendait dans la chapelle et méditait au fond dans un désordre de chaises brisées.

Surtout, chaque matin, il peignait. Il fit cet été-là plusieurs portraits de Luc de Teffène, il avait des réminiscences d'Anvers, les lutteurs de Muybridge, les ombres du désir dans le pavillon d'automne, les huîtres et les oies de Tanneken, Jehan, Boris. Il y eut des portraits, des natures mortes, des polyptyques de petites dimensions. Il rêvait déjà d'une exposition... Il peignit encore les pierres tombales des Teffène — des natures mortes, ce fut la plus belle série, une succession de lames blanches transparentes sous lesquelles s'accouplaient les reliques, et qu'il intitula *Pierres de la tribu* —, la chapelle incendiée par l'orage et une étonnante figure, celle d'un vieillard entouré de compas et de sphères armillaires qu'il baptisa sobrement *Le maître*. Il travaillait des heures dans ce qui avait été le vestiaire du cardinal, il avait tendu d'épais rideaux noirs sur les fenêtres, il avait une force, une grande sûreté dans le geste. Comme dans sa mansarde d'Anvers, il ne supportait pas qu'on vînt le voir. Luc avait compris. Il attendait quatorze ou quinze heures pour l'appeler. Ils partaient déjeuner à l'extérieur. Erich Sebastian aimait aller à Saint-Bertrand-de-Comminges : la petite cathédrale perchée et son magnifique chœur boisé l'enchantaient. Une nuit, ils firent l'escalade de Montségur. Ils étaient seuls dans ce repaire d'aigles sous un ciel criblé d'étoiles. Il sembla à Erich Sebastian que le monde tournait autour du vaisseau céleste. La montagne était là face à eux, puis le creusement des plaines. Un océan de feux roulait au loin. Les pierres s'effondraient sous les pas. Des oiseaux, surpris, s'enfuyaient dans un claquement d'ailes maudites. Erich Sebastian rêvait de bûcher, d'ascèse, de méditations dans le vif des nuits stellaires. Ils y restèrent la nuit. Il voulait voir le jour arriver, ce feu qui viendrait couronner les heures de vigie au sommet du chicot céleste.

Il entreprit une série d'ébauches. Il les numérota : *Cathares I, Cathares II*, etc. L'univers de Montségur le hantait. Les châteaux, les pierres levées dans les étoiles, les bastions des Purs. Il était taciturne, comme préoccupé par cette multiplication des sources d'inspiration. Le soir, quand on lui annonçait un dîner avec des convives qu'il ne connaissait pas, il restait dans le vestiaire du cardinal. Les conversations sur l'O.A.S., de Gaulle, le gouvernement Debré le lassaient. Luc de Teffène avait une passion pour la politique, et c'était un brillant causeur. De plus, il adorait recevoir. Il avait une cave d'une grande richesse. Il attendait souvent qu'Erich Sebastian fût parti fumer au bord de la rivière pour inviter ses amis à monter très rapidement dans le vestiaire du cardinal.

Atelier portatif : Luc est parti quelques jours à Chamonix retrouver sa femme et ses enfants. J'ai Montmuran pour moi, les tunnels de buis, les vieux palmiers, l'immense bibliothèque. Mais je passe mon temps à peindre. Je ne me lave pas, je ne me rase pas. Je vais le soir boire au bar de la place. On me regarde de travers. Je suis porté par une vague créatrice qui ne décroît pas. J'ai plusieurs séries en chantier : les pierres tombales, les natures mortes d'Anvers, les portraits de Luc et les Cathares. Je ne pense à rien d'autre. Aucune envie d'aller à la Roque, aucune envie d'appeler Ingrid. Le vestiaire qui jouxte ma chambre est envahi de toiles et de châssis.

La nuit, je marche dans cette maison, j'ouvre les placards, je me glisse par les passages dérobés, je fouille. J'ai une maison, un espace à moi. Je m'arrête parfois dans ce qui fut une chambre de jeune fille, il y a des dentelles, des voiles, des aquarelles, fanés. Je revois mes domaines : Cramer-Klett et ses chevaux, Ettal, l'académie d'Anvers. Chaque fois je suis un nomade chassé, un errant sur lequel s'abat la foudre. La foudre de Van Johansen m'accusant d'avoir vendu mon âme au siècle. En peignant, je revis cette scène, je vois son visage dévasté par la rage, cette violence qui nous jette à la rue, Luc et moi, comme des maudits, avec dans les bras les morceaux de ce qui l'heure d'avant m'avait donné la gloire.

… La nuit tombe sur Montmuran, la chapelle fissurée et fendue lâche des plaintes effroyables, on croit que la dynastie des Teffène se relève… Ils reviennent, les os parés de pierreries, ils surgissent de la cendre et de l'ombre humide des caveaux. Ils s'accouplent dans une série de toiles que j'ai appelée *Pierres de la tribu*. Commencé aussi une autre série consacrée à Rimbaud. Je pars de l'icône du sage communiant de Charleville que je déconstruis à l'envi. Je veux que déjà apparaissent les stigmates de la voyance et de la gangrène. Je peins le matin, je peins la nuit. Depuis le départ de Luc, je vais boire au café le soir, sous la tonnelle tressée de glycines. J'ai fait la connaissance d'un jeune homme, d'origine indéterminée, qui, lorsqu'il est ivre, raconte à qui veut l'entendre qu'il a pour royaume les premiers sous-bois de résineux, et que son rêve est d'assassiner de Gaulle. Dans son délire d'ivrogne remontent des souvenirs de Vichy, des rancœurs, des ressentiments féroces. Il parle de l'Algérie, de la trahison de De Gaulle. Il veut l'abattre, un jour qu'il roulera vers Colombey. Ce ne sont pas ses propos d'ivrogne, c'est sa beauté qui m'attire. Il est fort, musclé, avec des yeux de jais. Le soir, au bar, les femmes tournent autour de lui. Je m'écarte, jaloux, moi l'homme des collèges de garçons, des académies, des bistrots des ports. Je rentre vers Montmuran. Je ne peux pas apprécier la qualité de ce que je fais. Mais j'ai une inextinguible envie de peindre. Il me reste à m'enfermer dans le vestiaire du cardinal. À retrouver mes spectres, mes Cathares, mon Rimbaud et mon Assassin. Un après-midi, j'ai photographié le terroriste. Avec ses tatouages, son ventre plat, ses longues mains osseuses. J'ai une centaine d'images de lui. Je peux le peindre plus facilement que s'il était devant moi dans le vestiaire du cardinal. Je peux errer, je peux butiner parmi les mille visages de l'Assassin.

Erich Sebastian Berg ne connaissait de Paris que les quelques lieux qu'il avait aperçus à l'automne de 1956 en se rendant à Anvers. Cinq ans plus tard, il se retrouva au sortir d'un été à Montmuran dans la capitale. Luc de Teffène avait deux vies. Il installa Erich Sebastian tout près du cimetière du Père-Lachaise, dans un beau passage tout pavé et pentu. Des ouvriers pendant l'été avaient rafraîchi les locaux de ce qui avait dû être au début du siècle un atelier d'artiste. Une verrière envahie de lierres coiffait une pièce de proportions agréables dans laquelle Erich Sebastian prit ses quartiers. Les fenêtres donnaient sur le passage, il y avait une petite cheminée, deux colonnes doriques encadraient un renfoncement qui avait pu être une alcôve ; tout à côté, de l'autre côté du palier, Erich Sebastian avait une chambre et une petite salle de bains. L'automne fut radieux, d'une lumière qui faisait flamber les feuillages du cimetière. Rimbaud, l'Assassin, les Cathares et les Morts de Montmuran occupaient les journées du jeune peintre. Erich Sebastian était au travail dès huit heures. À peine s'était-il installé dans son atelier du passage de la Folie-Regnault qu'il brûla dans la petite cheminée beaucoup de ses esquisses et de ses œuvres antérieures. D'Anvers il ne garda que le carnet de croquis. Et les lutteurs de Muybridge. La lumière qui venait de la ville, tamisée par les frondaisons du cimetière, le ravissait. Dans l'alcôve il avait placé les photos du terroriste de l'O.A.S., les reliques des cryptes d'Anvers, l'épée de Jehan, la statue de saint Christophe volée aux Anges. Il ne travaillait qu'à la lumière naturelle. Ou la nuit, comme à l'académie, à la lueur des bougies.

Quand il était las de peindre, il allait marcher parmi les tombes et les chapelles du cimetière. Le matin ou au crépuscule, dans la brume, lorsque des chats efflanqués sortent des tombes qui bâillent. La nécropole avait les dimensions d'une ville. Les arbres, en torsions douloureuses et complexes, donnaient l'impression de surgir des sépultures, nourris de la chair des morts. Le mystère de la viande humaine liquéfiée au fond des caveaux obsédait Erich Sebastian, seul et mélancolique dans la pluie d'automne. La viande humaine devenue arbres, chats, lichens et filets de pluie. La viande illustre. Par la rue de la Roquette, on descendait très vite jusqu'à la Bastille. Mais Erich Sebastian avait une nette préférence pour les hauteurs, les chapelles, les statues d'anges mutilées, les noms mangés par les mousses… Il lui arrivait encore de rester des heures au Café de la Folie, avant de s'enfermer pour peindre.

Il y eut des dîners, des soirées. Luc de Teffène organisa quelques rencontres dans son appartement de l'île Saint-Louis. Dans son grand salon dont les baies ouvraient sur le quai de Béthune, Luc avait placé, au-dessus du canapé, le *Triptyque d'Anvers*. Jeanne de Teffène était une femme raffinée et froide, toujours vêtue de noir. Erich Sebastian lui fut présenté comme l'auteur du triptyque. Ce soir-là, le propriétaire de la galerie de la rue des Blancs-Manteaux, Pierre Girard et une critique, Gaëlle Ausborne, dînaient chez Luc. Seul Luc parla. Gaëlle Ausborne ne cessa de chuchoter avec Jeanne de Teffène. Pierre Girard se montra d'une réserve glaciale. Luc parla d'Anvers, de la révélation qu'avait été pour lui la découverte du talent d'Erich Sebastian Berg. Il semblait prêcher dans le désert. Lorsque tous eurent repris place au salon, il tenta de faire admirer le triptyque. Gaëlle Ausborne fumait en boudant. Elle était d'une laideur étonnante, avec une tête de crapaud. Pierre Girard, un énorme cigare à la bouche, buvait whisky sur whisky. Il fut question de la situation politique, de la fin imminente du régime gaulliste. Jeanne de Teffène défendit de Gaulle avec beaucoup de vigueur. Erich Sebastian n'avait rien à dire. Il était éreinté. Personne n'avait regardé son triptyque. Dans la fumée des cigares et le brouhaha des conversations, des mots lui revinrent, ceux du maître d'Anvers. Oui, il était entré dans le siècle, il avait cédé à la séduction de la facticité. La conversation roulait sur des sujets qui le laissaient sur la rive. Il se leva brusquement et prit congé. Jeanne le raccompagna très poliment.

Il sauta dans un taxi, arriva dans son atelier dans un état de rage extrême. Il hoquetait. Il alluma un feu dans la petite cheminée, et y jeta une quinzaine de toiles. Il se précipita sur un reste de genièvre et l'avala. Dans son délire et sa douleur il pensa incendier l'atelier. Il en voulait à Luc de Teffène d'avoir organisé cette rencontre qui avait tourné à l'humiliation. Il écrivit dans son ivresse le brouillon d'une lettre de rupture. Jeanne l'avait séduit, mais celle qu'il détestait, c'était Gaëlle Ausborne, avec son air de crapaud pustuleux. Il régnait dans l'atelier une épouvantable odeur de toile calcinée. Erich Sebastian s'endormit ivre mort au pied des chevalets.

Des pas, puis des coups à la porte le réveillèrent. Il se leva en titubant. Pierre Girard était sur le palier. Surpris, il le fit entrer. Il restait quelques Cathares, quelques pierres tombales de Montmuran, un Rimbaud et un Assassin.

— Drôle d'odeur ici ! bougonna Pierre Girard.

— J'ai brûlé des toiles cette nuit, répondit Erich Sebas-

183

tian avec beaucoup d'insolence. Elles sont mieux en cendres que dans les boutiques des marchands.

— Du calme, gamin, hurla Pierre Girard. Je ne suis pas un marchand. Je suis prêt à vous exposer, quand vous le voulez. À moins que votre galerie ne soit votre cheminée...

Erich Sebastian ne sut que dire. Pierre Girard était déjà dans l'escalier.

Atelier portatif : Quelques jours de neige. Les chapelles, les plaques du cimetière ont disparu. Les arbres aussi. Il reste des lacis de givre. Je me suis composé un univers, des itinéraires, des rituels. Sous la verrière givrée, j'ai allumé un buisson de cierges : l'Assassin, Rimbaud entamé par les stigmates de la voyance et de la gangrène, les morts de Montmuran, les bastions démembrés des Cathares et quelques portraits déformés de Luc. Je dors peu, je travaille comme un fou. Et dans mes moments de relâche, je vais marcher dans Paris. Je vais vers Notre-Dame, le Louvre, la Concorde, c'est cet axe de Paris que j'aime, et je suis toujours ému quand un soleil sanglant s'inscrit dans la perspective de l'Arc de Triomphe.

Luc arrive le soir. Ma chambre de peintre, tout à côté de l'atelier, nous sert de refuge amoureux. Nous allons manger des huîtres place Clichy. Ce mois de décembre 1961, nous avons fêté la naissance de ma fille, Véronique. J'attends les résultats de ma première exposition pour les installer à Paris.

Je passe par de grands moments de doute. Luc m'encourage, Pierre Girard aussi, qui vient régulièrement. J'ai eu la surprise de recevoir Gaëlle Ausborne qui prépare un papier pour l'exposition. Elle s'est montrée intéressée et chaleureuse. Toujours ce même air de crapaud bouffi, ces robes noires invraisemblablement mal taillées. Elle s'assoit sur un tabouret dans l'alcôve, et reste des heures, immobile, à fumer. Elle a une prédilection pour les Rimbaud. La série tourne à l'horreur de la fournaise et de l'amputation. Je relis les dernières lettres d'Arthur. Dans des rouges d'une grande violence, j'essaie de rendre le feu de la gangrène. Gaëlle regarde. J'ai horreur qu'on soit là quand je peins. J'accepte sa présence, celle de Luc bien entendu. Elle descend boire à la Folie, remonte avec une pinte ou un verre de bon whisky. Il fait très froid dans l'atelier. Cela me rappelle la chapelle d'Anvers. On ne peut allumer que la petite cheminée. Gaëlle Ausborne prend beaucoup de notes : elle écrit son papier chez moi. Elle m'emmène dîner à Belleville dans de petits restaurants qu'elle connaît. Elle parlerait pendant des heures de littérature, de voyages, de Luc qu'elle adore. Elle marmonne, entre deux bouffées, une formule qui chaque fois me fait rire aux larmes : « Suis ta pente, petit... » Elle semble bien connaître les milieux de la mode. Les galeries.

Ce 23 décembre, reçu un chèque de Pierre Girard. Comme une avance, pour l'exposition du printemps. Reçu un autre chèque de Luc, pour Noël. Lenteurs, de nouveau doutes dans le travail. Pierre Girard veut une trentaine de toiles. L'autre nuit, ivre, j'ai encore brûlé deux toiles. C'est Rimbaud qui me fait le plus peur. Difficulté à cerner ce corps bouffé, cette érosion solaire. Les paysages arides, les corps, c'est là que je suis bon.

Tout devait être prêt pour le début d'avril. Il s'enferma, exigea moins de visites. Il n'acceptait que quelques fins de semaine avec Luc, en Normandie ou dans une maison de l'Yonne. Gaëlle Ausborne passait parfois. Elle ne voyait que des châssis retournés. On aurait dit qu'elle aimait cela. Et l'odeur de la peinture, la froidure de l'atelier, les rares confidences d'Erich Sebastian. L'hiver, elle portait un très vieux manteau de fourrure qui la rendait plus hideuse encore. Elle avait une passion pour Erich Sebastian. Elle l'emmena au Louvre. Il fut saisi par le *Richelieu* de Philippe de Champaigne. *Richelieu* et *Le Radeau de la Méduse*, ces tableaux l'enchantèrent. Elle l'emmena encore au musée Guimet pour qu'il vît des estampes et un paravent qu'elle affectionnait : *Le paravent aux livres éparpillés.* Un jour de grand froid, elle l'emmena dans la vallée toute givrée de Port-Royal, elle lui raconta ce qu'avait été l'ascèse jansé-niste. Erich Sebastian Berg avait oublié sa première ren-contre avec Gaëlle Ausborne, l'horreur qu'avait été l'ap-parition de cette femme si laide qui fumait en bougonnant sous le *Triptyque d'Anvers*. Gaëlle avait un grand apparte-ment à Montparnasse. Elle dominait tout Paris. Des édi-teurs, des critiques, des propriétaires de galeries dînaient souvent là. «Je parle de vous, disait-elle, je passe ma vie à cela, à Paris on ne s'impose que par le bouche à oreille. Je fais monter la pression. Votre peinture va déconcerter. Vos visages sont visionnaires, ravagés, fondus dans la fournaise de l'hallucination, mais vous savez dessiner. Ce que per-sonne ne sait plus faire... »

Il avait reçu les premières photos de Véronique. Elle ne voulut pas les voir. Elle murmura : «Vous êtes si beau en adolescent vierge... » Ils se disputèrent. Erich Sebastian fut choqué que l'on traitât ainsi sa fille. «Je vous en prie, le coupa-t-elle, cette enfant attend toujours votre visite... » Gaëlle Ausborne avait un énorme ascendant sur Erich Sebastian. Il émanait d'elle une force que n'avaient pas Pierre Girard et Luc de Teffène, plus superficiels, plus mondains, plus *hussards*. Les voitures de course, les conver-sations du monde, les palaces, ces histoires ennuyaient au plus haut point Gaëlle Ausborne. «Elle est d'une telle intel-ligence qu'on a parfois peur de paraître bête... », disait sou-vent Luc de Teffène. Elle invita Erich Sebastian et Luc en week-end dans une maison extraordinaire qu'elle avait à la pointe de la Hague. Il plut, il venta. Elle les gava d'huîtres, de homard, de poisson frais. Elle disait à qui voulait l'entendre qu'elle avait enfin trouvé un peintre.

Au mois de février, Erich Sebastian voulut revoir Montségur, le grand ergot sur fond de neige. Il voulait s'enfermer dans le vestiaire du cardinal, comme s'il avait craint à Paris de ne pouvoir finir les toiles. Il débrancha le téléphone. Il souhaitait s'éloigner un peu de Gaëlle Ausborne. Il soufflait sur Montmuran un vent pur et sec. Il y eut des journées d'une transparence lumineuse. Le jardin fourmillait de crocus et d'orvets. Erich Sebastian retravailla la série des Cathares. Il peignait quinze heures par jour, délesté, comme un dieu. La nuit, il marchait dans la maison, débusquant les fantômes. Ma peinture n'est qu'un monde de fantômes et de morts vivants, se disait-il.

Atelier portatif : Jouissance d'être loin de Paris. Dernière ligne droite avant l'exposition. Traumatisme de ce dîner à l'automne chez Luc, tous ces regards indifférents. Il y aura quelques veines, les Cathares, Rimbaud, Luc, l'Assassin. J'ai appelé cette série *L'Assassin du Général*. Luc déteste ce titre, qu'il me déconseille vigoureusement. L'inconnu n'apparaît plus au bistrot de la place : il aurait été inquiété par la police, ses menaces étant prises au sérieux. Je trouve ce titre rimbaldien. Je suis pour l'irrespect.

J'aime travailler avec près de moi cette béance de la mort. À Paris, le cimetière, ici, la chapelle gémissante et ses fosses. Le crépuscule, les tombes ouvertes, les dalles descellées par l'usure. À Anvers, c'était le port, ses garçons qui m'incitaient à peindre. Il me faut des drogues. Des lieux, des corps, les verres que Gaëlle Ausborne me monte de la Folie. À Montmuran, je travaille dans un creusement du

187

temps. Une béance, comme un vertige. Les crocus, les orvets, les bourgeons, les oiseaux qui s'ébrouent, seuls signes de vie. Dans la maison, dans les combles de la chapelle, il y a des rats qui courent. La nuit, le vent se lève, un vent venu des citadelles cathares, un vent tout biseauté d'étoiles. J'ouvre grand les fenêtres du vestiaire du cardinal. Il se répand sur la campagne une odeur de brasier... On brûle des astres, des toiles, des corps de Justes... L'Assassin du Général court dans la montagne, en face de Montségur. Une violence me saisit. Une force qui vient d'au-delà de moi, et qui fait que je passe des heures à juguler des formes. L'éruption est double, en moi et sur la toile. Tout l'esprit de Montmuran me traverse. Je suis un peintre hanté.

... Le maître d'Anvers frappe souvent le pavé de mes hantises. Sa voix, ses crises, l'odeur de pluie croupie de l'académie, tout me revient. Je suis le fils de ce vieillard invisible. L'inviterai-je pour le vernissage de l'exposition? Les critiques, la réception, les circuits et les lieux de distribution, cela n'existait pas pour Adam Van Johansen. Le métier, la réclusion du laboratoire central. Je n'imagine pas AVJ dans la galerie parisienne. Peut-être ai-je trahi une forme de secret en décrivant à Gaëlle Ausborne les statues des initiés du pavillon de Delft... Tout ce que j'ai peint là depuis des mois — depuis mon installation à Paris —, je l'ai fait pour le seul regard d'Adam Van Johansen. Je voudrais ce soir d'avril entendre son pas, apercevoir sa silhouette d'officier et sa crinière... Mes toiles seront protégées par une vitre et enfermées dans de lourds cadres dorés. L'art est avant tout artifice, disait le maître. Il y aura des jaloux, des envieux, de faux admirateurs, des contempteurs... Le vrai regard, c'est celui du maître. J'essaie d'apprécier mes Rimbaud et mes Cathares à la lumière de ce regard. Celui de l'intraitable exigence.

Le papier de Gaëlle Ausborne dans *L'Express* s'intitulait « Pour célébrer Erich Sebastian Berg ». Jamais, pour des raisons de décence, elle ne citait le nom de Luc de Teffène. Elle rendit donc hommage au jeune peintre comme si elle l'avait elle-même découvert à l'occasion d'un voyage à Anvers. Elle était un peu la marraine d'Erich Sebastian. Ses amis arrivèrent nombreux le soir du vernissage. C'était le 7 avril. Un haut fonctionnaire du ministère des Affaires culturelles, proche de Malraux, accompagnait Gaëlle. Erich Sebastian avait veillé avec une rigueur hallucinante aux conditions de l'accrochage. Tous les tableaux devaient être sous verre et encadrés d'or. Six portraits de Luc, sobrement intitulés *L d T I*, *L d T II*, etc. accueillaient les visiteurs. Le visage émacié et barbu, Luc de Teffène avait l'air d'un grand mystique. La série des *Cathares*, avec châteaux démembrés, citadelles vertigineuses et bûchers levés jusqu'aux étoiles, occupait une salle entière. Suivaient les Rimbaud — *Charleville, Semoy, Le Dormeur de cassis, 1872, Harrar, Back to Marseille, Gangrène, Sommeil d'Amputé* —, les plus fous, les plus beaux ; ils dessinaient tous les jalons du cheminement rimbaldien, de la sage et classique icône du communiant sournois de Charleville à cette relique ardente, une jambe coupée. Il y avait aussi, plus étranges dans cette exposition et d'une inspiration proche de celle de Manet, quelques natures mortes avec des huîtres, un crâne, des sphères armillaires. Une haute silhouette en kimono blanc, simplement appelée *Le Maître*, couronnait l'exposition.

Le ventre rebondi, l'éternel cigare à la bouche, Pierre Girard allait de groupe en groupe. Erich Sebastian, intimidé, resta longtemps sur le trottoir. Luc de Teffène, en costume bleu marine, affichait une vive séduction. Pierre Girard, avec son nœud papillon, son physique lisse et jovial d'entremetteur, se précipitait avec délectation pour apposer une pastille colorée sur les tableaux vendus. Luc, Gaëlle, le haut fonctionnaire ami de Malraux, d'autres amis de Luc et de Gaëlle achetèrent. Luc comptait offrir son portrait à sa femme. Gaëlle acheta la série des *Cathares* pour sa maison de la Hague. S'infiltrèrent dans les groupes des critiques vipérins qui détestaient la galerie Girard. Ils écoutaient, regardaient à peine les tableaux, donnant l'impression de comploter sans cesse. Erich Sebastian, qui était longtemps resté sur le trottoir, adossé à la devanture verte, s'était maintenant réfugié dans la salle du fond en compagnie de Gaëlle et de Luc. Passa aussi un vieux poète très beau, d'une peau diaphane, qui vint complimenter Erich Sebastian. Il avait un nom étranger, c'était un misanthrope féroce qui avait publié quelques recueils chez Gallimard. Il n'aimait que les Rimbaud. Acheta-t-il *Back to Marseille* comme il en émit l'intention ? Erich Sebastian s'était jeté sur le champagne, son angoisse était si vive qu'il but une bouteille cul sec. Et il continua de boire, recevant les compliments des uns et les remarques fielleuses des autres dans le plus grand brouillard. Si bien que lorsqu'un critique renommé s'approcha de lui pour lui glisser quelques critiques, Erich Sebastian, déjà ivre, se déculotta pour le faire fuir. Le critique s'éclipsa. Erich Sebastian dansait devant ses tableaux. Gaëlle Ausborne, qui détestait ledit critique, était hilare.

Tous se retrouvèrent place des Vosges, chez Pierre Girard. Les murs blancs étaient couverts d'une collection de masques africains extraordinaires. Il y avait aussi des Matisse, des Dali, des Chirico. Girard était un ami d'André Breton. Il avait allumé son cigare, s'était servi un copieux whisky. Gaëlle passait les plats comme si elle eût été chez elle. On commentait les formules de son article, le fulgurant classique, Berg le peintre du Nord, le détenteur du Grand Secret, le dynamiteur des formes... Pierre Girard ponctuait cette litanie de son gloussement mécanique. « Je suis arrivé chez lui, près du Père-Lachaise, racontait-il, il y avait dans l'atelier une terrible odeur de brûlé. Ce monsieur brûle ses toiles. Précipitez-vous, retirez vite vos toiles de la galerie, il est capable de vous brûler *Les Cathares*. Soit il brûle ses toiles, soit il montre son cul à un académicien ! » Ce parfum de scandale les excitait. Que l'académicien venimeux fût sorti furieux les ravissait tous, et Gaëlle en tête, elle dont c'était l'ennemi juré. Ils citaient des noms que ne comprenait pas Erich Sebastian déjà bien entamé par l'ivresse, s'amusant des réactions des uns et des autres. Il avait aimé le vieux poète, quelques compliments qu'on lui avait adressés. Il s'écarta, visita seul les profondeurs de l'appartement qui avait un côté subtilement décadent. Des fresques mangées, des tomettes usées, des trumeaux défraîchis accompagnaient des collections de fauteuils Empire et de guéridons d'époque. Il se réfugia dans la bibliothèque qui surplombait la place. Elle comportait un étage qu'éclairaient des torchères de bronze. On trouvait partout des livres et des planches éparpillés. Erich Sebastian était écrasé par ce qu'il venait de vivre, ces gens ventousés à ses œuvres, ces autres qui semblaient nés pour mépriser, tous ces parasites, ces faiseurs de cocktails, ces monstres d'hypocrisie, grands producteurs de fiel mondain. Il avait été

191

ému par quelques visages, quelques remarques, le visage magnifique du poète de chez Gallimard, le splendide papier de Gaëlle Ausborne. Elle était là, en bas, il l'entendait caqueter, rire, vêtue de son immuable sarrau noir. Ce 7 avril 1962, il était peintre, il avait joué au peintre, à l'artiste insolent et génial. Et encore, sachant que cet ami de Gaëlle devait venir, Pierre Girard avait fait de toute urgence décrocher *L'Assassin du Général*. Ils quittèrent l'appartement des Vosges au petit matin. Erich Sebastian embrassa Gaëlle comme si elle eût été sa mère. Puis il s'engouffra dans la voiture de Luc. Il était trop tard pour aller coucher dans un palace. Ils étaient trop saouls pour aller faire l'amour sur les tombes du Père-Lachaise. Ils arrivèrent passage de la Folie. Au centre de l'atelier, il y avait une nouvelle toile, un cardinal à tête d'aigle.

— C'est le cardinal de Teffène? demanda Luc.
— Tu n'y es pas du tout, mon brave. C'est Richelieu...
Ils s'effondrèrent dans la chambre. Erich Sebastian jeta dans l'escalier le costume et les mocassins de Luc.

— Rentre-moi dedans, rentre-moi, implorait Erich Sebastian, et crie, crie, il faut réveiller les morts du Père...

Gaëlle organisa une rencontre avec le vieux poète. Il s'appelait Gregor Issenko et était l'auteur d'une dizaine de recueils et de monologues pour le théâtre. Le titre de l'un de ces textes exerça sur Erich Sebastian une véritable magie : *La Chambre ursine*. Quand ils se rencontrèrent dans l'appartement de Gaëlle à Montparnasse, Erich Sebastian interrogea aussitôt Gregor Issenko sur la signification de ce titre. Le vieux poète joua au mystérieux.

— Vous le saurez un jour, jeune homme. Un jour, vous peindrez la Chambre ursine. Vous êtes sur la bonne voie...

Puis Gregor Issenko, pour le plus grand plaisir de l'assistance, raconta Saint-Pétersbourg, le charme de cette ville, la force de la Russie éternelle. Il avait bien connu Max Jacob, Proust à la fin de sa vie, Reverdy, les surréalistes. C'était un bavard impénitent, et un grand buveur de vodka. Il se taisait parfois de longues minutes, se retirait totalement de la conversation. Il habitait une mansarde rue du Bac.

— Venez me voir, Erich Sebastian Berg, nous reparlerons de la Chambre ursine...

Au sortir de chez Gaëlle Ausborne, Erich Sebastian se précipita à la librairie Gallimard et acheta le recueil qui portait ce beau titre. Il était riche. Il acheta une édition originale. Il traîna dans Paris, il adorait le printemps sur les bords de Seine. Il téléphona au bureau de Luc, quai des Célestins. Il n'y avait personne. Il rentra passage de la Folie. Découpa le recueil. Il connut l'extase, apprit des poèmes par cœur :

Ils marchent, les errants de la nuit du Pôle. Ils marchent sous terre, dans le vent des catacombes. La déesse nyctalope, qui a leur profondeur de regard, s'embusque dans les galeries du Grand Ossuaire. Et ils marchent depuis des siècles à la recherche de cette Déesse, de son corps aux ossements blanchis, de sa respiration de craie.

Le Prophète a nommé la Chambre. Crypte de Berlin, ossuaire de Bourges, cave aux ours, reliquaire d'Ursule. Chambre ursine, quelque part sous les cimetières, dans l'étui des nécropoles. Quelque part, au très vif de la nuit, comme le lieu du Secret.

Sous des marécages, sous des forêts de tourbe glauque, parmi les hautes fougères fossilisées, sous Paris peut-être, cette chambre, comme un sanctuaire ou un atelier d'artiste, avec ses vieux murs, ses manteaux de suie, sa robe vermeille qui saigne.

Il s'endormit en rêvant à ce mystérieux sanctuaire. Des colonies d'arpenteurs et d'errants allaient dans son songe, comme des pérégrins, une lampe ou une étoile au front, ils venaient des hauteurs, des glaces, de ces continents blancs sur lesquels se fracasse la lumière absolue. Il avait là une idée de tableau. Pierre Girard avait pratiquement tout vendu. Ce printemps, il avait trouvé son rythme de croisière : promenade matinale au Père-Lachaise, petit déjeuner au café de la Folie, travail, ensuite Gaëlle Ausborne arrivait, ils partaient déjeuner au Quartier latin. Gaëlle venait de faire un héritage, Erich Sebastian avait bien vendu, ils déjeunaient chez Lipp, toujours au champagne. Plusieurs fois, Gaëlle proposa qu'ils rendissent visite à Gregor Issenko mais Erich Sebastian, dont *La Chambre ursine* était devenu le livre de chevet, préférait le silence d'une lecture. Il était repassé un jour à la librairie Gallimard et avait acheté un autre recueil, très beau et tout aussi hermétique, *Sept paroles pour un Christ d'icône*. Au sortir du déjeuner, Erich Sebastian demandait souvent à passer par le Louvre pour revoir le *Richelieu* de Champaigne. Il voulait revoir la pourpre, l'agencement des plis, la silhouette souveraine du cardinal. La barrette, le mouvement de la main gauche, tout le fascinait. Gaëlle Ausborne restait en retrait. Elle savait que lorsqu'ils quitteraient le Louvre, il ne serait plus le même. Elle n'aurait qu'à héler au plus vite un taxi pour qu'il puisse rentrer passage de la Folie.

Un matin, Gaëlle arriva, accompagnée de Sylvère Gérac, son ami du ministère. Erich Sebastian était de fort mauvaise humeur. Il allait en tous sens. Il fallut toute la diplomatie de Gaëlle Ausborne pour qu'on évite l'incident. Sylvère Gérac n'était pas l'académicien aigre du vernissage. En un an, l'atelier s'était rempli de toiles, de rouleaux froissés, de tubes écrasés, d'esquisses. Un premier Richelieu se dressait sur le mur, près de l'alcôve. Erich Sebastian avait soumis le visage du prélat à une terrible anamorphose, à tel point que les pommettes saillantes creusaient la peau verdâtre et cireuse. Du mouvement autoritaire et altier du cardinal, il restait un sarment rouge et convulsif.

— C'est très étonnant, s'exclama Sylvère Gérac. Il faudrait que le ministre voie cela... Ce serait très beau rue de Valois, dans son bureau. Je m'en occupe...

Gaëlle Ausborne s'était assise dans l'alcôve, sous les photos — il y avait maintenant toute une série de nus de Luc —, sur son tabouret favori, un verre de whisky à la main. Dès que le serveur de la Folie la voyait arriver, il montait les verres. Sylvère Gérac avait cette froideur apparente, ce classicisme qui rappelaient Luc. Ils provenaient de la même souche, de la même école.

— Ce serait bien, une commande d'État, pour notre jeune Berg, marmonna Gaëlle. Vois avec Malraux, Sylvère. Décris-lui le tableau.

— C'est prématuré, dit Erich Sebastian. Là encore, j'ai envie d'en faire au moins dix... Laissez-moi le temps... À l'automne peut-être, je serai prêt...

— Jadis, reprit Gaëlle, on aurait pu faire venir Malraux ici. Mais il vieillit, il se statufie, il préfère soliloquer dans son bureau...

Sylvère Gérac reprit la direction du ministère, abandonnant Gaëlle et Erich Sebastian. Ils n'attendaient que cela. Ils adoraient être seuls. Parfois, en remontant vers le Père-Lachaise, Gaëlle demandait à s'arrêter pour allumer un cierge à la basilique Notre-Dame-du-Perpétuel-Secours. Erich Sebastian ne connut jamais le bénéficiaire de cette intention. Des pans entiers de la vie de Gaëlle lui demeuraient secrets. Et c'était bien ainsi. Luc, qui semblait jaloux de cette emprise de Gaëlle, se montra plus généreux encore, multipliant les cadeaux. Erich Sebastian avait repéré des masques dogons rue de Seine. Il les eut. Il voulait passer une semaine à Cannes, dans un palace, à ne rien faire. Luc offrit la semaine. Une autre fois, Erich

Sebastian voulut un Christ qu'il avait aperçu chez un anti-quaire du quai Voltaire. Là encore, le Christ fut livré sans délai passage de la Folie. Erich Sebastian avait pris goût à ce petit jeu. Chez Lipp, c'est Gaëlle Ausborne qui payait. Toutes les notes du café de la Folie, les caisses de champagne et de whisky qu'il se faisait livrer étaient à la charge de Luc.

Ils dînaient un soir au Wepler, place Clichy. Ils mangeaient leurs montagnes d'huîtres favorites. Erich Sebastian demanda à Luc s'il était prêt, pour lui, à abandonner femme et enfants, sa situation reconnue et son confort de l'île Saint-Louis. La demande parut décontenancer Luc.

— Oui, dit Erich Sebastian, es-tu prêt à vivre avec moi ? Bien sûr pas dans mon atelier, mais pas trop loin...

Luc avait repris ses esprits. Il accepta.

Quelques jours plus tard, ils s'installaient dans un très grand appartement début de siècle, rue de la Roquette. Erich Sebastian n'avait que quelques pas à faire pour gagner son atelier. Luc de Teffène avait apporté quelques vêtements. C'était tout. Sa femme avait changé les serrures de l'appartement. Elle annonça qu'elle demandait le divorce, qu'elle s'emploierait à ruiner la réputation de Luc partout où elle passerait, et surtout, ce qui provoqua la fureur de Luc, qu'elle avait vendu le *Triptyque d'Anvers*. Quand Erich Sebastian apprit cela, il resta silencieux et rêveur. Puis il dit :

— Renseigne-toi pour savoir où il est. On ira le reprendre. C'est ton tableau. C'est loin, pour moi. Très loin, tu sais. Actuellement, je suis bouffé par le cardinal...

Un instant, il revit Boris, Isaac, Jehan, les heures de pose dans la mansarde des quais. Le scorpion, le sexe dressé de Jehan. Il voulait fuir ce cardinal qui le hantait. Les grandes pièces vides de la rue de la Roquette l'excitaient. Il installa le Christ et les masques dogons que Luc lui avait offerts. Et il décida de dessiner les meubles. Tout à côté de son atelier, rue Merlin, travaillait un ébéniste. Erich Sebastian conçut un bureau semi-circulaire. Il le voulait en orme, avec un plateau de cuir vert. C'était un meuble d'inspiration trente qui plut beaucoup à l'ébéniste. Il imagina encore des fauteuils corolles que l'on recouvrirait de daim marron, et une paire de chaises gondoles avec des coussins de cuir beige. Lorsqu'il vit ces meubles, Pierre Girard décida immédiatement de les faire commercialiser. C'est ainsi qu'à Paris, au début des années 60, il y eut pour quelques initiés un mobilier Berg.

Atelier portatif : Il se lève devant moi, il m'écrase dans mon atelier, j'ai l'impression que sa robe de soie brûle sans cesse sous mes paupières. Il est comme un sarment, comme une figure du pouvoir absolu, comme Korbs ou Van Johansen. Il a effacé tout ce que j'avais pu faire jusque-là. J'ai même dessiné des meubles dans notre nouvel antre, des chaises, un bureau, des canapés, pour fuir sa robe ardente.

Je relis Gregor Issenko, je rêve la Chambre ursine quelque part enfouie sous les strates du Père-Lachaise, je relis aussi, sans m'en lasser, les lignes de Gaëlle Ausborne.

Un talent s'impose. Fulgurant, audacieux. Le peintre des Cathares, de Rimbaud, le seul qui aujourd'hui dans notre art anémié et finissant soit vraiment porteur du secret des lumières du Nord. Il faut l'avoir vu dans son réduit du passage de la Folie, sous la verrière grise, encombrée de feuilles et de lierres morts, sous le ciel plombé de Paris, il a la maîtrise des peintres de Bruges et d'Anvers. Et il dynamite ses formes, la gangrène, la voyance le taraudent, le feu des transgressions, des sécessions, des hérésies. Sachons saluer cet hérétique, ce voyant, ce porteur de secret, le jeune maître Erich Sebastian Berg.

Suis-je celui que décrit Gaëlle Ausborne? Il m'arrive de me dire que je suis leur personnage, leur construction. Qu'ils m'ont construit de toutes pièces. Tous. Mais parfois Paris m'échappe et me résiste. Quand je vais marcher parmi les stèles brisées et les chats pelés qui fuient. Quand m'attire le mystère de cette viande qui pourrit sous mes pas. Quand se lève devant moi l'effigie écarlate du Louvre, la robe de sang, cette sensation d'*autorité en mouvement*. À cet instant, je suis le collégien d'Ettal qui se tapit de frayeur dans l'oratoire en attendant la venue de Korbs. Je suis l'arpenteur d'Anvers tétanisé par la haute silhouette du maître.

Je rêve de revoir Anvers. Les murs de l'académie. Et ma fille. Ingrid ne veut pas venir s'installer à Paris. J'irai voir ma fille quand j'aurai terrassé le cardinal. Luc est à mes ordres. Sentiment d'une vie trop facile. Nos rituels érotiques n'auront jamais la force de ceux du pavillon d'automne. Alors, la nuit, il m'emmène souvent dans une maison du XVIe arrondissement que tient une connaissance à lui, Mme Jouve. Une grosse blonde, à l'allure paysanne. La maison se présente comme un petit hôtel de style Arts déco, avec d'extraordinaires rampes de fer forgé. Luc m'entraîne dans ces boudoirs tendus de tissu pourpre pour boire des flots de champagne, et voir des corps de garçons. Ils sont jeunes, beaux, phalliques, mais d'une plastique conventionnelle. Ils ne sentent ni les ports, ni le négligé de l'adolescence. Mme Jouve règne sur ce buisson de corps. Grosse abeille, avec ses robes noires moulantes et ses chaussures dorées. Nous visitons le sanctuaire sous des noms d'emprunt. Je me fais passer pour le duc d'Ursin. Il brûle dans les cheminées des petits salons de beaux feux qui éclairent les queues raides des garçons comme des talismans que nous venons adorer, des queues lumineuses et nimbées.

Solitude dans Paris. Et angoisse. Projet d'un séjour avec Gaëlle à Venise ou Tanger. Gaëlle ne cesse de me parler de la folie et de la liberté de Tanger. Projet d'un voyage à Anvers avec Luc sur les lieux de notre rencontre. Besoin de folies pour agrémenter notre vie. Après enquête, nous avons trouvé à qui Jeanne de Teffène avait vendu le triptyque. Je suis allé le récupérer avec un homme de main de Luc. Plaisir des retours vers Montmuran, par l'étroite route de montagne, quand Luc roule à contresens. Petit plaisir des adorations phalliques chez Mme Jouve.

Un seul moment de vérité, depuis longtemps. J'ai fait, ce mois de septembre 1962, le voyage de Rügen. Karl s'est éteint. Selon les dispositions du testament, on a creusé la tombe dans la chapelle des naufragés, et on y a descendu le corps, sans cercueil, dans un simple linceul de drap grossier. Revu à cette occasion ce personnage insipide et décati qui est mon père. Le fort est ma propriété. C'est le seul bien que je possède. Pour ce naufragé de la vie, j'ai tenu à prononcer une *muette* : Karl m'avait tout légué, sauf le secret de cette prière. J'ai prononcé, de mémoire, l'oraison suivante qui appartient aux *Sept paroles pour un Christ d'icône* de Gregor Issenko :

Entre dans la mort, les yeux grands ouverts. La mort n'est jamais que cette fracture du ciel un Vendredi de Ténèbre. Elle est ce rideau déchiré, ces fondations du Temple qui vacillent, ces morts qui se relèvent. Naufragé, errant que transportent les vagues, plonge dans un ciel d'encre et d'or.

Descendu dans sa terre le premier de mes patriarches.

L'hiver 1962-1963, il voyagea. Il passa une semaine à Venise avec sa mère. Puis il rejoignit Gaëlle Ausborne à Tanger, et ils descendirent jusqu'à Essaouira. Surtout il accompagna Luc de Teffène à Anvers, traîna sur le port, et découvrit une académie définitivement fermée. Il marcha seul, perdu. Il allait dans une bruine qui matérialisait son chagrin. Ingrid l'attendait, dans un petit appartement que l'hôpital mettait à sa disposition. Véronique avait un an. Elle marchait. Il acheta une caméra super-huit pour filmer les premiers pas de sa fille. La gamine s'élançait avec fougue, encore vacillante. Elle était blonde, bouclée, avenante et enjouée. Ingrid semblait très prise par son métier. Une femme gardait Véronique pendant la journée. Un matin, Erich Sebastian vit arriver Tanneken. Adam Van Johansen l'avait remerciée à la fermeture de l'académie. Elle vivait de ces gardes et de ménages.

Erich Sebastian eut des moments de complicité avec Ingrid. Il décora l'appartement, offrit des meubles, de la vaisselle, des jouets. Ingrid vivait avec Piet qui ne voulait plus voir Erich Sebastian. Elle avait tout pardonné. Il resta quelques jours. La présence de Véronique le ravissait. Et il aimait Anvers. «Cette ville m'a toujours plu, se disait-il, et voici qu'y marche maintenant le fruit de ma semence et de

200

mon angoisse.» Il y avait chez Ingrid une abnégation, un profond respect de l'autre. Elle avait peu changé, elle s'habillait toujours aussi mal. L'enfant appelait Piet papa. Erich Sebastian peignit des fresques dans la chambre de Véronique et d'Ingrid. Mais tout le temps qu'il fut là, jamais Piet n'apparut. Il prit sa place, retrouva Ingrid comme il le faisait dans la mansarde des quais. Dans cette maison simple, il avait oublié Paris, Luc, Gaëlle, le bordel de Mme Jouve. Certaines nuits il pensait au cardinal, à sa grande robe pourpre. Il était peintre avant tout. Il lui fallait retrouver son atelier. Il quitta avec tristesse ce long couloir blanc dans lequel une gamine turbulente prenait son élan.

Il entra dans l'atelier du passage de la Folie un jour de neige. La verrière était constellée de coulures de givre. Il ne s'était même pas arrêté dans son appartement de la rue de la Roquette. Il voulait vite voir les différents états du cardinal. La beauté du prélat au visage d'aigle le saisit. Ce qu'il avait là devant lui et qui l'attirait tant, ce n'était pas l'incarnation du pouvoir absolu, l'ennemi des féodalités, le guerrier cuirassé de La Rochelle. C'était simplement une silhouette, une allure, un portrait en mouvement, un corps de peinture. Dans la neige et le givre qui enserraient Paris, c'était un feu, une luminosité de soie, l'éclat d'une parure. Ses différents Rimbaud, ses Cathares, il les avait fait naître de la souche d'un fantasme. Ici il partait du travail d'un maître, il s'attaquait à une portraiture canonique. Le pouvoir, le souci des contingences de l'État, l'arroi de la fonction ministérielle l'emportaient sur toute autre considération. Nulle trace de mysticisme, de faiblesse intérieure, d'humanité salie par le doute. Erich Sebastian Berg, dans un élan, décida de faire jaillir de cette portraiture absolue le sang, la viande, l'Éros, la pulsion sanguinaire, le chaos secret. Tout son travail tiendrait à cette volonté d'érosion et d'évidement. Il n'avait pas à encenser, à glorifier, à hypostasier un visage de la primauté cardinalice et ministérielle.

Il était seul dans la neige de Paris, l'œil rajeuni par les lumières du Nord. Il était face à un état de la peinture, une icône qui pour lui avait plus de sacralité que la figure du cardinal. Les couleurs de Champaigne étaient subtiles, le rouge orangé de la *capa magna*, le rouge plus vif de la calotte et de la barrette, le rochet jauni, crayeux presque, le grand col blanc et l'attache bleue de la croix de l'ordre du Saint-Esprit. Dans la neige, sous le toit de givre qui métamorphosait l'atelier en caisson hivernal, Erich Sebastian ne voyait plus que la main osseuse et rigide de Richelieu, la main et la barrette, comme un insigne, une fleur dépliée, un caillot de sang pur.

Il imagina des cages, des intérieurs de cathédrales dévastées, des promenoirs de marbre que traverserait le prélat décharné et sanglant. Il appela Hélène Berg qui se trouvait à Rome et lui demanda d'aller chez Gamarelli lui acheter une cape, des souliers, une barrette cardinalices. Chaque jour il attendait la venue du facteur avec impatience. Quand le paquet arriva, il fit ruisseler les flots de soie, il disposa la *capa* sur un chevalet et passa des heures à observer les plis, le tombé, le dessin des moirures. Gaëlle Ausborne débarqua un matin, retour de Londres, avec la représentation d'un autre portrait du cardinal qu'elle venait de voir à la National Gallery, ainsi qu'avec trois bustes de Richelieu réunis sur un même tableau. Seule Gaëlle avait le droit de rester dans l'atelier. Elle prenait place dans l'alcôve de plus en plus encombrée, tassée dans son affreux manteau de fourrure, elle regardait, prenait des notes.

— C'est la robe qui te fascine, lui dit-elle un jour.

— Sans doute, bougonna-t-il.

Ce soir-là, Luc de Teffène donnait un dîner dans l'appartement de la Roquette. Étaient invités Pierre Girard, Sylvère Gérac, Gaëlle Ausborne, un vieux client délabré de Mme Jouve. Erich Sebastian n'arrivait pas. Luc proposa de passer à table. C'est alors qu'Erich Sebastian surgit, en *capa* cardinalice, il était ivre, avait dû rester une bonne partie de l'après-midi au café de la Folie, il dansait en titubant et fit sensation en montrant à l'assistance ses jambes nues et les porte-jarretelles noirs qu'il cachait sous la *capa*. Il monologuait, hurlant des paroles difficilement compréhensibles :

— Cardinal, *capa*, monstre le sang, janséniste, Champaigne je t'encule, vieux traître, j'encule aussi le cardinal...

Il s'effondra dans ses mètres de soie. Il avait les yeux fixes, dilatés. On dut le coucher.

Le lendemain matin, dès huit heures, frais et intact, il était dans son atelier. Il était tout à fait capable de peindre six ou sept heures sans pause. Fût-ce un lendemain de fête orgiaque. Il travaillait sur une toile qui avait les dimensions exactes de celle du Louvre : 222 cm x 165 cm. Il était perché sur un tabouret, il attaquait, il creusait le triangle du visage, multipliant les aplats sombres, comme s'il se fût agi d'une chair cadavéreuse. Autour de lui il y avait bien encore six ou sept autres chevalets, avec la même silhouette figée ou tordue. Certaines jaillissaient de fonds noirs ou jaunes, avec des flèches, des indications étranges comme sur un paysage d'autoroute mais chaque fois on retrouvait la fleur sanglante de la barrette, la main de plus en plus fine, de plus en plus menaçante, une main de spectre, de sorcier, d'inquisiteur, de tortionnaire. C'étaient des toiles d'une grande austérité et d'une extraordinaire violence. À ceux qui le soir du dîner avaient avoué leur crainte de découvrir un Richelieu en porte-jarretelles, Gaëlle Ausborne avait répondu que les toiles seraient plus obscènes encore, mais d'une obscénité digne d'Erich Sebastian Berg. Et elle s'était lancée dans une interminable digression, coupant la parole à tous les convives, en évoquant les surréalistes, Bataille, l'érotisme de la viande chez Berg, la sublimation d'un corps de peinture. «On n'exposera que ces Richelieu... », avait aussitôt clamé Pierre Girard, le seul qui osât affronter Gaëlle Ausborne lorsqu'elle entrait en transe. « La galerie uniquement remplie de ces prélats, ce sera superbe. Je ne les ai pas encore vus, mais je crois Gaëlle sur parole... »

Erich Sebastian quittait parfois son atelier et ses huiles sanglantes. Il allait chez Gregor Issenko, dans sa mansarde de la rue du Bac. Le vieux poète habitait tout près de la maison dans laquelle Chateaubriand était mort. Lorsque Gregor n'était pas chez lui, Erich Sebastian le rejoignait dans le petit bureau qu'il avait sous les toits à la N.R.F. Dans ce réduit céleste, Gregor était censé lire des manuscrits poétiques. De son bureau, on dominait le jardin de Gallimard, le beau pavillon néo-classique de la Pléiade. Gregor Issenko ne vivait que dans des mansardes. Là il pouvait mener sa vie de reclus, de poète hermétique, de célibataire de l'art et de consommateur de mescaline. La chambre était remplie jusqu'aux poutres de cartons, de dessins, de gravures anciennes et de livres. Posée là, dans le désordre, une des toiles de la série des Rimbaud. Erich Sebastian et Gregor buvaient chaque fois leur litre de vodka. Gregor n'écrivait plus. Quelques notes, quelques fragments de temps en temps pour la N.R.F. Rien de plus. Erich Sebastian faisait toujours son admiration lorsqu'il lui récitait des poèmes de *La Chambre ursine*. Mais jamais Gregor n'en disait plus. Un jour il évoqua une crypte sous Paris qu'il avait visitée en compagnie d'explorateurs des catacombes. Et quand Erich Sebastian voulut en savoir plus, il parla d'autre chose.

Gregor Issenko menait une vie d'ascète. Il était pauvre. Ses vacances, il les passait dans la maison normande de Pierre Girard. « L'argent perd », murmurait-il souvent, sans qu'on sût s'il visait le train de vie de son jeune visiteur. Il confia aussi une fois qu'il n'existait aucune photo de lui.

— Je vous peindrai, dit aussitôt Erich Sebastian.

— Volontiers. J'accepte. Comme cela, il restera une trace de moi. Et vous savez peindre le mystère de l'os.

Gregor Issenko avait été un proche collaborateur de Malraux, après la guerre, au moment de la rédaction des écrits sur l'art. Dès qu'il fut prêt, le portrait de Gregor fut déposé chez Gaëlle Ausborne. Malraux le vit un soir. C'était en décembre 1963. Les cardinaux étaient exposés à la galerie Girard. Erich Sebastian s'était réfugié à Montmuran dès le lendemain du vernissage. Il traînait, solitaire et hirsute, quand il reçut un télégramme de Pierre Girard demandant de rappeler d'urgence. Malraux venait d'acheter trois *Richelieu* : un pour la présidence de la République, un autre pour la chapelle de la Sorbonne, le dernier pour son bureau. Erich Sebastian, qui avait aimé *La Voie royale*, apprit la nouvelle avec ravissement. Il décida de rentrer immédiatement à Paris. C'était la récompense d'un hiver, d'un printemps et d'un été de torture. C'était aussi le fruit des influences conjuguées de Pierre Girard, Gregor Issenko et Gaëlle Ausborne.

Il n'y eut qu'une manifestation officielle. Pour l'Élysée et la Sorbonne, Malraux avait choisi deux visages classiques, à peine déformés. C'étaient les deux premiers de la série, ceux qui avaient le plus angoissé Erich Sebastian. Le tableau de la Sorbonne exhibait un visage convulsif et charbonneux : il fut placé non loin de la sépulture du cardinal. On attendait Malraux. Il ne vint pas. Sylvère Gérac prononça un discours protocolaire et plat dans lequel il raconta par le menu l'histoire de la profanation de la tombe pendant la Révolution. Il y avait des flambeaux, des gardes républicains en grande tenue. Intimidé, Erich Sebastian Berg resta muet.

L'autre toile avait-elle plu à de Gaulle ? L'Élysée fit parvenir à la galerie Girard une lettre du Général assez froide et pompeuse — il donnait à Erich Sebastian du «cher Maître» —, mais on sut ensuite que de Gaulle, impressionné par la prouesse du jeune peintre, avait fait accrocher le tableau dans un salon de réception des petits appartements Napoléon III.

Un soir d'hiver, Erich Sebastian, à demi ivre comme toujours, travaillait en maugréant quand des pas résonnèrent dans l'escalier abrupt qui menait à l'atelier. Gaëlle Ausborne arriva la première, essoufflée comme toujours, elle eut à peine le temps de murmurer «Malraux…» qu'un homme agité et grimaçant faisait son entrée dans l'atelier. Il marcha vers Erich Sebastian, le salua brusquement, il avait le souffle coupé, des mouvements qui trahissaient une grande effervescence. Il s'assit sur un tabouret que lui tendit Gaëlle.

— Merveilleux endroit. Près du Père-Lachaise. Tout un symbole. La voix des morts monte dans cet atelier. Vous peignez, jeune homme, comme un maître des Flandres, un maître de Champaigne… Richelieu est près de moi rue de Valois. Il est aussi dans les petits salons du rez-de-chaussée à l'Élysée, ceux qui donnent sur la roseraie. Il est à la Sorbonne. Gregor Issenko, Gérac, Gaëlle m'avaient parlé de vous…

Malraux s'était relevé, il inspectait l'atelier, les palettes, les godets, les chiffons, les photographies des modèles sur les murs, il visitait tout avec une attention scrupuleuse, on entendait encore le bruit de sa respiration, ses mots perdus…

— On est ici comme on devait être chez Rembrandt. Dans le secret. Plus c'est petit et modeste, plus c'est magique. Comme chez Giacometti. Berg, restez ici, n'allez jamais dans les ateliers de la République... Je peux vous en donner un... Votre sanctuaire, c'est ici... J'aime toujours voir les lieux où naissent les œuvres... Pardonnez cette visite impromptue... Venez me voir rue de Valois... Je vous salue...

Ils s'engouffrèrent dans l'escalier pentu comme ils étaient apparus. Erich Sebastian resta interdit, foudroyé. Il descendit au café de la Folie. Tout le monde avait vu la DS noire. Il raconta que Malraux était venu, l'aventurier qui avait scié des statues sur les façades des temples de la Voie royale, Malraux vieilli, halluciné, un charognard gesticulant, comme en deuil. Cette visite avait tout d'une foucade.

Le soir de la réception à la Sorbonne, Gérac avait expliqué qu'il ne se remettait pas de la mort de ses fils, qu'il mélangeait alcool et tranquillisants. Ce soir, il n'avait jamais regardé Erich Sebastian. Il était venu repérer l'atelier. Et il avait parlé des lumières du Nord et de la voix des morts en fixant au plafond les ombres des lierres.

Atelier portatif : Comme j'allais chez Gregor Issenko, je vais le voir. Richelieu est adossé dans une anfractuosité du bureau : il a choisi le plus ruisselant, le plus morbide. Il est là, tassé de l'autre côté de sa table de travail, il bouge, il parle, le visage ravagé de décharges nerveuses, comme s'il essayait d'apprivoiser un essaim de pieuvres qui se tordent devant lui. Le whisky est sur le bureau, comme à chaque fois que je lui rends visite. Au-dessus de moi les petites sphinges dorées du lustre, autour de nous des moulures Louis XVI sur des panneaux blancs, aux fenêtres de hauts rideaux jaune pâle. En bas, vide et silencieux, le jardin du Palais-Royal. Il allume nerveusement la lampe, l'abat-jour de métal vert glisse sur une tige. « Une lampe de Napoléon, laissée là par le roi Jérôme », m'a-t-il dit un jour. La lampe de Napoléon éclabousse la traîne du cardinal. Tandis qu'il parle d'Eschyle, de l'imaginaire de la nuit, de la Résistance, du Louvre, d'Alexandre et de l'opium, je me fais petit, invisible sur mon fauteuil Empire. Il boit, s'agite, je crois parfois deviner le visage de l'aventurier, prunelle ardente, je me demande toujours pourquoi il me fait venir, comme s'il lui fallait un témoin, un adorateur nocturne, entre le feu de la lampe et la flaque rouge de la cape de Richelieu. Il parle de De Gaulle comme il parle d'opium. Et de mort et d'érotisme. Il me dit — ce sont les seules phrases que j'isole de son flux de mots avalés, concassés — que je suis le fils des maîtres du Nord, Rembrandt, Vermeer, il imagine la sûreté de leur geste de peintre au-dessus des canaux, dans ces villes mangées de brume et d'eau. Il me dit que je suis le fils du néant, évoque Baudelaire, Nietzsche : c'est alors qu'il montre le crâne de Richelieu, vif, verdâtre, affleurant dans le triangle du visage. Puis il passe à autre chose : l'Espagne, Picasso, la mort de ses fils, sa solitude et la tristesse du pouvoir. Il me ressert. Je le laisserai tout à l'heure, d'une volubilité d'ivrogne, au-dessus du puits d'ombre du Palais-Royal. Les fenêtres de la Comédie-Française s'allument parfois. Il lève l'œil, regarde d'un air las.

On ne croise que des ombres dans le grand escalier. Comme souvent, je l'ai laissé signer son courrier. Il semble s'attacher à moi. Les gardes, son chauffeur, les huissiers me connaissent. Il dit qu'il reviendra passage de la Folie. Mystère d'un atelier, d'un *laboratoire central.*

— Vous buvez ? m'interroge-t-il.

Je lui dis ma soif, les litres engloutis quand vient la peur de peindre. Sur le bureau, les mêmes papiers, un classeur ; derrière lui, sur une console, des glaïeuls.

— Vous peignez ?

Il n'attend pas ma réponse, dit : «C'est bien.» Je crois qu'il n'écrira plus, qu'il est là, nommé par de Gaulle à la tête d'un univers de momies, d'un ministère-sarcophage, il est là, amorphe, grand psychopompe, il ne veut plus fouiller la Chambre ursine.

Depuis qu'il a vu le portrait de Gregor Issenko, il doit secrètement vouloir que je le peigne. Les séances de whisky crépusculaire ne sont peut-être alors que des séances de pose inavouées. Je suis allé le photographier à Versailles, dans son pavillon de la Lanterne, parmi ses masques, ses fétiches, ses collages et ses chats. Il était assis dans un fauteuil Régence au cuir écaillé, près d'un buste de Mme de Pompadour. Puis il a marché sur le gravier, entre les buis taillés en boules. Je le préfère dans son bureau de la rue de Valois, écrasé sur un des fauteuils bas du roi Jérôme. Les trumeaux, le fanal de Napoléon, les glaives colorés derrière lui, et son rictus, ses mains qui dansent, domptant d'invisibles flammes...

Comme autrefois à Anvers, il marchait, il déployait de longues enjambées dans Paris. Il avait ses lieux, ses axes. Il aimait voir le soleil décliner derrière l'Arc de Triomphe. Il descendait des hauteurs de son atelier et il s'immergeait dans la ville. Il regardait les corps, les monuments, les objets d'art. Le fleuve gris, marneux, secoué de gros bouillons, les sillages des péniches. Et dans Paris il avait ses sanctuaires, ses poches secrètes : son atelier, la mansarde de Gregor Issenko, le bureau de la rue de Valois où il écoutait les mots d'ombre de Malraux, le bordel rouge de Mme Jouve. Avec une facilité déconcertante, il avait eu accès aux circuits de l'édition, des galeries, de la création et du pouvoir. Il avait suffi de quelques articles, d'une rumeur : un mythe s'était forgé. Il avait la fibre ludique et souhaitait rester fidèle à ce mythe. On connaissait ses foucades, ses excès. Des conservateurs et des rigoristes que la qualité de ses dessins aurait pourtant dû séduire s'arrêtaient à ses provocations et à ses mœurs. On disait qu'il s'était déculotté devant un vénérable académicien, qu'il s'exhibait de manière sacrilège en tenue de cardinal, qu'il avait enlevé un homme marié à son foyer... Et on ne comprenait pas que le pouvoir honorât ce personnage odieux. Il avait osé profaner le tableau de Champaigne, et voilà que, sous l'influence de Malraux, ces déjections étaient exposées à l'Élysée et rue de Valois. Georges Pompidou avait même commandé pour le fumoir de l'hôtel Matignon un triptyque et pour ses appartements privés un bureau dans le genre de celui qu'Erich Sebastian avait imaginé pour le salon de la rue de la Roquette.

Cette reconnaissance immédiate flattait et irritait Erich Sebastian Berg. Dans les vernissages, il était ou timide ou excentrique. Il s'invitait parfois avec des copains de bistrot du XIᵉ arrondissement dans ce qu'il appelait les vernissages ennemis. Il détestait l'abstraction totale, l'art qui avait perdu toute souche figurative. Une sorte de totem gonflable, œuvre d'un artiste en vogue, avait été érigé dans la cour d'un hôtel du Marais. Il alla une nuit lacérer le totem. Et il signa son forfait. Il y eut enquête, descente de police passage de la Folie. Une intervention providentielle interrompit la procédure. Il lui arrivait aussi, comme un mauvais garçon, de montrer du doigt la robe d'une invitée d'importance en éclatant de rire. On le détestait, on le craignait. On le fuyait. Il avait gardé le goût des provocations rimbaldiennes. Un jour qu'il déjeunait chez Gaëlle Ausborne avec les Pompidou, il répliqua au Premier ministre qui disait son goût de la modernité et son envie de rénover Paris : «Quelle erreur. Ce n'est pas du tout mon monde. Je suis un archaïque.» Et il éclata de rire. Les autres dîneurs aussi.

À cette époque aussi, son grand-père maternel, qui vivait seul, déserta son château normand de la Roque. Les termes du partage des biens attribuaient cette belle propriété à Erich Sebastian. Il s'était lassé de Montmuran. Il était las de toujours dépendre de Luc de Teffène. La haute bâtisse en pierre blanche de Caen, avec ses douves, son pont-levis et sa cour intérieure, avait beaucoup de charme. L'archaïque Erich Sebastian dégagea les pièces de leur mobilier ancien et disposa sur des tapis blancs des meubles de son invention. Gaëlle Ausborne, Pierre Girard, Sylvère Gérac étaient des habitués. Erich Sebastian disparaissait des journées entières. Il était à Étretat, au casino de Deauville, dans les abbayes normandes, personne ne pouvait le dire. Les Pompidou furent reçus à dîner. C'est là qu'ils découvrirent le triptyque qu'il avait peint pour le fumoir de Matignon, des falaises crayeuses, une mer minérale, et un corps crucifié parmi les blocs de calcaire. L'ensemble, qui s'intitulait *Éros, Hérodote, Érosion*, les emballa.

La Roque avait un charme inépuisable. Erich Sebastian nomma un régisseur, fit restaurer les écuries et acheta des chevaux. Il employa des garçons qui étaient las de se montrer chez Mme Jouve. Il se choisit un atelier, tout près de la chapelle et fit aménager un appartement pour Ingrid et Véronique. Il eut d'autres caprices. Il fit venir de Delft un mur de carreaux très anciens pour tapisser le fond de son atelier. La chapelle, qui n'avait pas servi depuis un siècle, fut blanchie et meublée de très belles pièces baroques. On le voyait moins à Paris. L'automne à la Roque était doré, pluvieux, avec des rafales et des journées d'un soleil précaire qui lui rappelaient Anvers. Ingrid vint avec Véronique. Ils se promenèrent dans le parc, le long des étangs, les femmes prirent possession de l'appartement que leur avait réservé Erich Sebastian.

Il avait rencontré un jour un jeune reporter, Matthieu Der. Il était venu, pour un magazine, le photographier dans son atelier de Paris. Erich Sebastian se souvint de ce nom, appela de la Roque le reporter et lui demanda d'aller photographier pour lui Malraux, Issenko et Gaëlle Ausborne. Il voulait Gaëlle dans le fouillis de sa bibliothèque de Montparnasse, Malraux écrasé à son bureau de ministre et Gregor Issenko dans sa mansarde. Il demanda également des clichés de Mme Jouve et de ses plus beaux étalons.

Pour l'heure, quand on entrait dans l'atelier de la

Roque, on trouvait sur une table une cage de laboratoire remplie de rats. De gros rats noirs et velus qu'avaient capturés pour lui les fils du régisseur. Erich Sebastian ne peignait pas. En attendant les photos de Matthieu Der, il se contentait d'observer les rats. Les eaux des douves venaient battre les murailles de la chapelle et de l'atelier. Gaëlle Ausborne avait eu l'idée d'une série d'entretiens. Ils commencèrent à la Roque, dans l'atelier aux rats. Ils s'asseyaient des heures près du mur de Delft. Erich Sebastian était souvent de méchante humeur. Il était d'humeur exécrable les jours où il ne peignait pas. Les jours où il ne visitait pas son casino et ses chères abbayes. Luc de Teffène s'impatientait. Il téléphonait plusieurs fois par jour. Erich Sebastian, trop heureux d'avoir pris des distances, tardait à rentrer à Paris. Il disait que la lumière d'automne sur les étangs et les douves l'inspirait. Il reprit l'idée des Richelieu. Il redessina des silhouettes. Il entendait Malraux, le verre de whisky à la main, lui parler de son *cardinal-pyramide*. La main, pour Malraux, symbolisait l'agir pur. Très vite Erich Sebastian renonça. Richelieu ne l'intéressait plus.

Il rentra à Paris, abandonnant la Roque, ses chevaux et ses rats. Il retrouva Luc, l'appartement aux meubles d'orme et de cuir, sans réel plaisir. Il allait chaque jour regarder la tombe de Proust, comme jadis il avait regardé les dalles de la chapelle de Montmuran. Il caressait la tombe, la fleurissait parfois. Il aurait voulu des orchidées. Le fleuriste du boulevard de Ménilmontant n'avait que des roses. Le vieux téléphone de l'atelier sonnait quand le ministre était disponible. Le chauffeur venait le chercher. Malraux était plus agité que jamais. Il avait fait un grand voyage, avait rencontré Mao. Il ne parlait que des formes, de l'aventure tumultueuse des formes. Richelieu était toujours là, dans l'anfractuosité de gauche, face aux fenêtres, avec à ses pieds des piles et des piles de livres. «De Gaulle s'absente, disait-il, c'est mauvais. Je ne sais pas à quoi il songe. Pompidou s'occupe de l'intendance. C'est bien, et c'est dangereux... Je ne sais pas si de Gaulle ira jusqu'au bout... 1972... On est tous las, l'époque change, les mentalités, les images, une aspiration terrible au plaisir, à l'immédiateté de la sensation... De Gaulle est très archaïque. Une souche patriarcale, un général-pyramide... Il faut le voir, comme reclus dans son bureau doré, avec son globe terrestre, un monde dont son génie visionnaire n'entrevoit peut-être plus toutes les secousses, et derrière lui, sur les lambris les nymphes nues d'Eugénie, dans les volubilis... On a tous commencé dans l'épopée... Le 4 septembre 1958, place de la République, le jour de la présentation au peuple des Tables de la loi... On finira tous dans la boutique et l'intendance... Je reblanchis Paris, j'accueille les cendres illustres au Panthéon... De Gaulle se retire, c'est un dieu caché que plus rien n'amuse...»

De Gaulle dieu caché : l'expression plut à Erich Sebastian. Il ne l'avait jamais rencontré. C'était pourtant le personnage fondateur du royaume, un souverain que la rumeur disait soudain fatigué du pouvoir. Pour qu'il peignît quelqu'un, il fallait qu'il éprouvât la réalité physique du modèle. Et à sa manière de Gaulle était une abstraction. À passer des heures dans la pénombre du bureau, à la lumière avare de cette lampe dont la clé dessinait un N, il avait apprivoisé le chiffre de chair de l'ancien colonel Berger. Hamlet, Bouddha, Braque, les chats et l'Égypte, le monologue de Malraux était étourdissant d'intelligence, de raccourcis, de courts-circuits et d'échos foudroyants. Erich Sebastian n'écoutait plus : les mimiques, le jeu des mains, la prunelle extatique lui suffisaient. Malraux était une figure vertigineuse, démoniaque, un récitant qui disait le chaos du monde au-dessus de la fosse noire des jardins du Palais-Royal. Et chaque fois qu'il s'apprêtait à redescendre le bel escalier XVIIIe, laissant le ministre à ses parapheurs — comme on abandonnerait un prêtre à l'accomplissement d'un rituel auquel il ne croit plus —, Erich Sebastian ressentait comme un arrachement, le froid qui vous saisit après le passage d'une énergie surnaturelle.

C'était l'hiver de 1967. De nouveau, Erich Sebastian entra dans l'ascèse créatrice. Comme toujours lorsqu'il peignait intensément, les déjeuners chez Lipp, les soirées arrosées chez Gaëlle et Pierre Girard s'espacèrent. Le café de la Folie s'était approvisionné en champagne et bon whisky, cela suffisait au bonheur d'Erich Sebastian. Le reportage de Matthieu Der était d'une force et d'une précision qu'on ne pouvait soupçonner. Tout ce qu'Erich Sebastian attendait était là : le bordel de Mme Jouve avec les éphèbes, Malraux effondré au pied du Richelieu, Gregor Issenko, et des nus de Gaëlle Ausborne. Il commença par une série qu'il intitula *Proust aux rats* : il peignit les convulsions de Proust jouissant devant un vivier de rats dans lesquels un éphèbe plantait des épingles à chapeau. Il peignit aussi une grande silhouette de dandy, retour d'escapades nocturnes, la bottine mal boutonnée. Et le gisant, et la dalle. Le sacrifice des rats et le visage dévasté de l'écrivain constituaient quelque chose d'assez hallucinant. Erich Sebastian Berg était allé loin dans l'audace. C'était en même temps un superbe hommage à Proust et à ses rituels érotiques. La dalle était comme une page piquetée de sable lumineux, elle avait pour unique inscription : FIN. Tout le temps qu'il consacra à Proust, Erich Sebastian Berg alla se recueillir sur sa tombe dès l'ouverture du cimetière. Et il finissait chez Mme Jouve en étreignant les corps des jeunes étalons. Il leur lisait des pages de *La Recherche* et il les effrayait en leur racontant le sacrifice des rats. Les divans de Mme Jouve étaient usés. Comme Proust, Erich Sebastian s'était fait voyeur, il épiait ces corps, l'ombre des sexes sur les murs, l'excitation et les signes de la jouissance. Dans son atelier, il retrouvait tous ces garçons sur ses murs. Il cherchait à peindre un cri qui fût la dernière parole de Proust.

Il y eut aussi un beau *Gaëlle Ausborne passage de la Folie*, un portrait de Gregor Issenko. Le souvenir de Malraux était si présent qu'Erich Sebastian ne pouvait le peindre.

Il ne rentrait plus rue de la Roquette. Comme au début, il dormait dans la petite chambre près de l'atelier. Luc venait l'y rejoindre. Parfois, pressentant que Luc passerait, il allait marcher dans Paris. Il évitait les cafés, les restaurants de Luc. Il eut une passion pour un des garçons de Mme Jouve. Il l'emmena, plusieurs fois, le week-end à la Roque. Celui qui l'attirait vraiment, c'était Matthieu Der, le journaliste. Il l'invita. C'était un homme maladroit, timide. Matthieu Der venait de se marier. Erich Sebastian l'effrayait. En amour comme en peinture, Erich Sebastian Berg ne connaissait qu'un registre : l'excès. Il fit porter au bureau de Matthieu Der d'immenses gerbes de fleurs, des lettres d'une folie désirante, des tableaux. Lorsqu'il appelait, Matthieu n'était jamais là. Il alla se poster à l'angle de l'avenue du Docteur-Arnold-Netter, là où se trouvait le bureau de Matthieu Der. Il le devança, si bien que lorsque Matthieu arriva chez lui, il découvrit Erich Sebastian installé au salon avec sa femme. La gêne, la timidité, la beauté féminine de Matthieu ne firent qu'aiguiser le désir d'Erich Sebastian.

Il était à ce point ravagé par la passion que Gaëlle Ausborne l'invita à Venise pour Noël. Il ne parlait que de Matthieu. Il ne mangeait plus. Elle lui montra les Carpaccio, le splendide saint Augustin dans son cabinet. Il ne pensait qu'à écrire, qu'à téléphoner à Paris. «Je l'aurai, disait-il, je l'aurai. Je suis infiniment amoureux.» Gaëlle Ausborne adorait ces confidences. Elle avoua à Erich Sebastian qu'elle préparait un livre sur lui.

Il n'allait guère mieux lorsqu'il rentra à Paris. Il devait rejoindre Luc à New York. Il commanda un déménageur et fit vider l'appartement de la Roquette. Il reprit ses créations et les cacha dans un garde-meubles. Il ne passa qu'une heure à l'atelier, le temps de boire deux bouteilles de champagne, de brûler des toiles au hasard et toutes les photographies de Matthieu Der. Il sortit ivre, héla un taxi. Il avait l'air d'un fou lorsqu'il arriva à la gare Saint-Lazare.

Atelier portatif (on lira ici quelques extraits de mes entretiens avec Gaëlle Ausborne. Ces entretiens furent diffusés sur France-Culture à l'automne 1969. J'avais à cette époque collé dans mes carnets le texte de nos conversations. On y retrouve bien l'esprit de cette période. E.S.B.) :

Gaëlle Ausborne : Esthétiquement comment vous définiriez-vous ?

Erich Sebastian Berg : Ce n'est pas une question que je me pose. Je descends d'une lignée classique que je ne cesse de pervertir, de dévoyer.

G.A. : L'importance pour vous des maîtres du Nord ?

E.S.B. : Absolument. Vermeer, Rembrandt, Patinir. J'ai passé des heures à les étudier. Et Champaigne.

G.A. : Vous vous êtes surtout imposé en France par votre série sur Richelieu. D'où vous est venue cette fascination ?

E.S.B. : C'est une vieille attirance. Et c'est cela pour moi un artiste, quelqu'un qui est fondamentalement hanté par des images qu'il ne déchiffre pas. Qu'il ne veut pas déchiffrer. Une robe rouge que mettait ma mère pour chanter les Passions de Bach, le magnifique tableau de Champaigne au Louvre, une raideur, la cadence d'un oiseau de proie, d'un cardinal guerrier...

G.A. : Après s'est engagé tout un travail de désorganisation…

E.S.B. : Il fallait que je mette à mort le tableau initial, que je le viole, que je le dépèce, ce cardinal-pyramide comme disait Malraux, il fallait que je lui mette les entrailles à nu… Il y a douze, treize, je ne sais même plus, figures du cardinal. Ça a été un travail considérable, épuisant…

G.A. : Comment travaillez-vous ? Vous avez plusieurs ateliers ?

E.S.B. : Deux. Un petit à Paris, près du Père-Lachaise, bourré de toiles, de tubes, de chiffons, de vieilles palettes… Je n'aime pas ranger mes ateliers. Un autre en Normandie dans la maison de ma famille maternelle, dans lequel j'ai beaucoup peint ces derniers temps…

G.A. : Que vous ont inspiré les événements du printemps de l'an dernier ?

E.S.B. : Rien. J'étais en Normandie. J'ai vu ces images de désordre. Cela ne m'a rien fait. J'ai été beaucoup plus touché par le départ de De Gaulle…

G.A. : Vous étiez gaulliste…

E.S.B : Je ne me suis jamais intéressé à la politique. Le hasard a fait qu'à mon arrivée à Paris il y a huit ans, j'ai été proche de ces milieux… Je connais bien Malraux… Mais je n'ai jamais rencontré de Gaulle. Une photo de lui sur une grève d'Irlande m'a ému aux larmes… J'ai entrepris à partir de cette photo une série, un polyptyque peut-être. Les Pompidou m'ont invité l'autre jour à l'Élysée avec d'autres artistes. Je les connais, mais j'étais hanté par le fantôme de De Gaulle, j'ai demandé à voir son bureau, sa bibliothèque. Les Pompidou m'ont gentiment montré ces pièces, mais je crois que mon insistance les surprenait…

G.A. : Ce sera une longue série ?

E.S.B. : Comme pour les écrivains. Cinq, six portraits.

Comme pour Rimbaud, Proust, Issenko, Malraux que je vais commencer maintenant...

G.A. : Les écrivains, les hommes de pouvoir. Pas de paysages ?

E.S.B. : J'ai peint des châteaux cathares très transfigurés. Non, j'ai peint des visages, des silhouettes, les corps de garçons d'un bordel très proustien, des dalles funéraires... Je rêve des paysages du Nord, de cette lumière... Il se peut que je parte...

G.A. : Mais vous êtes installé !

E.S.B. : Surtout pas. Je suis l'homme des départs et des ruptures. Je me lasse très vite. Je vous dis que j'ai déjà quitté Paris, je suis à la campagne, avec mes prairies, mes chevaux... L'époque qui s'ouvre ne me semble pas très excitante. Je vais finir mes de Gaulle, mes Malraux. Après je partirai peut-être...

G.A. : Vous n'aimez pas Paris ?

E.S.B. : Si, beaucoup. Les monuments, les perspectives, les axes de Paris. Les catacombes. J'aime les villes traversées par les fleuves. Mais ce qui me manque ici c'est la lumière que je retrouve en Normandie, les briques, et la mer... J'adore les ports...

G.A. : Anvers...

E.S.B. : C'est une ville où j'ai été très heureux. Où j'ai commencé à peindre...

G.A. : Vous vous sentez de quelle nationalité ?

E.S.B. : Français, je suis français. J'ai progressivement gommé en moi tout ce qui était allemand...

G.A. : À cause de votre père ?

E.S.B. : Certainement. Mon père était un incapable. Un homme fin et beau. Il a tout gâché, tout perdu. Mon grand-père a compté pour moi. Il m'a donné le sens de la mort, le sens aussi de ce qu'est le monde élémentaire...

G.A. : Vous êtes nécrophile ?

E.S.B. : Complètement. Je passe des heures dans les cimetières, j'ai volé des crânes dans des cryptes d'église. J'ai besoin de ces ossements dans mon atelier…

G.A. : Je crois savoir qu'il est rare que des modèles viennent dans votre atelier.

E.S.B. : C'est vrai. Je préfère aller les voir, les déshabiller ailleurs que dans mon atelier, les photographier. Matthieu Der m'a fait des photos superbes de Malraux à son bureau de ministre, il m'a photographié aussi des prostitués… Je rêve en contemplant ces photos, je chemine, je m'invente des parcours qu'on retrouve ensuite sur mes toiles…

G.A. : On vous dit violent…

E.S.B. : Je le suis. Surtout quand je peins. Et ces dernières années j'ai passé mon temps à ça…

G.A. : Vous semblez le regretter…

E.S.B. : Pas du tout. C'est ainsi. Il y deux choses que j'ai sues très tôt, dès l'âge de quatorze ans, j'étais à Ettal, au collège : c'est mon goût des garçons et mon désir de peindre. Une double singularité. Comme une élection merveilleuse. Il fallait faire avec… Alors depuis j'ai peint, énormément. Mais tout peut s'arrêter un jour. Et je ne voudrais pas être prisonnier d'un style.

G.A. : Le style Berg…

E.S.B. : C'est bien qu'on me reconnaisse. Mais avec moi, il faut s'attendre à tout. Je suis peut-être à la fin d'un cycle… On parlait du départ de De Gaulle tout à l'heure. C'est peut-être une coïncidence. Il y a des phases dans une vie, des rythmes, des jalons. J'ai quitté un homme qui m'avait fait venir à Paris. Oui, je boucle une époque…

G.A. : Les textes littéraires inspirent-ils le peintre ? On a surtout parlé d'images…

E.S.B. : Parce que je suis surtout un visuel. Ma mère était cantatrice, et je suis très peu mélomane. Oui, j'ai beaucoup lu Rimbaud, les romantiques allemands. À Paris, les rencontres ont fait que j'ai lu. Issenko, Malraux… Je suis un mauvais lecteur. Je lis dans l'urgence, je saisis des bribes…

Je suis incapable de lire Proust en entier... Il y a un romancier allemand que j'aime bien. C'était mon prof à Ettal : Roman Anton Boos. Il écrit des choses mythiques, visionnaires. Un beau *Parsifal.*

G.A. : Quels sont vos lieux préférés ?

E.S.B. : Mes villes ?

G.A. : Non, des lieux circonscrits, précis...

E.S.B. : J'en ai deux. Une maison forestière, dans la montagne au-dessus d'Ettal. Une maison avec une danse macabre sur la façade et à l'intérieur des bois de cerf. C'est là que je me réfugiais quand je fuyais mes condisciples. Il se peut que ç'ait été un refuge du roi Louis II...

G.A. : Et l'autre ?

E.S.B. : Un lieu que je ne connais pas, qui serait sous Paris, quelque part, et qui me fait rêver... Une chapelle où l'on adorerait des ossements d'ours...

*

Lumière dorée, vibrante sur les pelouses et les prairies de la Roque. Parfums des roses tardives, des orangers, effluves venus de l'océan. Lu Pascal et l'Évangile selon saint Jean. Je crois que je suis venu à bout des De Gaulle, des Malraux. Je ne me fais aucune illusion. Ces tableaux ne finiront pas à l'Élysée. Mais je reste fidèle à mes obsessions patriarcales et archaïques.

À Paris, un homme ruiné par la dépression campe dans un appartement que j'ai déserté. Et celui que je désire ne cesse de me fuir. Je n'ai plus la force d'envoyer des fleurs, des lettres torrentueuses, des tableaux. Peint quelques belles figures de Luc de Teffène. Dans l'automne de la Roque le corps mort du désir. Obsession des falaises, des grèves de galets. Quelques jeux érotiques avec Guillaume, le fils du régisseur. Il me rappelle Jehan, mon chevalier d'Anvers. De très beaux pieds.

223

La nuit, au creux de l'insomnie, souvent mes fascinations perdues me visitent. Korbs, Karl, Malraux dont je me demande s'il ne voyait pas en moi une réincarnation de ses fils. Et Adam Van Johansen. C'était il y a un an. Sur le cahier destiné au public à la galerie Girard, il m'a semblé reconnaître son écriture. La signature était illisible. Il aura vu mes Proust, le portrait de Gaëlle Ausborne descendant le Passage de la Folie, les garçons au sexe nimbé de Mme Jouve. Et quelques meubles, dont le grand bureau de Pompidou et le secrétaire de Claude pour Matignon. Il revient au vif de l'insomnie. L'autre nuit, il répétait : « N'oubliez pas la lumière du Nord. »

ROYAUMES DU NORD

(notes intimes)

J'ai tout quitté sur un coup de tête. Paris, le milieu des galeries, mon atelier de Normandie, Gaëlle Ausborne, Matthieu Der. Et pour des années. J'écris ces lignes dans un vieux presbytère finistérien, à quelques pas de ces épines rocheuses qui constituent le royaume de l'Arrée. Cette maison a ceci de particulier que des ossements humains — des fragments de tibias et de crânes — constituent les jointures des pierres. Rares sont ceux qui me savent ici. J'ai loué une autre maison tout au nord de l'Irlande. Mon adresse officielle est là-bas. Je n'ai plus beaucoup d'attaches avec le monde des vivants. Ici, comme en Irlande, les gens sont sauvages, méfiants. Ils semblent se demander ce que je fais et de quoi je vis. Il m'arrive d'aller boire avec eux. Le dimanche après-midi surtout, quand il pleut. On se tasse près du comptoir, dans le bistrot aux murs couverts de suie. On boit sans parler. On commande d'un signe, puis on sombre dans le mutisme. On pourrait très bien boire chez soi en regardant la pluie ruisseler sur la vitre mais l'habitude veut que l'on agrège sa solitude à celle des autres. On boit enfermé dans sa solitude, sous la pluie.

Ils m'appellent Huel Goat. C'est le nom d'un superbe chaos granitique, tout proche. Ils savent que c'est l'un de mes noms. Ceux qui me connaissent un peu plus, les Ewen chez qui Véronique va jouer quand elle vient, m'appellent Bastien, c'est mon prénom breton. Je sais que j'ai choqué les gens en achetant le presbytère. Une vénération sourde entourait la maison du curé. Je l'ai acheté trois fois rien, avec son mobilier, ses hautes armoires, ses dalmatiques, ses vieux registres. Tout est resté en l'état. Je travaille dans une pièce froide et humide au fond du long couloir. Mes visiteurs entrent sans s'annoncer. La maison est toujours ouverte. Il y a un vieux marin, Gurvan, qui me raconte ses campagnes, il s'installe au fond de l'atelier, se sert et soliloque. Entouré des crânes sur lesquels je travaille, j'ai pour lui quelque chose d'un profanateur. On craint la mort sur ces terres. Ici plus encore dans ces villages désertés, non loin des tourbières du centre de l'Arrée. Gurvan, son fils Henri qui m'apporte quelquefois des truites, leur voisine Germaine sont mes plus proches. Je sais que je peux vraiment compter sur eux. Les autres, ceux que je rencontre au bistrot, me regardent avec méfiance. La montagne abrite pourtant d'autres marginaux, mais ils n'aiment pas ces étrangers attirés par une région qu'ils quitteraient eux sans déplaisir. Très souvent on se tait quand j'arrive, au bureau de poste, à la boulangerie, pour me rappeler ma condition d'intrus. Je sais qu'ils disent de moi : *celui du presbytère*. Je suis sans nom. Je suis le peintre des crânes.

Récemment j'ai offert au vieux Gurvan un de ces petits tableaux-ossuaires. Il l'a pris et l'a considéré avec méfiance. J'ai ensuite appris par son fils qu'il l'avait caché derrière un meuble, parce que pour lui ce n'était pas de la peinture. Un collectionneur irlandais a acheté une trentaine de ces tableaux-ossuaires. Ces architectures de crânes lichéneux et verdis. Les commères racontent que la nuit je pille les tombes. Il est vrai que j'ai trouvé des crânes magnifiques dans des ossuaires abandonnés. Ma voiture déglinguée, mes airs louches, mon éternelle vareuse marine, cette habitude que j'ai de toujours sortir quand la nuit tombe, tout cela nourrit ma légende. Au crépuscule, je vais errer sur les chemins pleins d'intersignes et de sortilèges. Depuis que j'ai mis le pied dans ces royaumes du Nord, je me suis coulé dans la posture de l'errant. Tout le jour les légendes de Gurvan ont rempli mon atelier, les loups faméliques, les vagabonds de l'Arrée, les linceuls de la lande, les sentinelles de l'Autre Monde. L'averse est fine et froide, elle trempe ma carcasse ivre. J'ai l'impression d'être un gigantesque crâne halluciné. Des vers pendent au bout de mes doigts. Sur le chemin pierreux qui monte à l'assaut de la lande, je suis l'envoyé de la Mort, j'ai tout d'un spectre. Je peux aller ainsi pendant des heures, sans fatigue, insoucieux de ma destination, je ne rencontre personne, et ce vide et cette désolation me fascinent. Je comprends la mélancolie des habitants de ces royaumes, mais ma météorologie intérieure est au-delà de cette mélancolie. C'est comme si j'étais mort, comme si le simple fait de délaisser le nom sous lequel j'étais connu jusque-là m'avait plongé dans la mue de la mort. Je suis Huel Goat, un esprit de cette terre granitique et pelée, l'archiviste et le décrypteur des crânes, des ossuaires. Plongé dans la mue de la mort, baptisé par cette pluie qui sent parfois le sel des étendues cimmériennes, je ne peins que l'os et la pierre. Je cisèle leur architecture noueuse et dure, leurs cavités, leurs rameaux. Peintre de l'os, des squelettes des famines et des pestes, des tombereaux de l'Ankou. Peintre des pierres fines, aiguës, qui percent la peau spongieuse de la lande, des tables sacrificielles, des autels, des conques, des vasques, des bénitiers, des baptistères, des Pietà de gel noir. C'est la longue ascèse de l'os et de la pierre. Et je marque, je grave, j'inscris ces broderies, ces entrelacs du Royaume. Sans me défaire de cette obsession, de ces orbites, de ces ongles minéraux.

Et l'Arrée tout entier se mue en ossuaire. Le territoire, creusé de vallées, de bocages noirs, est une immense géographie de vasques, d'autels, de nefs à crânes. Le soir, le glas finistérien sonne dans les chapelles. La pluie des morts, des marins morts, rince la lande jusqu'à l'os, ce sont couvercles de fosses qui affleurent. Au terme de ces promenades, je m'enferme dans le grenier du presbytère, parmi les vieux coffres rustiques et les chauves-souris. Des itinéraires me reviennent. Des pas. Je me dédouble. Je suis un errant. Un pèlerin qui va des Orcades à l'Arrée. Je revois ces îles de l'Ouest écossais, ces rivages que j'ai arpentés. Cette lumière surtout, celle des espaces balayés de vent et de sel, comme un feu qui glisserait sous les eaux, les nuages. Cette lumière du large, je l'avais parfois devinée à Anvers. Seulement devinée. À cette époque encore j'étais occupé de petites choses. Je ne connaissais rien des lumières du monde. Sur ces proues, sur ces récifs qui défient l'ailleurs, je me suis figé dans le recueillement du veilleur. Aux Hébrides, aux Orcades, sur les pas de pierre de la Chaussée des Géants, sur les falaises des îles d'Aran. Des mois j'ai marché, j'ai couru pour saisir quelque chose de l'origine. J'allais seul, sans peur, sans désir. Sans regret des séductions et des leurres de ma vie ancienne. Un être naissait qui était plus vieux que moi. Une figure de veilleur et d'errant, un chevalier de la mort et des intersignes.

À Dunluce, quand j'entrais sous la grande verrière de la maison que j'avais louée, je retrouvais aussitôt les gestes d'un peintre qui n'était pas moi. Je pouvais peindre sur des mètres et des mètres de toile des marines tumultueuses, des lames, le vertige des proues rocheuses, les falaises cisaillées par la lumière. Pendant des heures, grisé par l'enchaînement des averses, le jour qui renaissait, l'écume, l'herbe crue. Revenait dans mon geste toute l'énergie des heures passées à marcher, à scruter le large, l'émeraude de la mer sous l'orage, comme un envoûtement qui me venait du monde. J'avais posé comme une défroque le nom d'Erich Sebastian Berg sur les rivages des royaumes du Nord. La seule présence qui me rappelât cette vie, c'était Véronique. Elle grandissait. Elle n'aimait que la maison de la Roque, ses chevaux. Elle avait une beauté grave qui faisait vraiment d'elle la fille d'Ingrid.

Elle venait en Irlande. Elle s'ennuyait dans mon presbytère breton. Je ne savais pas la distraire. Je ne pensais qu'à la peinture. Je multipliais les styles, les tentatives. J'ai parlé de ma légende, en Irlande ou ici, celle d'un errant aigre et sauvage. Quelque chose me disait qu'à Paris on m'avait bâti un mythe, celui d'un peintre rimbaldien qui avait tourné le dos à la peinture. Gaëlle Ausborne préparait un livre sur le trajet foudroyant d'Erich Sebastian Berg. Je ne répondis à aucune de ses lettres. Tout cela était loin, très loin de moi.

Je poursuivais ce travail sur les croix, les crânes, les sentinelles de pierre. Des gravures, des encres, la série macabre des tableaux-ossuaires. Puis je quittais l'Arrée comme un clandestin. Je remontais vers Dunluce. Au passage je déposais chez mon collectionneur dublinois quelques-uns de mes travaux sur l'os. Je repartais aussitôt comme un sauvage. Plusieurs fois, il manifesta l'intention de m'inviter dans la grande maison qu'il avait du côté de Galway. Il y recevait des peintres, des écrivains, des musiciens, des critiques. Je me risquai un jour à l'un de ces dîners. Il y avait là un académicien français qui me reconnut malgré mes cheveux longs et mon air hirsute. J'avais encore des intonations allemandes que la fréquentation des Bretons et des Irlandais n'avait pas effacées. Il me parla de Malraux, de Sylvère Gérac, de Pierre Girard, de Gaëlle Ausborne. Je fis l'innocent, osant affirmer, malgré son incrédulité, que je n'avais jamais rencontré ces gens-là.

J'ai quitté la table pour me réfugier dans la véranda qui dominait un paysage de loughs criblés d'îles. Le jour d'été mourait lentement et des langues de feu ourlaient les rivages. L'académicien m'a rejoint. Tout en parlant, il caressait sa chienne braque. Avait-il compris que je ne voulais plus que l'on évoque le passé, toujours est-il qu'il manifesta l'intention d'acheter mes petits ossuaires. Puis il me demanda où j'allais. Je lui parlai de la maison de Dunluce, de la Chaussée des Géants toute proche, de ces folies lumineuses qui creusaient les ciels. Je savais que je l'intriguais. Il me regardait comme un personnage de roman, un peintre nomade, archaïque, épris des terres et des lumières des royaumes du Nord. Le whisky que nous consommions allègrement m'avait donné une volubilité que je n'avais plus. J'évoquai ces espaces étrillés par le vent, la poésie des tourbières et des landes, mon atelier-belvédère de Dunluce, mon atelier-reliquaire de l'Arrée, mes errances au crépuscule. Il m'écoutait, surpris. Je lui dis que pour rien au monde je n'aurais manqué novembre en Bretagne, le mois noir avec ses pluies, ses crépuscules maléfiques, ses tempêtes qui ébranlent l'ossature des vieux schistes. Ce royaume avait toujours été celui des rois, des guerriers, des passeurs, des errants. En Bretagne, entre chien et loup, on ne rencontrait que des vagabonds, des bornes immémoriales, des calvaires, des Vierges noires. En Irlande des étendues de tourbe, des cercles de pierres, des cairns, des sépultures de reines guerrières. L'emphase, la violence que je mettais dans mon propos contrastaient avec la rigueur, la *misère* de mes petits tableaux. M. D. ne m'écoutait plus : les trois cent soixante-cinq îles du grand lough avaient disparu. Et j'eus peur de ce silence, de cette nuit qui dévorait les îles. J'eus peur de mes concrétions de crânes. J'eus peur de mon errance. Il y avait ce nom sous lequel je me cachais, ce nom de granit, de gouffre et de forêt enchantée, de lance qui saigne sur les pierres. Ce nom que j'avais volé et qu'un esprit avait porté avant moi.

Des nuits de froid et de pluie j'ai marché dans les bois de Huelgoat, sur les dalles du camp d'Artus, parmi les houx et les fougères ruisselantes, au paroxysme de l'angoisse et de l'hallucination, boueux, hirsute, prêt à sombrer dans une faille de la forêt magique. En Irlande, quand je signais Orber ou Autessier, j'étais sous le signe de la dépense lyrique. Huel Goat ne savait peindre que des crânes, des fémurs verts, des gargouilles d'églises, babines et vulve retroussées, les sirènes d'Ys, et les Vierges des porches et des calvaires, les hautes sentinelles du deuil. J'étalais sur les toiles des pigments de tourbe, des paillettes de mica, l'humus noir de l'Arrée, les sporanges des fougères desséchées, voulant graver le rictus et la nudité des figures dans cette poussière naturelle, la peinture mêlée aux agglomérats de matières faisait des bourrelets, des épaisseurs inégales desquelles émergeaient les masques nocturnes.

Il arrivait que je traverse des phases de vitalité basse. Je ne peignais plus. Il fallait que Gurvan m'arrache à la mélancolie. Le printemps de 1974 fut atroce, traversé de phobies et d'obsessions macabres que je n'avais jamais eues. Le gouffre qui me happait était plus vorace que mes liturgies de prêtre des ombres. C'est l'époque aussi où des autonomistes bretons plastiquèrent l'émetteur du Roc Trédudon. Je fus immédiatement inquiété. Interrogé à la gendarmerie de Morlaix, puis transféré à Brest. J'avais passé des soirées d'ivresse partagée avec de jeunes marginaux proches de ces milieux. Je me retrouvai dans une prison qui avait tout d'une casemate. On m'interrogea, on me déshabilla, on me fouilla, et on fouilla dans un passé qui intriguait les enquêteurs : origine allemande, liens avec l'Irlande, pilleur de tombes et d'ossuaires. Quelques allumés du mouvement breton firent circuler une pétition. Le presbytère fut mis à sac par une population qui me haïssait. Et j'étais bien dans ma cellule humide du bagne de Brest, entouré de prisonniers tatoués, de matelots magnifiques. Les interrogatoires s'espaçaient. On m'avait peut-être oublié là. La lumière qui coulait dans le cachot avait quelque chose de celle de Venise. Alternativement grise et dorée, une lueur de sacre marin. Je n'avais aucun contact avec l'extérieur. On m'accorda une faveur en me laissant décorer ma cellule. Je peignis sur le plâtre constellé de cloques une gigantesque croix, une de ces croix jaillies de la tourbe d'Irlande, avec sa masse trapue, ses figurines, son reliquaire. La lumière blanche, les sirènes de l'arsenal, le bruit des portes qu'on verrouille, les cris des prisonniers m'excitaient. Ce fut l'une de mes plus belles croix. Comme un exorcisme, une offrande à la gloire des bites des marins tatoués.

La France avait élu un nouveau président, il y eut une amnistie. Je fus libéré. Je retrouvai un presbytère dévasté, meubles renversés, fouillés, ma cave, mes livres, mon atelier, tout avait été profané. Il ne restait plus la moindre esquisse, la moindre trace de mes travaux préparatoires. Mon atelier avait été vidé et mes tableaux, mon matériel brûlés. J'ai fermé les volets du presbytère. Je suis allé saluer un Gurvan bougon et distant. J'aimais trop ces lieux pour les abandonner. Il fallait laisser passer quelques mois. Dans le ferry qui m'emmenait vers l'Irlande, j'ai lu dans un entrefilet du *Figaro* que l'un des cardinaux d'Erich Sebastian Berg venait d'être vendu six millions de francs. On le présentait comme très lié à l'aventure gaulliste et la conclusion très moralisatrice indiquait qu'il avait gâché son talent. J'ai ri en avalant une pinte de bière. Tout cela me semblait si lointain. Mes tourbières et mes croix m'attendaient.

234

J'ai peint jusqu'à l'automne dans un état de griserie infinie. James Mac Goy, le collectionneur dublinois, est venu passer quelques semaines dans la maison de Dunluce. Je lui ai caché les glaces, les eaux et les lumières du Pôle. Il n'aimait que les croix et les reliques de Huel Goat. M. D., qui m'avait reconnu, lui avait dit que j'avais eu des débuts prodigieux à Paris, sous un autre nom. James Mac Goy avait quelque chose d'un vieux rapace fragile, translucide. Il poussait des cris d'horreur chaque fois que je lui racontais mon emprisonnement à Brest et le sac du presbytère. Il y eut des papiers, des collages, des toiles, des gravures sur le seul motif de la croix. Mac Goy acheta tout. Il rêvait de faire de sa maison qui surplombait les loughs le sanctuaire de Huel Goat. Des croix tronquées, fracturées, d'autres dans la plénitude du cercle et de l'X, avec la colonne, les figures, le reliquaire sommital. Ces croix, c'était ce qu'il resterait du cheminement de Huel Goat sur les terres des royaumes du Nord. Un cortège de jalons et de pierres calcinées — comme les tableaux-ossuaires du presbytère —, les vestiges d'un sacrifice cosmique, une signature proliférante, atomisée. Des jalons et des pierres aussi pour résister au vertige des lumières nordiques. J'étais heureux que ce peintre fût né enfin, ce peintre né sous le signe des traditions du Pôle, de la lumière des glaces, des cairns d'Artus et de Mève. Cela, ni Anvers ni Paris ne me l'avaient donné. Il avait fallu cette initiation sur le chemin des tourbes et des ossuaires, ces errances dans la lande de l'Arrée et sur les pas des Géants pour que je maîtrise ce secret. Il avait fallu la prison et le sacrifice des tableaux pour que j'en arrive à cette audace et cette certitude. Jusque-là j'avais dominé des techniques. C'était l'atelier du passage de la Folie qu'on aurait dû profaner. Enfin je savais peindre dans une austérité de couleurs et de formes, mes travaux portaient l'empreinte du sacré. J'ai peint dans un état de liberté et de suprême indifférence. Le désir des corps ne perturbait plus ma vie. J'étais allé si loin dans le détachement que je supportais d'être seul pendant des semaines. James Mac Goy n'était peut-être pas si pur qu'il le paraissait. Je le soupçonnai de revendre ces tableaux qu'il achetait, d'être en Irlande l'émissaire de Girard et des galeries parisiennes. Pourtant je continuai à le recevoir. Cette série des croix, j'en devinais le terme. James Mac Goy pourrait bientôt fermer le mausolée de Huel Goat. Dans le jeu de mes hantises les croix avaient pris le relais des crânes. Mais cette aventure, qui tenait de la transe et de l'initiation, connaîtrait bientôt sa fin. Les dernières croix étaient plus sauvages, plus déliées, un alphabet d'Apocalypse. Les hachures et les cris d'un suaire minéral. Elles montaient à l'assaut du Pôle, du pic des glaces. Elles montaient délivrées de l'angoisse de la mort qui m'avait étreint en Bretagne, dans une rectitude qui était celle de l'Accomplissement. Elles montaient noires et sans corps, sans Christ, sans cri, dans le silence des tourbières et des cairns, arbres, ponctuation sacrée, reliques d'un nom perdu. Je refusai toute visite. Je m'enfermai comme un moine du Nord appelé par le buisson des croix. Je barbouillai des toiles de tourbe, de décoctions de bruyères et d'eau terreuse. Les croix n'étaient jamais que les crocs d'un sol. Elles étaient comme les Vierges impassibles de l'Arrée, les veuves fossilisées du Verbe. D'un principe, d'un corps qui avait éclairé le monde. Elles, hautaines, phalliques, outils de torture, signes infinis du deuil.

Je sentais Huel Goat qui se détachait de moi. Il poursuivrait son errance. Son départ me plongerait dans la mue d'une autre mort. Alors — c'était vers la fin de septembre 1974 — je me mis à rêver d'une dernière croix sortant du reliquaire des tourbes habillée, gainée, comme une momie d'or. La croix des guerriers et des rois fastueux. Croix de l'Irlande thaumaturgique et porte de l'Équinoxe.

Sous l'atelier, les fleurs de basalte de la Chaussée étaient couvertes d'algues, de fragments de bois marin. Je ne savais plus si c'était une route, un ossuaire de pas, un promontoire lacéré d'écume.

LE TESTAMENT DU MAÎTRE

À *Erich Sebastian Berg*

Ces lignes testamentaires jaillissent d'un vieux rêve
enfoui, d'une cellule murée, de stratifications précieuses.
Je les trace alors que tout s'est décoloré pour moi et que
je sais que je vais entrer dans la mort. Par l'étroite porte du
suicide. J'écris dans mon pavillon lacustre ce mois d'octobre 1974. Autour de moi tout n'est que rousseurs, frondaisons fauves, feux des sorbiers. J'écoute sans jamais m'en
lasser la même cantate de Bach : *Ich habe genug.* Je suis
entouré des bronzes étrusques des corps que j'ai désirés et
initiés. Leurs silhouettes vertes se dressent sur l'étang. À
Anvers, l'académie à laquelle j'aurai donné tant d'heures
et d'énergie est un sanctuaire désaffecté. Une ville où l'on
ne peint plus selon le secret des Anciens est une ville perdue. Quelques semaines avant de plonger dans la mort —
je le ferai au terme de ce mois fauve, pour moi le plus beau
de l'année — je dédie ces lignes à quelqu'un que je n'ai
pas vu depuis des années, le seul qui en Europe aujour-
d'hui soit détenteur des secrets anciens et passeur, l'ingrat
et génial maître Erich Sebastian Berg.

J'aurai passé plus de temps dans ce pavillon, dans mon bureau nu de l'académie ou dans mon appartement céleste qu'en voyage. Par mon origine spirituelle j'appartiens à une lignée d'errants du Nord. J'ai rêvé au commencement dans une sépulture marine des Orcades. J'ai bâti des cathédrales en Angleterre au XIIe siècle. Et dans l'espace de cette vie, j'ai été peintre, sculpteur, maître. Avant la guerre, j'étais Albrecht Orst, un peintre reconnu, prometteur. Je l'ai fait mourir dans le bombardement de la gare d'Anvers. J'ai pris cette identité d'Adam Van Johansen, que les élèves ont condensée en AVJ, avant de dire *le maître*. Retour aux Orcades et aux cathédrales.

Van Gogh se dit quelque part plus soucieux des yeux des hommes que des cathédrales. Comment pourrais-je le suivre ? Les cathédrales, ces lieux de la saturation et de la plénitude du Sens.

Quand je songe que ces corps froids qui m'entourent dans le pavillon d'automne, ces spectres de bronze vert, rescapés d'une nécropole maudite, je les ai fait jouir...

Il y a longtemps que l'Église a perdu le sens du Sacré, longtemps aussi que la peinture a perdu le sens de la Tradition, de l'Icône, du suaire de Véronique. L'académie d'Anvers avait été créée au XVIe siècle par un vieil initié, Adam Van Johansen. Je l'ai reconstituée comme un dernier îlot de vigie pour des temps désenchantés. Il ne s'est trouvé dans le cercle de mes spectres de bronze personne pour vouloir la reprendre. Les murs de ce qui fut un sanctuaire intéressent aujourd'hui les promoteurs et les agents immobiliers.

Longtemps médité ces mots de Spinoza, dans le *Tractatus de intellectus emendatione* : « Quo mens minus intelligit et tamen plura percepit, eo maiorem habet potentiam fingendi, et quo plura intelligit, eo magis illa potentia diminuatur. » (Moins l'esprit comprend tout en percevant davantage, plus grande est sa puissance de fiction ; et plus il comprend, moins grande est cette puissance.)

Trois lieux pour comprendre le mystère de la viande humaine : la cellule de moine, la prison, la chambre d'hôpital. Quelquefois l'atelier du peintre.

Heureux les hommes de peu d'œuvres, ils n'ont pas le temps de s'avouer, de se domestiquer en se répétant.

Seule la qualité de prière sépare la peinture qui émeut de celle qui décore.

J'aurai attendu un visiteur, un successeur à qui donner le talisman. Quelqu'un qui fasse passer le souffle de l'art dans une académie de pierres vives. Quelqu'un qu'occupe indéfectiblement le passage du témoin, la transmutation du secret. Il m'est arrivé de deviner ses traits. Comme à la surface de mes étangs, le vent d'automne les brouillait toujours.

C'est toi, Erich Sebastian Berg, qui as mis fin à l'aventure de l'académie. Ton *Triptyque* magistral récapitulait la ville, son histoire, ses lieux — et ma fascination des corps masculins. Sans doute fallait-il que tu partisses, comme tu étais arrivé, cinglant, météoritique. Il coule dans tes veines un étrange feu. Oui, il devait être écrit que ton passage ici tuerait cette maison. Tu as mis en ces murs le ver du désir et de la division. En *ces* murs ? Pourquoi faut-il que je m'obstine à parler de cette maison comme si j'y étais encore ? Après ton départ, j'ai retrouvé ma place de veilleur des pierres. J'ai participé de près à la restauration de la cathédrale. Un autre en moi avait bâti ces temples à l'origine. Il fallait que je fusse là pour veiller à l'esprit et à l'ordonnance des symboles. J'y aurai usé mes dernières forces.

Je n'ai pas d'œuvre. Qui regarde encore aujourd'hui les toiles d'Albrecht Orst ? Que reste-t-il de mon travail d'initiateur ? Il y a ceux qui se soucient de leur accomplissement personnel, et ceux qui dans le monde ont une posture résolument sacerdotale. J'appartiens à la seconde catégorie.

J'ai toujours eu les gens en horreur. Je n'aime que les choses, les éléments. Il me semble qu'on ne peut aimer que les femmes et les hommes extrêment jeunes, et quelques vieillards. Après le corps des garçons, ce que j'ai le plus aimé, ce sont les arbres et les maisons. L'architecture, plus encore que la peinture.

Octobre avance. Les arbres du bord de l'eau sont d'un rouge extraordinaire. Derrière eux m'attend la saison sombre, la rive de ma mort. J'avance, escorté par les arbres et les ombres du désir.

De leur éveil, de leur frémissement dans la jouissance, il reste ces hautes effigies thanatiques et phalliques, ces corps divinisés auxquels va ma dernière prière, le feu de mon adoration crépusculaire.

241

D'une certaine manière, j'ai cessé d'exister quand s'est fermée l'académie. Je n'ai pas cessé d'être : j'ai même rejoint le cortège de ces ombres intérieures qui me constituent. Je suis voué à la division du nom, à la stérilité, à l'anonymat. De vieux combattants doivent encore me dépeindre comme un maître ombrageux et fou. Comme si je n'avais existé que par le biais de mes colères et de mes formules sibyllines. J'étais en retrait et ils ne pouvaient pas le voir : le jour, à la tribune, en voyeur invisible, la nuit, dans la cathédrale, en errant insomniaque, le jour et la nuit quand je palpais les corps.

Qui dira la raison d'être des cathédrales ? Pourquoi faut-il que des pierres soient assemblées et montées jusqu'aux étoiles ? Jusqu'aux frondaisons du zénith. Elles sont comme les maisons, elles sont levées pour abriter des actes qui en leurs murs se chargent en rituels. Le Graal n'y apparaît pas toutes les nuits. La communion que l'on y donne est parfois désespérément horizontale. Parfois, dans le crépuscule du Jeudi saint, des pieds se dénudent et on les lave. Le plus bel acte, à mes yeux, de la transmission de l'Esprit.

Il arrivait. J'entrais en lui. Face aux étoiles, je tendais ce sexe qui prolongeait le mien. Je faisais tonner le cri de l'Éros guerrier.

Le monde — les eaux que froisse le vent d'octobre, les arbres, les ombres dressées de mes initiés, le bois délavé des terrasses — n'est qu'une membrane que ma mort va déchirer. La lumière est sur l'autre rive. Ici, de ce côté, tout n'est que reflet, apparence, rayon déporté. Le creuset de foudre qui est à l'origine de toutes choses, il n'y a que l'érotisme ou la mystique qui puissent vous en donner un *aperçu*.

Depuis que je sais que je vais me donner la mort, je trouve à l'air, à la lumière une qualité qu'ils n'avaient plus. Je sais aussi que je suis définitivement seul. À qui, sinon à ce cahier, confier ce cheminement et ces vérités ? À qui dire que l'on atteint enfin le noyau de son être ? Des barrières m'auront toujours séparé du commun des mortels : les murs de l'académie, les murailles de la cathédrale, les étangs du pavillon. Aurais-je l'inconvenance de m'en plaindre ?

Je crois fondamentalement au prodigue. C'est le retour de celui qui avait fui qui parachève la paternité spirituelle du maître. Parmi mes fils dans l'art et le désir, il suffisait que l'un d'eux prît ses distances pour que fût mise en péril l'unité de mon univers. Je serais allé jusqu'aux pôles ou aux rives du Nil pour retrouver celui qui était parti. La charge d'initiateur comporte plus de douleur que de puissance. Un candidat à l'initiation, même si ce sont nos yeux de chair qui le repèrent, on ne le détourne pas, on ne le pervertit pas, on le consacre. Tout maître aime celui qu'il initie. Jusqu'à l'acceptation de la perte.

Je suis allé plusieurs fois à Paris, espérant retrouver Erich Sebastian Berg. J'ai vu ses travaux dans sa galerie du Marais, rue des Blancs-Manteaux. Ces Richelieu décharnés, désossés, extraordinaires. J'ai vu ses meubles aussi, la copie du grand bureau semi-circulaire qu'il avait dessiné pour Pompidou. Je suis allé du côté du passage de la Folie-Regnault. Il n'était jamais là. Ma promenade s'achevait invariablement au Père-Lachaise.

Il pleut depuis quelques jours. Plus de lumière, des averses permanentes, chargées de sel, qui rident mes étangs. La pluie ramène la mélancolie, des souvenirs que je chasse. Je ne veux pas entrer dans la mort, l'âme couverte de ces pustules. J'aspire à une sorte d'aridité intérieure. Je me revois enfermé dans le cabinet de réflexion, dans les cryptes de la cathédrale. Sur le testament philosophique — c'était en 1926 —, j'avais inscrit trois mots, ma devise en quelque sorte, inchangée au terme du parcours : Art, Désir, Lumière.

À part mes érotiques, il n'y a pas d'œuvres d'art dans ce pavillon. Si, une reproduction du dernier tableau, inachevé, de Rembrandt : *Syméon et l'enfant Jésus dans le Temple.* Un vieillard, sur le point de mourir, tout tremblant, reçoit un véritable lingot de braise. Il s'apprête à le porter vers le Saint des Saints, comme il fut lui-même porté en un autre temps. Il est tremblotant, barbu, extatique et halluciné, déjà de l'autre côté. Il transporte cette obole, ce Verbe d'or qui marque la rédemption et l'accomplissement d'une espérance. Pour le vieillard il est trop tard pour renaître. Renaître d'eau, d'esprit. Alors il se fait passeur du Verbe, vers cette rive lumineuse où il se désagrégera.

J'ai parfois l'envie de nommer mes spectres de bronze. Les nommer serait retomber dans la division. Serais-je mauvais sculpteur ? Il me semble que ma cohorte est la démultiplication d'un archétype. Un androgyne de vent et de lumière.

Viendra-t-il ? Ce sera vers le soir. Il y aura un bruit d'eaux que froisse une étrave. Dans les derniers rayons du couchant, les sorbiers et les feuillages auront des flamboiements extraordinaires. Ce sera une forme tremblée, lumineuse, comme chez Rembrandt et Turner. Un nautonier des eaux rouges du soir.

Je veux que ces lieux soient conservés en l'état. Je confie à Erich Sebastian Berg, peintre à Paris, citoyen de nationalité française, peintre reconnu par le gouvernement, la charge de veilleur du pavillon d'automne. Le poignard avec lequel j'entrerai dans la mort restera dans le cercle des Ombres du désir. On aura soin de brûler mon apparence charnelle, mes dessins, mes papiers, à l'exception de ce cahier. J'entends aussi qu'il ne subsiste aucune photo, aucun portrait de moi.

Il reviendra à Erich Sebastian la tâche de disperser mes cendres dans le jardin japonais et sur ces eaux. Nous sommes le 30 octobre 1974. Un mercredi. Demain, à cette heure, j'attendrai le bruit de la barque qui déchire l'étang. Adieu.

Albrecht Orst,
dit Adam Van Johansen,
Maître dans l'art très secret d'élever les pierres

Ce document m'a été transmis par un notaire d'Anvers à la mi-novembre 1974. Mon adresse lui avait été donnée par la galerie Girard. Le notaire me demandait de me rendre dès que je le pourrais à Anvers pour le règlement des formalités. Il m'écrivait sans ménagement que l'urne qui contenait les cendres d'Adam Van Johansen était en sa possession. J'ai aussitôt quitté Dunluce. J'aurais aimé répandre les restes du maître sur les pas de basalte. Mais dans son testament il parlait du jardin japonais du pavillon de Delft. Dans l'avion, j'étais hagard, je pleurais. J'étais rendu à mon passé, à mon identité, à mes manquements. Je ne finissais pas de pleurer ma trahison. Ce testament me serait arrivé au temps de la folle époque de Paris, je crois pouvoir dire que je ne l'aurais pas lu. Mais j'avais vieilli et j'étais orphelin.

J'ai tout de suite su que je resterais quelque temps à Anvers. J'ai loué une chambre pas très loin de la cathédrale. Le notaire m'attendait le lendemain. Je suis allé m'attabler aux Anges, à la table d'angle qui avait été la mienne. Les statues religieuses étaient toujours là mais la patronne avait changé. Ma douleur était vive et étrange, comme si ce deuil eût concerné un autre que moi. Surtout, ce qui me troublait, c'était que la révélation de cette mort coïncide avec la fin de la quête de Huel Goat et le tableau de la croix d'or. Une charge pesait de nouveau sur moi, qui était la fin de ma liberté. J'ai attendu la nuit pour aller marcher du côté de l'académie. L'immeuble était presque en ruine, on avait collé des affiches sur les volets fermés. C'était là que j'avais appris à peindre. C'était là que j'avais trahi le maître. J'avais un passé. J'étais rattrapé par le passé d'Erich Sebastian Berg. Je me rappelle avoir bu et marché une partie de la nuit. Le port, la cathédrale, l'académie, une série impressionnante d'allers-retours sans logique. Le notaire m'attendait à neuf heures.

On aurait dit un horrible chanoine bedonnant, tonsuré et poussif. Il m'a introduit dans un vieux bureau qui sentait la pisse de chat. Les termes de l'héritage étaient clairs. Le pavillon de Delft était pour moi. Chaque fois qu'il citait le nom du maître, le notaire disait : «Albrecht Orst, dit Adam Van Johansen.» Cette comédie des noms m'amusa. Le maître aussi avait peint. Il avait eu une œuvre et une identité de peintre avant de régner sur l'académie.

— Vous ne voulez pas reprendre l'académie ? demanda subitement le notaire, d'un œil narquois. La loge à laquelle Van Johansen l'a léguée n'en veut pas.

Je refusai. Je n'avais aucune vocation de maître. Alors il se leva d'un pas lourd et ouvrit un coffre qu'une tenture pourpre dissimulait. Et il me confia un coffret noir, une boîte qui me rappela aussitôt la petite armoire secrète d'Ettal. Je signai quelques documents et me retrouvai sur le Meir avec l'urne. À la gare, je louai une voiture, puis je roulai comme un fou jusqu'à Delft. Il y avait un ciel de tempête, des vols de mouettes déchaînés. J'avais la concentration qui m'habitait lorsque je peignais mes reliquaires. Le vent avait dénudé les arbres. Le pavillon m'apparut comme une habitation dérisoire, le jardin, les rocailles, les mousses, rien n'était entretenu depuis longtemps. Je traversai les taillis comme au cœur d'un royaume de fondrières et de feuilles tombées. L'automne hollandais dégageait une odeur puissante d'eaux mortes et d'écorces pourries. J'étais épuisé soudain. J'avais cent ans.

Je suis entré dans la pièce centrale. Rien n'avait changé. Les grands bronzes étaient toujours là. Il y avait des traces de sang sur le parquet. Il était mort là, celui qui m'avait appris à peindre. Là, dans la perspective des eaux immobiles et des arbres en feu. J'ai posé l'urne auprès du poignard. Et je me suis assis. Le pavillon avait été vidé de ses papiers et de ses livres. Il ne restait que les silhouettes des grands initiés, les Ombres du désir. L'humidité me pétrifiait, des larmes coulaient parfois, des larmes d'Ettal et de Cramer-Klett, et j'étais heureux. La tempête bousculait les eaux rousses. Des images m'assaillaient : celle de Korbs versant les cendres de Christoph dans l'autel d'Ettal, celle de mon grand-père Karl arpentant le couloir central du fort, celle d'Adam Van Johansen parlant des secrets de la peinture. La contemplation de la pluie sur l'étang, les mouvements des feuilles rouissantes, la proximité des cendres, du poignard et des bronzes formaient une conjonction qui m'interdisait de partir. Adam Van Johansen avait fait de moi dans son testament le gardien du pavillon d'automne. Jadis j'y aurais mis le feu. J'aurais brûlé les cendres, le poignard et les bronzes. Et j'aurais brûlé mon effigie et le lieu de nos amours avec ce qu'il restait du maître.

J'ai décidé de passer là sept nuits avant de vider dans l'étang sacré le contenu de l'urne. Le jour j'allais rêver et marcher le long des canaux froids de Delft. La nuit je restais en méditation et en prière près du coffret noir. Tout me revenait : le détail des années, la scansion de mon initiation, les paroles et le souffle d'Adam Van Johansen. Je le revoyais cette nuit d'égarement où il était arrivé dans nos mansardes. Ces nuits venaient après les années d'Arrée et d'Irlande. Je savais qu'Adam Van Johansen ne m'avait jamais oublié, je savais qu'il avait vu tous les travaux de Berg exposés à Paris. Son testament me disait que j'avais mis mes pas dans les siens au Père-Lachaise, qu'il avait rôdé autour de mon atelier du Passage. Je ne regrettais pas mon ingratitude. C'était ainsi. S'il entrait indéniablement des sentiments humains dans cette affaire, cette aventure aussi les subsumait.

Au matin de la dernière nuit, j'ai versé le contenu de l'urne dans l'étang. J'avais les yeux pleins de larmes. Cette poussière dérisoire, c'était ce qu'il restait de l'autorité, de la voix, du souffle, du cri et du sperme d'Adam Van Johansen. J'étais fourbu, électrisé par ces nuits de réminiscences et d'extases. Avec ce pavillon j'avais un mausolée de plus. Un temple avec ses idoles. J'ai regardé mon effigie insolente et nerveuse. C'était bien la dernière tout à côté de l'endroit où le maître s'était tué. En cette fin d'octobre il s'était joué là comme un sacre ou un pacte. Je n'étais plus un incendiaire et un profanateur. Le maître avait bouclé mon initiation en me nommant veilleur du pavillon d'automne — en m'obligeant à découvrir la vertu de la fidélité. Pour la première fois depuis bien longtemps je quittais un lieu à regret.

PASSAGE DE LA FOLIE

« Et circulant dans mon corps maudit, j'arrivai
dans une région où les parties de moi étaient fort
rares et où pour vivre, il fallait être saint. »

MICHAUX

Erich Sebastian Berg revint à Paris au printemps de 1981. Il eut peine à saisir le sens de la comédie que la France se jouait, ce peuple de gauche qui exultait à la Bastille jusqu'à l'aube, ce monarque psychopompe qui descendait fleurir les catacombes du Panthéon. Il regarda tout cela avec amusement. Les grands paysages nordiques d'Autessier étaient montrés à New York. Une partie des ossuaires bretons et des croix d'Irlande était exposée à Dublin, l'autre chez Paolini à Milan. Le vendredi 22 mai 1981, à partir de dix-huit heures, Erich Sebastian Berg retrouva tout son monde à la galerie Girard. Il avait fini par céder en donnant à cette galerie toutes ses dernières œuvres. Le travail s'ordonnait autour de trois veines : la cavalière, le maître et le fort. C'étaient les obsessions majeures des dernières années qu'il avait essentiellement passées en Irlande, au château de la Roque et au fort de Rügen. Il arriva rue des Blancs-Manteaux, sombre et d'une maigreur qui intrigua. Pierre Girard avait toujours le même pouvoir, et les critiques et les conservateurs se pressaient à ce vernissage. Gaëlle Ausborne, plus grosse que jamais, très mal habillée, se jeta dans les bras d'Erich Sebastian, comme s'ils ne s'étaient pas vus depuis dix ans. Or les retrouvailles avaient eu lieu quelques semaines plus tôt à la Roque pour les vingt ans de Véronique. La jeune fille étudiait les lettres.

Il était clair ce soir-là que Paris fêtait le retour du prodigue. Gaëlle Ausborne et Pierre Girard, auxquels s'étaient joints plusieurs de leurs amis très en vue dans les médias, avaient remarquablement organisé l'événement. Une émission télévisée était prévue la semaine suivante, en présence de Véronique, pour la présentation du livre de Gaëlle Ausborne, *Erich Sebastian Berg, portrait de l'artiste en nomade*. L'ouvrage paraissait chez Gallimard. C'était une monographie très riche avec des textes de Gregor Issenko, présentement très malade, et de Roman Anton Boos qui fit à Erich Sebastian la surprise de sa venue. Près de la magnifique série aux forts éboulés, Roman Anton Boos, romancier à grands tirages, bavardait avec Véronique, tandis qu'Erich Sebastian devait affronter une meute de journalistes. Sa timidité ce soir-là et surtout la distance qu'il avait prise durant toutes ces années venaient conforter le mythe de l'errant et du prodigue, et il donna l'impression d'endosser ce rôle sans état d'âme.

On apprit également qu'une rétrospective était prévue pour le printemps 1982 à Munich. Erich Sebastian Berg eut plaisir à retrouver son ancien professeur du collège d'Ettal ; on les vit évoquer des souvenirs en riant, mais ils étaient sans cesse dérangés par des admirateurs qui venaient demander à Erich Sebastian qu'il dédicaçât la monographie de Gaëlle Ausborne et tout particulièrement le long entretien qu'elle lui avait extorqué à la Roque pour l'anniversaire de Véronique. Les forts de Berg, les trente décompositions de la cavalière, le portrait du maître, tout fut vendu. Pierre Girard n'avait jamais vu cela. Il y avait près de huit ans qu'il n'y avait eu pareille affluence dans sa galerie. Les critiques et les acheteurs officiels l'avaient boudé sous Giscard d'Estaing. Or on vit ce 22 mai 1981 des dignitaires ou des proches du nouveau pouvoir s'extasier devant les toiles d'Erich Sebastian Berg. Ils avaient parfois l'air de parvenus sanctifiés par les remugles du Panthéon ou de grands bourgeois qui étaient allés s'encanailler à la Bastille. Pierre Girard jubilait sous une moue dédaigneuse. Erich Sebastian avait accepté le principe d'un vernissage rue des Blancs-Manteaux à la condition expresse que le rituel fût respecté : cocktail à la galerie, puis dîner dans l'appartement de la place des Vosges. Il profita d'une accalmie pour lancer à Pierre Girard :

— Salaud ! Tu m'as bien eu !

— Quand j'aime, je ne lâche jamais. Tu croyais que j'allais t'abandonner pendant que tu faisais ton retour à la terre ! Et Gaëlle, tu sais comme elle est coriace... C'est elle qui a fait monter la cote de Huel Goat ! Tes ossuaires sont superbes mais crois-tu un seul instant que le vieux Mac Goy aurait fait le voyage jusqu'à ton Finistère si Gaëlle ne l'y avait pas poussé ? Il ne faut pas rêver...

Erich Sebastian Berg se détourna, faussement irrité. Il était heureux du cheminement de ces années, presque libéré. Il ne se livra ce jour-là à aucune provocation. Il se contenta d'éconduire un jeune peintre qui ne cessait de le harceler en lui faisant remarquer avec beaucoup de courtoisie qu'il n'avait pas besoin de se rendre dans son atelier : si l'on voulait se faire une idée de ce dont cet importun était capable, la contemplation de sa cravate était un prélude qui suffisait...

Vers vingt et une heures trente, la galerie commençait à se vider, une femme d'une pâleur et d'une maigreur extraordinaires fit son entrée en longue robe pourpre. D'aucuns pensèrent qu'il s'agissait d'une comédienne ou d'une admiratrice qui avait revêtu la *capa* de Richelieu. Elle paraissait si fatiguée qu'elle fit le tour de la galerie en s'appuyant au bras de Véronique. On eût dit une beauté déchue, une allégorie des ossuaires d'Erich Sebastian. C'était Hélène Berg.

Sa présence au dîner de l'appartement des Vosges mit comme une note funèbre. Elle s'était assise à côté de son fils, émue, assurément heureuse mais terriblement affaiblie. Les dîners chez Pierre Girard étaient toujours festifs et délirants : celui-ci fut d'une extrême retenue, comme si la seule présence d'Hélène Berg, indépendamment de sa maladie, eût quelque chose d'intimidant. Les quatre expositions — New York, Dublin, Milan, Paris — étaient des succès. Erich Sebastian parut très lointain, comme s'il fût resté du côté de ses ossuaires et de ses croix. Les conversations n'avaient pas changé. On se moqua de l'art des minimalistes. La galerie Girard demeurait un bastion de l'art figuratif et visionnaire, ce qui rendait encore plus inexplicable l'apparition des nouveaux notables au vernissage. Des noms furent cités, des secrets d'alcôve, des indiscrétions sur les futurs ministres.

Le café se prenait au salon. Il y avait de nouveaux masques dogons qu'Erich Sebastian regarda avec attention. Il s'écarta surtout avec sa mère dans l'embrasure d'une des hautes fenêtres qui ouvraient sur la place et on les vit rire et parler, ils avaient ouvert la croisée et ils s'amusaient à humer le printemps de Paris. Hélène Berg semblait à bout de forces, exténuée à la fin de ce dîner qui fêtait la maturité de son fils, somptueuse et ravagée dans cette robe des Passions qu'elle avait tant de fois chantées.

Ce fut une de ses dernières sorties publiques. Il semblait qu'elle souffrît de ce printemps humide et froid. Elle vivait enfermée dans sa villa de Rueil-Malmaison. Son violoncelliste, qu'elle accompagnait parfois au chant, lui rendait visite tous les jours en fin d'après-midi. Chaque jour aussi elle appelait son fils. Ou bien elle venait déjeuner dans le nouvel appartement d'Erich Sebastian tout à côté de l'atelier du passage de la Folie. Après un dernier séjour au fort de l'île de Rügen à l'automne de 1980, Erich Sebastian avait fait transférer dans cet immense appartement qui surplombait Paris le mobilier de son grand-père, les bibliothèques de bois blond, les sphères armillaires, les fauteuils cannés et les pupitres du cabinet d'armateur. Il n'avait laissé que les portraits des ancêtres dans le couloir qui menait à la tombe de Karl. Hélène aimait ce décor de veilleur marin transporté au-dessus de Paris, la terrasse avec ses pins et ses orangers d'où l'on dominait la nécropole du Père-Lachaise, le bureau dans lequel Erich Sebastian avait reconstitué le cabinet du grand-père avec les cartes, les compas, les jumelles, les fioles. Elle arrivait parfois au sortir d'une séance de soins, raide, volontaire, impeccablement maquillée. La table était dressée dans l'angle du grand salon, près des baies. Elle demandait toujours des choses légères, des huîtres, des langoustines, du saumon mariné. Elle prenait un peu de sancerre ou de champagne.

La maladie et l'abandon de sa carrière l'avaient rapprochée de son fils. Elle parlait très peu de chant, un peu des villes où elle avait chanté, ces villes qu'elle voulait revoir très vite : Venise, Londres, New York, Lisbonne, Prague, Kyôto. Son amie d'enfance, une Anglaise, Clara Grave, l'accompagnait parfois. Mais elle voulait se retrouver seule avec Erich Sebastian. Sur le grand canapé blanc face aux fenêtres, elle le prenait dans ses bras et lui caressait les cheveux. Et elle racontait Cramer-Klett, le domaine de Bavière, les trahisons et les faiblesses du père, l'arrachement qu'elle avait ressenti en abandonnant son fils à Ettal. Étrangement, elle parlait plus de l'Allemagne que de son enfance normande, elle n'avait jamais aimé la Roque, ses étangs brumeux, son climat.

C'était au début de juillet 1981, un de ces déjeuners chez Erich Sebastian. Elle apparut éblouissante, drôle, d'une forme retrouvée. Elle partait se reposer quelques jours près de Cavaillon. Elle apprenait pour elle, et plus pour la scène, des chants hébreux et irlandais. Elle lisait le livre de Gaëlle Ausborne. Elle connaissait mal l'épisode du maître d'Anvers. Erich Sebastian lui raconta l'académie, la vente du chef-d'œuvre à Luc de Teffène, le suicide sacrificiel du maître et la dispersion des cendres sur les eaux du petit jardin de contemplation. Ce maître la fascinait. « En quelque sorte, dit-elle, tu es allé le rechercher sur les routes de Bretagne et d'Irlande... » Elle demanda à visiter l'atelier du passage de la Folie. En sortant dans le vestibule, elle remercia Erich Sebastian d'avoir fait placer sur la console un buisson de roses jaunes, ses préférées. Ils marchèrent sur les pavés inégaux du passage. Hélène se plaignit d'une douleur très vive à la jambe, mais elle voulait voir cet atelier qui avait plus de prestige à ses yeux depuis qu'elle savait que Malraux y était venu. C'est avec peine qu'elle monta l'étroit escalier. À l'étage, entre les fausses colonnes doriques, elle découvrit un amoncellement de tubes, d'esquisses, de chiffons, de cadres brisés. On aurait cru qu'elle voulait vérifier l'exactitude de la description que donnait Gaëlle Ausborne, le fouillis, les amas de détritus et sur les murs, poussiéreuse et jaunie, la galerie d'icônes : des cartes postales représentant leur cher Linderhof, les lutteurs de Muybridge, des photographies du fort de Rügen et des ossuaires bretons, les blocs basaltiques de la Chaussée des Géants, de Gaulle sur les plages d'Irlande, le *Richelieu* de Philippe de Champaigne, des nonnes extatiques du même peintre, et beaucoup de nus masculins. La description de Gaëlle Ausborne lui parut juste. Elle avait été émue par ce portrait de son fils en nomade qu'Erich Sebastian lui avoua ne pas avoir encore lu.

Elle s'approcha du chevalet, considéra avec attention ces figures alignées comme des fils de bronze. Elle sembla surprise.

— Ce sont les Ombres du désir, les initiés du Maître, répondit Erich Sebastian.

Elle regardait la verrière obscurcie par les fumées et les lierres.

— Tu ne comptes pas faire dégager toutes ces saletés, dit-elle en désignant l'amoncellement de tubes, de palettes, de vieux journaux et de livres déchiquetés. Moi aussi j'étais comme toi... J'avais toujours un désordre de partitions quand je répétais...

Elle s'était assise dans l'alcôve sur la banquette chère aux visiteurs de l'atelier.

— Viens ici près de moi, mon petit Erich. Je voudrais te confier un secret. Je voudrais voyager avec toi tant que j'aurai des forces, revoir Linderhof, Venise, Lisbonne. Si je me fie à ce que disent les médecins, dans un an je ne serai plus...

Lorsqu'il reprit possession de son atelier, Erich Sebastian dut constater qu'il n'était pas seul à occuper les lieux. En son absence des enfants noirs avaient investi la maison, il leur avait suffi de fracasser un pan de la verrière. Il y avait dans l'atelier des traces des jeux et des fêtes des enfants. Erich Sebastian les surprit un jour. Et loin de les chasser, il sympathisa avec eux. C'était une colonie d'Angolais qui occupait des immeubles désaffectés du quartier. Depuis leur arrivée les enfants avaient toujours connu ces lieux vides. La bande avait un chef, un solide gaillard que l'on appelait Éloïm. Erich Sebastian accepta leurs intrusions dans l'atelier à la condition qu'ils veillent sur les lieux. Éloïm était charpenté comme un prince ou un passeur rituel. Il devait avoir quinze ou seize ans. Dommage qu'il portât ces vêtements hideux et fluorescents qu'affectionnait la jeunesse occidentale. Les mères qu'Erich Sebastian croisait chaque matin dans le passage avaient elles le sens de la tradition avec leurs robes et leurs châles aux teintes flamboyantes. Un soir qu'Éloïm et son camarade Adji s'attardaient dans l'atelier, Erich Sebastian leur demanda de se dévêtir et de mimer un combat. La joute des corps noirs et musclés l'enchanta. Il leur demanda de revenir. Les deux adolescents attendaient le départ de leurs compagnons pour s'étreindre sans honte. Éloïm et Adji étaient les veilleurs ténébreux de l'atelier de la Folie.

Il fallut rapatrier d'urgence Hélène de sa villégiature du Sud. La tumeur avait gagné le foie et une nouvelle opération était nécessaire. À la mi-août elle put retrouver sa villa de Rueil. Une infirmière passait matin et soir. Erich Sebastian s'installa dans la grande maison aux murs couverts de vigne vierge. Hélène s'allongeait l'après-midi dans un endroit ombragé au fond du jardin. Clara Grave les rejoignait pour le thé. La maladie progressait mais Hélène n'était pas plus marquée qu'au soir du vernissage de mai. Elle disait son dégoût des médecines traditionnelles, son refus d'une nouvelle chimiothérapie. Elle était très blanche, très creusée. Elle se réjouissait de ne pas avoir perdu ses cheveux.

La maison était remplie d'éventails, de boîtes à musique, de poupées anciennes et de roses jaunes. Julien, le violoncelliste, Clara Grave, Erich Sebastian en apportaient chaque jour. Les enregistrements d'Hélène garnissaient les rayonnages d'une pièce, du sol au plafond. Elle parlait rarement de musique. Lorsqu'il faisait trop lourd sous la tonnelle, elle se déplaçait d'un pas peu assuré jusqu'au salon où Julien lui jouait quelques airs de Brahms ou de Purcell. Les chats avaient trouvé refuge sur les coussins chinois des fauteuils.

La perfusion matinale la laissait lasse, nauséeuse. Elle téléphonait alors à ses proches pour leur demander de ne pas venir. Elle se murait dans sa chambre comme une droguée. Pas de roses, pas de violoncelle, pas de visite d'Erich Sebastian qui s'enfermait dans le cabinet de Karl, lugubre et désœuvré. Paris au mois d'août l'assommait. Le combat des adolescents noirs ne l'inspirait plus : la toile en était toujours au stade de l'ébauche. Il attendait un signe de Rueil. Le soir, surtout s'il faisait moins chaud, Hélène pouvait appeler. Ils dîneraient au champagne. Hélène avait assez de métier pour laisser accroire qu'elle mangeait, qu'elle buvait. Même devant ce fils qu'elle voulait plus que jamais séduire, elle cherchait des anecdotes, elle racontait ses peurs, les fringales nocturnes qui la prenaient avant les concerts. Le 10 septembre, avec un mois de retard, ils fêtèrent dans le jardin de la villa le quarante et unième anniversaire d'Erich Sebastian. Véronique et sa mère, Gaëlle Ausborne étaient là. Tout un jeu de séductions marqua la soirée. Gaëlle semblait très attirée par Véronique, comme si elle eût retrouvé en elle des traits du jeune Erich Sebastian, tandis qu'Hélène cachait mal la fascination qu'exerçait sur elle Gaëlle. Ingrid et Erich Sebastian n'échangèrent pas un mot. Au moment de la remise des cadeaux, Hélène chanta ce beau chant guerrier d'origine irlandaise qu'elle avait appris pour son fils. Sa voix manquait de souffle mais l'instant fut d'une terrible émotion. Erich Sebastian ne put retenir ses larmes. C'était le chant pur de l'Irlande des tourbières et des croix. C'était l'offrande d'une mère qui le quittait. Quand elle eut retrouvé son souffle, Hélène prit la parole :

— Mes amis, j'ai chanté l'hymne d'une terre que je ne connais pas. Une terre que je voudrais connaître, surtout ces lieux qui t'inspirent, Erich Sebastian, et dont vous parlez si bien Gaëlle. Ce soir est soir de fête, je ne vous imposerai pas un bilan de santé. Le mal poursuit son avancée et moi je poursuis ma route… Avec toi, mon petit Erich. Il n'y a qu'une chose qui me fasse vivre : la perspective de l'exposition de Munich en mai prochain. D'ici là, dès que j'irai mieux, je partirai avec mon fils pour de petits pèlerinages. Bon anniversaire, Erich, et belle fête à tous !

On leva les verres comme pour occulter l'angoisse. Gaëlle offrit un malt de quarante et un ans. Hélène y trempa les lèvres. Erich Sebastian annonça qu'il devait téléphoner : il en profita pour se réfugier dans la pièce aux enregistrements, il voulait fuir les visages de ces femmes et pleurer, pleurer, pleurer.

Un jeudi vers la fin du mois de septembre, Gaëlle Ausborne arriva très excitée passage de la Folie. Elle criait littéralement :

— Je viens de suivre la conférence de presse de Mitterrand. Il va faire un grand Louvre !

La nouvelle laissa Erich Sebastian indifférent. Il comprit qu'elle rêvait de rencontrer le nouveau ministre de la Culture. Le succès de son livre l'avait grisée.

— C'est étrange, lui répondit Erich Sebastian, jamais plus je n'aurai envie de mettre les pieds rue de Valois. Ces lieux sont morts pour moi.

— Mais tu n'y comprends rien, on a une chance inouïe, il y a une politique culturelle enfin...

Erich Sebastian peignait des fonds, impassible. Gaëlle était toujours émouvante, Erich Sebastian était sa chose et elle devinait ses humeurs, ses angoisses. Elle avait une véritable intuition de mère que décuplait sa *stérilité* : par son inaptitude à la création proprement dite, par son amour des femmes, Gaëlle Ausborne était vouée à la mort. Elle était trop lucide pour ne pas le savoir. C'est ainsi qu'elle avait fait d'Erich Sebastian Berg son fils, son amant, le personnage d'une œuvre qu'elle édifiait. Elle animait. Elle attisait. Elle manipulait sans relâche. Les biographes sont des démiurges qui s'ignorent ou se travestissent. Soudain elle aperçut Éloïm et Adji qui sirotaient une bière au fond de l'atelier.

— Des modèles ? demanda-t-elle.

— Si l'on veut. Les gardiens de cet atelier.

— Je te sens inquiet. Ta mère ?

— Non, cela va mieux. Nous partons demain en voyage. Ce n'est pas elle qui m'inquiète. J'ai déjeuné aujourd'hui avec le commissaire de l'exposition de Munich. Je ne sens pas cette exposition...

— Mais tu es fou ! — elle fulminait. Tu es fou ! Tous les peintres rêvent de cela ! Monsieur bouderait une exposition au musée d'Art moderne, alors qu'on a tout... C'est une rétrospective qu'on veut faire, pas comme au printemps. En un lieu. Les toiles du jeune Berg, les tableaux nordiques et bretons. Sans compter ceux que tu as dû cacher à Delft et à l'île de Rügen...

Il éclata de rire :

— À Delft tu trouveras les bronzes du maître et au fort les tableaux voilés de nos ancêtres...

— Tu le jures ?

— Absolument.

Éloïm et Adji observaient en riant cet échange orageux. Erich Sebastian s'était radouci :

— Allez, ma chère Gaëlle, laisse en paix mon fort et mon pavillon, et occupe-toi du Louvre de Mitterrand !

Le soir même, comme à leur belle époque, ils dînaient de fruits de mer place Clichy.

Le médecin qui soignait Hélène avait convoqué Erich Sebastian à son cabinet de la rue de Condé. Il fallut attendre plusieurs heures. Lorsqu'il fut enfin reçu, Erich Sebastian découvrit un vieil homme bedonnant qui lui rappela le notaire d'Anvers. Le médecin travaillait dans une pièce très sombre meublée de consoles et d'armoires Napoléon III. Il fut direct : la tumeur n'était plus opérable. Hélène pouvait encore vivre six mois, un an. Erich Sebastian était tétanisé. Le médecin, qui était collectionneur d'art, l'interrogea sur ce qu'il préparait. Il avait vu la dernière exposition rue des Blancs-Manteaux. Cette insistance à parler de peinture, alors que le destin de sa mère était en jeu, irrita Erich Sebastian qui se leva en disant :

— Si vous souhaitez me voir dans le cadre de mon métier, prenez rendez-vous par le canal de la galerie Girard.

Il alla marcher dans le jardin du Luxembourg. Seule la marche apaisait l'angoisse. Il regarda avec mépris l'indolence extasiée des couples qui paressaient au bord du bassin. La lumière de ce début d'automne était blonde. Elle vibrait sur l'eau, sur le gravier. Il n'avait pas mangé. Il crut qu'il allait avoir un malaise. La douleur creusait en lui comme un puits. La lumière, les couples, la faim, la sentence qu'il avait entendue dans le cabinet noir, tout l'agressait. Et comme toujours en pareil cas la ville faisait naître en lui une fièvre nauséeuse. Un couple d'Asiatiques lui demanda s'il acceptait de les photographier. Il s'exécuta, mais ces quelques secondes lui furent un supplice. Au haut du boulevard Saint-Michel il sauta dans un taxi. Il voulait s'enfermer dans le cabinet de son grand-père, tirer les rideaux, sombrer dans une rêverie où il n'y aurait pas de couples, ni de bruit, ni de lumière sur les graviers. Il avait quarante et un ans et le lien de dépendance qui l'attachait à sa mère n'avait jamais été aussi fort.

Il se claquemura dans la chambre noire de son belvédère. Une minuscule lampe éclairait l'écritoire. Il saisit une feuille et écrivit au commissaire de l'exposition de Munich. Et il dit — c'étaient ses mots — qu'il n'était plus disponible pour la peinture parce qu'il voulait accompagner sa mère jusqu'au bout. Si cette exposition devait avoir vraiment lieu, on pourrait puiser dans tout ce qu'il avait produit jusque-là. Dans les musées, dans les coffres des galeries, chez les collectionneurs privés, chez les médecins. Les tableaux vendus ne l'intéressaient plus. Lui, ce qu'il voulait faire, c'était peindre, peindre au nom d'une prêtrise qui lui venait de l'origine, des étoiles, de la grande tradition visionnaire et nordique, peindre seul dans le compagnonnage de sa mère et de la mort, loin des marchands, des juges, des fossoyeurs...

Ils passèrent une semaine à Venise début octobre. Hélène allait mieux. Elle avait un traitement allégé. Il fit beau tous ces jours, une lumière liquide, dorée. Ils furent de parfaits touristes. Hélène se reposait souvent l'aprèsmidi pour pouvoir marcher vers vingt heures, et le soir après le dîner. Elle n'avait qu'un désir : revoir. Revoir Torcello, le *Jugement* de la basilique, les canaux glauques, cette île campagnarde et ruinée, revoir les chevaux, l'hypostase, les mosaïques de Saint-Marc, la solitude vacante de la Giudecca.

Un matin ils déambulaient dans l'église des Frari aux belles poutres de bois lorsqu'une cloche invita les visiteurs à quitter l'édifice. Ils sortirent. Sur le canal qui vient mouiller l'abside de l'église, une gondole funéraire arrivait.

Ils eurent un long silence, une réserve qui dura plusieurs minutes et qui enchâssait la barque de mort. Et Hélène recouvra sa joie, son insouciance. Venise l'émoustillait. Elle voulut retrouver la boutique d'une costumière qu'elle avait bien connue. Elle décrivait l'art des ourlets, les galons, le luxe des matières, les passementeries. La boutique n'existait plus. Ils se perdirent dans le réseau des calli.

Le temps était encore doux dans le petit jardin de l'hôtel sous le treillis de lauriers-roses. Quand elle ne souhaitait pas sortir, elle s'installait à une table de fer et écrivait des cartes. Venise avait été la ville des amants, des chefs, des grands interprètes, mais elle ne parlait de rien, non que la maladie l'eût rendue amnésique, mais légère, sans pesanteur biographique, toute à la grâce de l'instant. Aux itinéraires qu'elle choisissait et qui l'entraînaient plutôt du côté de l'embarcadère pour Torcello ou des arrières de la Salute, Erich Sebastian comprit qu'elle voulait éviter la Fenice. Elle aimait la peinture, les mosaïques, la gale des vieux murs, les vapeurs qui flottaient sur la lagune. Elle aimait des détails : un démon fourchu sur la muraille des enfers à Torcello, une Vierge tutélaire au fronton d'un palais, des marches moussues qui descendent dans l'eau, le petit chien de saint Augustin dans le tableau de Carpaccio. Elle voulait qu'on ne parlât de rien. Erich Sebastian la voyait parfois regarder un palais, un hôtel avec insistance, un soir ou deux elle exigea de dîner dans un petit restaurant dont elle prétendait connaître le chef, au hasard des pas des lambeaux se retissaient, et ce voyage se muait en une reconnaissance crépusculaire par les eaux et les brumes d'une ville sans voix.

Au mois de novembre, il fallut de nouveau recourir aux perfusions. Erich Sebastian restait chez lui, prostré. Hélène ne désirait pas de visites. Quelques conversations au téléphone. Quelques notes de violoncelle le soir. Clara Grave et Julien se relayaient auprès d'elle. On ne parlait plus de voyages. Hélène demanda expressément qu'on n'ouvrît plus les volets de la chambre aux enregistrements. Un soir qu'il lui rendait visite, Erich Sebastian la surprit au piano. Elle s'écarta aussitôt de l'instrument et revint vers le divan, près de la fenêtre. Ses chats favoris, Sphynx et Nil, l'entouraient. Elle portait une perruque grise et bouclée. Elle s'amusa du mot : *prothèse capillaire.*

— Je meurs à petit feu, dit-elle. Je suis rongée. Je suis un cratère de souffrances. Jamais je ne tiendrai jusqu'au printemps...

Erich Sebastian savait bien ce que signifiait pour elle ce printemps. Elle ne mourrait pas sans avoir revu l'Allemagne. Comme Venise, c'était un jalon nécessaire. Sous cette vie qui refluait se dessinait une cartographie mythique. Ce soir-là, Hélène était vive et belle dans le salon aux sombres et beaux parquets. Il flottait une odeur d'encaustique fraîche.

— Je mets de l'ordre dans mes affaires... Et je suis touchée de savoir que tu veilles sur moi dans ton bunker du Père-Lachaise. Tu es bien dans les meubles du vieux Karl.

À cet instant Sphynx vint se placer sur l'épaule de sa maîtresse. Hélène le caressa, puis elle reprit :

— L'histoire de la dispersion des cendres de ton maître

268

d'Anvers m'a bien plu. Je ne sais pas encore si je me ferai incinérer... Qui dispersera mes cendres... Où... À Venise où j'ai tant de fois chanté, en Bavière où je t'ai mis au monde, ailleurs... Pas à la Roque. Je n'ai jamais aimé cet endroit et c'est chez Véronique... Que fais-tu ces temps-ci ?
Il mentit. Il raconta la légende de ses veilleurs noirs, de ses jouteurs musclés à la peau brillante qui lui rappelaient d'autres lutteurs.

— Ils viennent le soir avec leur camarades au sortir de l'école. Mes préférés sont Éloïm et Adji. Ils attendent le départ de leurs camarades pour poser. Ils se battent pour moi.

— Oui, je comprends, dit Hélène, tu les regardes mais tu ne peins pas...
Il ne protesta pas. Elle avait une prescience, une lucidité intactes.

Elle appela un matin de janvier. Il neigeait. Elle était excitée, volubile, comme une petite fille. Dès qu'elle avait vu tomber la neige, elle était sortie dans le jardin, hilare, joueuse, enivrée. Sphynx et Nil détestaient le froid. Elle annonça à Erich Sebastian qu'elle venait de prendre des réservations pour Munich. Il grelottait. Les pins de la terrasse étaient couverts de manchons et de pendeloques de givre. Il essaya de la dissuader. Elle était intraitable, exaltée. Erich Sebastian y vit les effets du traitement. L'avion était à quinze heures. Le projet était insensé. Au réveillon du Nouvel An, dans son mas des Alpilles, elle était apparue affaiblie et irascible. Véronique qui avait passé quelques jours auprès d'elle avait confié à son père qu'elle souffrait beaucoup. Erich Sebastian appela le cancérologue à son cabinet de la rue de Condé. Il fit l'épouvanté, dit que ce voyage était une folie et que c'était à ceux qui entouraient la malade d'assumer leurs responsabilités, avant de raccrocher au nez de son interlocuteur.
Cependant ils partirent. Il n'y avait pas de neige à

Munich mais il y régnait un froid tranchant. Une infirmière venait tous les matins à l'hôtel. Hélène portait un magnifique manteau de loup. Elle était sombre, raide, cendreuse. Soucieuse de son maintien et de son allure, de manière névrotique et absurde, au cas où on l'aurait reconnue. Erich Sebastian prit contact avec Roman Anton Boos qui les pilota. Au début elle toléra mal cette présence tierce, puis elle céda au charme de l'écrivain. Boos habitait un appartement extraordinaire avec des chats, des fétiches africains et des tableaux d'Erich Sebastian Berg. C'est lui qui avait en particulier l'effigie noueuse et blanchie — creusée d'un blanc sans signe — du maître d'Anvers. Il leur lut un soir quelques extraits du texte qu'il écrivait pour le catalogue de la rétrospective. Une bouffée d'orgueil embrasa la mère d'Erich Sebastian.

Chose qu'elle n'avait jamais faite jusque-là, Hélène allait à l'office. Elle demanda plusieurs fois à être conduite dans des églises baroques du cœur de Munich. Elle disait avoir retrouvé la foi. Ce n'est pas Boos qu'on aurait vu à la messe. Il avait conservé un ascendant énorme sur ceux qui l'approchaient. Auprès de lui, Erich Sebastian abdiquait tout signe de cyclothymie. Il retrouvait sa fascination d'Ettal, sa fascination des maîtres. Ils revenaient un matin du musée d'Art moderne.

— As-tu des disciples? demanda Erich Sebastian.

— Je crois que je peux te dire oui. À l'université, parmi les étudiants. Il y a aussi quelques jeunes écrivains que j'ai mis sur la voie de l'écriture...

— Les disciples ne m'ont jamais intéressé, répliqua Erich Sebastian avec un rien de tristesse. Je resterai toujours le fils de maîtres morts...

Elle voulut revoir Linderhof. Il avait neigé. Ils firent une courte promenade jusqu'à la grotte de Lohengrin, un soleil bas et rouge flambait sur cette livrée de cygne. Hélène était pliée par la douleur, par une nuit d'insomnie. Elle avait dans ses reconnaissances qui s'apparentaient à une mise en ordre de ses souvenirs une méticulosité telle qu'elle voulait sans cesse vérifier une impression, une réminiscence. Usant de cette grâce qu'elle n'avait pas perdue, elle se fit ouvrir la chambre royale, elle voulait contempler le lit bleu face aux cascades, aux chutes givrées. Avec sa canne au pommeau d'argent, ses cheveux et son manteau cendrés, elle avait une élégance, une aristocratie qui subjuguaient Erich Sebastian. En quittant la chambre bleue de gel et d'insomnie lunaire, elle embrassa la balustrade.

La promenade se poursuivit à Ettal. Elle alluma une brassée de cierges au pied de la Madone. Erich Sebastian était muet. Il regardait ce marbre qui contenait les cendres d'un ange, la coupole sous laquelle il avait chanté, la chaire d'or où avait retenti la voix de Roman Anton Boos. Il s'assit sur un banc, à l'écart, et il rêva. Les traits de Fabian lui revinrent, tout ce temps traversé, ces villes, ces toiles, ces deuils. On ne quitte jamais ses paradis, ses lieux de révélation. Tout un faisceau de capillarités secrètes nous relie aux êtres, aux villes, aux lieux qu'on pensait avoir quittés avec la brutalité d'une brisure. Le reflet des toitures neigeuses inondait les verrières : Erich Sebastian se revit dans la neige et l'or le soir de la confirmation. Un soir de chrême et de chute. Soudain il crut entendre une voix, comme un glaive lancé sous les coupoles. Seul et perdu, il se pelotonna, il pleura, il pria. Hélène jetait sur les autels et les reposoirs les lambeaux d'un chant.

Ils allèrent jusqu'au petit cimetière. Le collège semblait vide. Ils ne virent personne. Un peu à l'écart, à quelques pas des tombes des moines, il y avait une sépulture plus grande, avec sur la dalle une inscription et un blason. Erich Sebastian dégagea la neige pour mieux lire ce qui était inscrit, une pellicule de givre lissait des armoiries qu'il découvrit comme un palimpseste ou un talisman. Dans la neige de ce 11 janvier 1982 il inventait des gestes — une manière de faire affleurer la licorne, l'armoire secrète, les glands — qui en un autre temps avaient été les siens. La tombe était étroite, modeste. C'était celle de l'ancien archevêque de Munich, celle d'un épervier d'or, d'un prince initié. Le cardinal Korbs était mort le 16 octobre 1979. L'inscription latine indiquait qu'il attendait la résurrection de la chair. Hélène, qui ne se souvenait plus de celui qui les avait accueillis là, frappa un violent coup de canne dans les congères qui encadraient la sépulture.

— La résurrection, la résurrection, je n'ai jamais cru à ces fariboles...

Sur la route de Munich, elle parla de ce mari velléitaire et fou, de ce monstre d'ingratitude et d'égoïsme, tout juste bon — ce furent ses mots — à se faire mettre par ses gens d'écurie. Sa haine était intacte. Jamais elle ne lui pardonnerait. Elle se réjouissait même que son fils n'eût rien de lui, rien de ce désaxé qui l'avait un moment séduite par sa nonchalance, son allure aristocratique, ses discours de jeune halluciné. Elle eut alors une confidence qui transperça Erich Sebastian :

— Tu sais, j'ai aimé des femmes dans ma vie, lui il était faible et veule comme ne le sont jamais les femmes, soumis, peureux, bon à rien... Il n'avait aucune volonté. Je sais qu'il a sombré après mon départ. Sache que je ne regrette rien...

Cette cruauté, cette justesse aussi émurent Erich Sebastian. L'errant qu'il avait été, le nomade qu'il avait voulu être, et ce jusque sur les chemins de Bretagne et d'Irlande, connaissait enfin la vérité de ses ancrages. Il écoutait cette femme au manteau de cendre qui lui distillait des confidences et des aveux, cette femme qui l'appelait la nuit quand la douleur la clouait sur son lit, ravagée, incohérente, clamant des noms de femmes, exigeant un whisky, un amant, comme dans ces instants de panique pure qui préludent à l'entrée en scène. Non plus une mère, une femme, une sœur, une complice terrassée par la souffrance. Il se taisait, il lui prenait la main. Cette nuit-là — dans la journée ils avaient visité l'église des frères Asam et le petit théâtre Cuvilliès —, elle lui demanda de lui confier les noms des hommes qu'il avait désirés. Il parla de Fabian, de Luc de Teffène, de Matthieu Der, du petit Guillaume de la Roque. Il parla surtout d'Adam Van Johansen, de ce cri qu'il poussait lorsqu'il déchirait son corps. Elle était lumineuse soudain, comme enchantée par ces histoires et ces noms d'amour. Et elle lui parla de Marseille comme d'une ville qu'elle avait adorée à cause d'une femme, d'une cantatrice. Il semblait qu'elle n'eût plus de nouvelles de cette femme. Elle dit encore qu'elle voulait être enterrée dans le petit cimetière d'Eygalières, là où elle avait son mas, dans la robe rouge des Passions.

Erich Sebastian quitta la chambre de sa mère affolé. Il erra dans les couloirs. Il écoutait aux portes. Il croyait l'entendre hoqueter et gémir. Encore deux jours et ils seraient à Paris. Il voulait souffler, s'enfermer dans le cabinet noir de Karl parmi les compas et les boussoles. Contempler les veilleurs nus. Il n'avait qu'une peur : qu'elle inventât une nouvelle destination. La gondole calfatée, la tombe du cardinal trinitaire le hantaient.

Le dernier jour, Roman Anton Boos les conduisit à Herrenchiemsee. Des blocs de glace dérivaient sur le lac. Ils étaient seuls dans le bateau. On ne put jamais savoir avec qui Hélène avait visité le dernier château de Louis II, ce Versailles refait à l'identique avec une galerie des glaces plus longue que son modèle. La bâtisse a tout d'un château de théâtre, avec ses stucs, ses faux bureaux de Riesener, ses horloges astronomiques, ses haies de torchères. Les chambres étaient sinistres, mal éclairées : elles libéraient des remugles de palais englouti. Ils eurent un guide pour eux, un guide qui leur récitait la légende d'un roi qui avait rêvé de célébrer le principe qui le constituait dans l'île des hommes, dans un décor de château aquatique. La perspective du canal se perdait dans les brumes. Hélène était blême, tendue, dévastée par le mal. Mais elle vénérait ce roi, et Wagner, et Visconti. Des cygnes gelés s'étaient réfugiés au pied des pontons, parmi les roseaux. Elle était rieuse soudain, malgré le froid. Elle embrassa Roman Anton Boos et dit qu'elle lui ferait parvenir ses enregistrements de Wagner. Le soir, pour le dernier dîner à Munich, elle désira du gibier, des tartes, du vin blanc. Elle goûtait à peine les plats. Elle avoua qu'elle avait passionnément aimé l'Allemagne et sa musique. Et elle parla de cette église de Wies qu'elle n'avait pas souhaité revoir comme tous les lieux où elle avait chanté. Elle était lasse mais elle bravait. Il arrivait de plus en plus souvent qu'elle passât par des phases de grande exaltation. Elle savait sa vie, sa voix derrière elle, entombée dans une chambre close d'une villa de Rueil-Malmaison. Alors, pour honorer Roman Anton Boos qui les avait si bien reçus, elle commanda un vieux marc de mirabelle. Elle serait là le 6 mai pour le vernissage. Elle voulait fêter les vingt ans de peinture de son fils. Elle n'avait plus qu'un mode d'existence : le défi.

Elle appelait parfois la nuit, de la clinique ou de sa maison. Elle racontait son dernier cauchemar, une tombe qu'on ouvrait, un corps liquéfié. D'être reliée avec celui qu'elle appelait le veilleur du Père-Lachaise l'apaisait. Elle avait perdu une dizaine de kilos. Il y eut une nouvelle opération. Elle crut que la tumeur était expulsée. Véronique, Gaëlle Ausborne se succédaient à son chevet. À Véronique elle parlait surtout de son père, elle se plaignait de son caractère difficile et se lamentait de l'avoir trop souvent délaissé. Avec Gaëlle elle évoquait des histoires de femmes, des complicités, des passions, avant de redire tout le bien qu'elle pensait du livre de Gaëlle. Elle se réjouissait que Gaëlle Ausborne eût fait la carrière de son fils. Elle craignait les mois qui suivraient sa disparition. Il est fragile, disait-elle, sans repères. Il n'a jamais supporté son nom de Berg. Ou, s'il l'a fait, c'est en souvenir du grand-père. Il ne faut pas oublier qu'il est le fils d'un raté, d'un propre à rien. Et elle faisait promettre à Gaëlle Ausborne de veiller sur Erich Sebastian, *cet enfant.*

Début mars elle quitta la clinique. Sphynx et Nil lui manquaient. Elle se brouilla avec Clara Grave qui refusait de lui réserver un hôtel à Lisbonne. Clara Grave avertit aussitôt Erich Sebastian pour qu'il fût clair qu'elle ne cautionnait pas cette aventure. Ce projet était très mystérieux. Hélène ne parlait de rien. Elle restait étendue des heures entières dans une chambre qu'on n'ouvrait plus. Elle ne voulait pas voir le printemps, les jonquilles du jardin, les oiseaux de la tonnelle. Elle vomissait le peu qu'elle mangeait. Le violoncelliste l'avait mise en contact avec un nouveau médecin qui préconisa un autre traitement dont les premiers effets furent étonnants. Elle se releva, s'habilla, se maquilla. Un matin, en grande forme, elle appela Gaëlle Ausborne :

— Dites à Erich Sebastian que nous partons pour Lisbonne la Semaine sainte. Voulez-vous être des nôtres ?

Gaëlle Ausborne prit les réservations. Erich Sebastian, conscient des dangers de l'expédition, ne décolérait pas. On traîna Hélène jusqu'à l'avion comme une vieillarde. Arrivée au Grand Hôtel du Tage, elle s'effondra. Erich Sebastian pensa un instant qu'on devrait la rapatrier, mais elle reprit ses esprits et demanda qu'on ouvrît la fenêtre : de son lit, elle apercevait les eaux jaunes du Tage, les toits de tuiles, les clochers, les quartiers escarpés. Erich Sebastian erra dans la ville cependant que Gaëlle ne quittait pas le chevet d'Hélène. Il visita les venelles mauresques, les églises avec leurs alternances de bois baroques et d'azulejos, les cloîtres garnis d'orangers et de buis neufs, les musées, les antiquaires. Il adorait ces vieux carreaux bleus et écaillés qu'il voulait offrir à sa mère. Il marchait, absent. Il cherchait un acte, un rite qui pussent conjurer son angoisse. Il passa des heures à la Sé, pour les offices du Triduum pascal. Le fait que la liturgie fût suivie à la lettre le combla : lavement des pieds de beaux jeunes gens le jeudi soir, abondance de draps rouges le vendredi autour d'un tabernacle vide, profusion de textes, de flammes, d'encens et d'eau lustrale pour la vigie pascale sous la conduite d'un cardinal austère et anguleux, plus somptueux encore dans sa vêture que les célébrants de Bavière. Ce luxe, ce mystère dans un sanctuaire médiéval si près des eaux du Tage l'enchantèrent. Et le printemps, les effluves, les buis et les orangers, les azulejos, la poussière d'eau des fontaines répandus au pied de la chambre de sa mère qui mourait.

Quand il rentra de l'office de la nuit de Pâques, Hélène ne dormait toujours pas. Gaëlle lui tenait la main. Elle avait goûté un peu de homard qu'elle avait rendu. Erich Sebastian comprit qu'elle appréhendait le retour. Elle se sentait bien là, elle avait des souvenirs dans ces ruelles, ces passages pentus, ces cloîtres, ces placettes toutes proches des entrepôts portuaires, ces églises, ces jardins. Elle passait des heures à contempler en les caressant les azulejos que lui avait rapportés Erich Sebastian.

— Comment c'était...

Erich Sebastian allait lui raconter l'office. Elle le coupa.

— Comment c'était quand tu as dispersé les cendres du maître d'Anvers ?

Elle avait dit cela d'une voix atone. Erich Sebastian et Gaëlle échangèrent un regard. Il ne savait que répondre. Il vint s'asseoir sur le bord du lit. Gaëlle avait eu soin de fermer les fenêtres et les doubles rideaux, et de voiler le miroir de la coiffeuse qui était en face d'elle.

— Tu veux la vérité... Eh bien, je n'ai pas dispersé ces cendres comme j'aurais dû le faire. Je les ai mêlées à la peinture d'un grand portrait du maître que j'ai peint et disposé au centre du pavillon parmi les bronzes...

Hélène resta impassible. Elle respirait avec difficulté. Le lendemain, dimanche de Pâques, Gaëlle et Erich Sebastian décidèrent de la rapatrier de toute urgence. Huit jours plus tard, entourés de Clara Grave, de Julien, d'Ingrid et de Véronique, ils la couchaient pour toujours parmi ses cigales et ses cyprès dans la robe pourpre des Passions.

Il se disait qu'il avait toujours détesté les vernissages. Il détestait ces regards de voyeurs et de juges, tous ces gens acharnés à s'épier, à parader, toutes ces guêpes bruissant dans un piège, et qui ne regardaient jamais les tableaux. À la dernière minute il manqua renoncer, mais pour Roman Anton Boos, pour Gaëlle Ausborne qui avait tant fait pour sa mère, il ne pouvait décommander. Il vint donc, seul, par le train, ni rasé ni peigné, il vint représenter Hélène Berg à ce vernissage. C'était le jeudi 6 mai 1982. Ceux qui l'accueillirent pensèrent qu'il avait mélangé alcool et tranquillisants. Il avait le pas lent, des mots qui tardaient à sortir. Il s'accrocha au bras de sa fille. Dans l'autre main il tenait la canne au pommeau d'argent. Véronique était splendide : ses longs cheveux blonds ruisselaient sur un tailleur noir très cintré à col d'astrakan. Ils allèrent ensemble par les salles du musée. Véronique regarda longuement le *Triptyque d'Anvers*, la série des Rimbaud, les Richelieu, les portraits déformés de Luc de Teffène, de Malraux, de Gregor Issenko, de Gaëlle Ausborne. Le voyage continuait en Irlande, en Bretagne avec les ossuaires de Huel Goat et jusqu'à Delft avec les initiés du pavillon d'automne. On suivait les hantises, les noms, les styles successifs d'Erich Sebastian Berg. Tous les tableaux, quelles que fussent leur

278

époque et leur signature, étaient lourdement encadrés et couverts d'une vitre. Presque à la fin du parcours, les concepteurs de l'exposition avaient construit une sorte de cellule qui tenait du fort de Rügen et de l'atelier de Paris. On y trouvait des photographies des ateliers d'Erich Sebastian — passage de la Folie, la Roque, Dunluce et le presbytère finistérien —, des crayonnages de jeunesse — le Christ jaune d'Ettal et les armoiries du futur cardinal Korbs —, une série de photos très belles montrant Anvers, la cathédrale et le port, les murs placardés d'affiches de l'académie, la tombe de Rimbaud et le bureau du Palais-Royal. Erich Sebastian resta plusieurs minutes dans ce décor, ne disant rien, extrêmement attentif. Véronique ne le quittait pas. Étant donné son état, on avait réduit les discours à leur plus simple expression. Il était prévu qu'Erich Sebastian ne prendrait pas la parole. Il écouta religieusement Roman Anton Boos évoquer de façon tout à fait éblouissante son cheminement et son travail, ses voyages, ses errances, ses désirs, ce qu'il appela le *sacerdoce pictural*. Pour lui, Erich Sebastian Berg était le dernier peintre de la vieille Europe, comme Rembrandt et Van Gogh ses tableaux étaient chaque fois l'acte suprême, une liturgie célébrée au nom d'un ordre éternel, celui des enlumineurs du Nord. Il le présentait comme l'ultime incarnation d'une lignée initiatique et visionnaire, et chaque fois qu'il prononçait «peintre» on aurait pu entendre «prêtre».

Erich Sebastian, tout le temps du discours de Roman Anton Boos, eut les mains nouées sur sa canne au pommeau d'argent. Quand ce fut fini, il s'avança vers le micro :

— Tu as parlé remarquablement de mon travail. Comment pourrais-je vous cacher mon émotion à vous qui avez cru bon de montrer vingt années d'une vie de peintre. Il m'est arrivé de me cacher sous d'autres noms... Tout est là... C'est un peu funèbre, une rétrospective. Je passe par des moments difficiles. Vous aurez réussi si des gens viennent contempler les traces de ce voyage... Contempler... Vous aurez réussi si cela me redonne le goût de peindre... Depuis l'enterrement d'Hélène, il avait perdu le sommeil. Au dîner qui suivit le vernissage, il eut l'attitude d'un automate, ne prononçant que des paroles convenues. Il ne voulait pas revoir Munich. Il prit congé avant la fin et s'éclipsa avec Gaëlle et Véronique.

Cette exposition eut sur lui des répercussions effroyables. Sous prétexte d'inventorier la succession de sa mère, il se terra dans la maison de Rueil. Il ferma les volets, les rideaux. Il campait dans le salon Louis XV. Il était comme Malraux cloîtré au pavillon de la Lanterne après la mort de ses fils. Il était rentré de Munich dépossédé. Il se disait que Roman Anton Boos l'avait embaumé. Véronique, qui préparait l'oral de l'agrégation de lettres modernes, n'était pas joignable. Quand il lui parlait, elle semblait indifférente à sa douleur. Elle révisait Verlaine, les mémoires de Philippe de Commynes, *Le rivage des Syrtes* de Julien Gracq. C'était son unique préoccupation.

Il ne supportait plus la lumière du jour. Sphynx et Nil étaient ses seuls compagnons. Il débrancha le téléphone. Il s'enfonçait dans l'hébétude. Des images le traversaient : Venise, les herbes et les pontons de Torcello, la neige d'Ettal, les orangers de Lisbonne, la robe rouge des Passions. Il alla fouiller dans la chambre noire des enregistrements d'Amsterdam et de Rome qui dataient de 1959. Il les écoutait jusqu'à l'hallucination, seul, en buvant du champagne, du whisky. La nausée le prenait. Il ne mangeait plus. Chaque jour le fleuriste lui livrait une brassée de roses jaunes.

Il congédia la femme de ménage. Il avait en lui une

béance qui le faisait hurler. Un gouffre au bord duquel chantait une femme en robe pourpre. Des heures dans la chambre d'Hélène, il caressait ses objets, ses vêtements, le manteau cendré qu'elle avait porté à Munich, les derniers livres qu'elle avait lus, Pascal, *La reine morte* et *L'abîme* de Patrick Grainville. Écrasé par la nausée et l'ivresse, il tombait dans le lit de sa mère. Il feuilletait, comme s'il se fût agi d'un autre, la vie et l'œuvre d'Erich Sebastian Berg par Gaëlle Ausborne. Hélène avait souligné des passages, des détails qui l'avaient intriguée. Les pages que Gaëlle consacrait à l'initiation d'Anvers étaient constellées de marques. À côté de la photographie de l'atelier du passage de la Folie, elle avait inscrit : *comme moi.* Elle devait faire référence à sa propre propension au désordre. Les lignes du portrait de Hans Berg avaient reçu une appréciation rageuse : *faible.* Quant aux préférences d'Hélène, elles allaient au *Triptyque d'Anvers*, à la série des Richelieu et aux immenses toiles lumineuses du nord du monde qu'il avait peintes sous d'autres noms.

Quelquefois, à la tombée du jour, il sortait dans le jardin. Il regardait la chaise vide sous la tonnelle, il rentrait aussitôt, se servait de nouveaux verres, allumait la télévision. Il se surprit à suivre des matches de la coupe du monde de football, chose que d'ordinaire il détestait. Il avait apporté ses cahiers de *L'atelier portatif*, des carnets d'esquisses : jamais il ne les ouvrit. Il préférait se pelotonner sous les plaids et les fourrures qu'affectionnait Hélène. Chaque fois l'odeur de son parfum le poignardait. Il restait interdit, douloureux, comme sur le bord d'un précipice, il criait ou se prostrait, avec dans le corps une souffrance qui le tordait.

Il était mort une nuit de Pâques à Lisbonne, dans une chambre remplie de roses jaunes et d'azulejos. À Munich, au bras de Véronique, avec à la main la canne au pommeau d'argent, il avait parcouru les dédales de son mausolée. Il se mit dans la tête de retrouver son père, Luc de Teffène, le matelot de Brest pour qui il avait peint la croix de la cellule. Des jalons, des bétyles crevaient la lande de ses hantises : des crânes, des croix. Dans ses moments de répit, il s'installait dans un des fauteuils de cuir du salon Louis XV. Il feuilletait le catalogue de l'exposition de Munich. Les chats noirs venaient se blottir contre lui. Ils étaient vifs, déliés, hauts sur pattes, intercesseurs des vallées sacrées. Erich Sebastian lisait ou feignait de lire en rêvant :

... qu'il nous montre des cardinaux que perce l'aigu d'un crâne, des nefs d'ossements, les citadelles cathares, quelques noms en vue de la galaxie gaulliste, les pas de pierre et les ciels de la Chaussée des Géants, toujours il peint sous l'induction de cette lumière dont il a eu la révélation au fort de l'île de Rügen, dont il a appris la traduction dans les musées et l'académie d'Anvers, cette lumière qu'il a suivie jusqu'au vertige sur les proues du nord de l'Europe... Le feuilleté de la lumière, la magie des icônes et des espaces, les plis d'un nom, traits, hachures, biffures, concrétions de signes, voilà quelques-uns des sites qu'explore cet errant des pas du monde. J'ai connu Erich Sebastian Berg, jeune élève du collège d'Ettal. Déjà il avait une présence qui relevait de l'ailleurs. Il se disait déjà qu'il peignait, qu'il avait dessiné le blason du prieur du collège... Avec lui j'ai participé à des fêtes païennes et solsticiales dans une maison alpestre que décoraient des massacres de cerfs... Je ne sais rien de sa naissance picturale au pied de la cathédrale d'Anvers. Je ne sais pas plus ce qui motive ces travestissements, ces variations du nom. Je m'incline simplement devant celui dont le métier a la puissance du sacerdoce.

Roman Anton Boos,
Munich, février 1982

Il avait sombré dans la villa aux volets clos. Il ne voulait plus sortir de sa prostration. Il était allé très loin au bout de cette voie infernale où l'on mélange alcool et produits antidépresseurs. C'était une ombre, un absent aux yeux hagards, aux grands cernes sombres, aux joues creusées. Pour un rien, il pleurait, il hurlait, il faisait dans ses vêtements. Conseillée par Gaëlle Ausborne, Véronique décida de le placer dans une clinique de Rueil. Des infirmiers vinrent le prendre alors qu'il somnolait sur le divan du salon Louis XV, veillé par les deux chats. Il ne se rendit pas compte qu'on le transportait.

Il avait un teint de cendre, il tremblait. Sa chambre était située au bout d'un long couloir, au rez-de-chaussée, elle donnait sur une pelouse avec des vasques, des statues de femmes. Le psychiatre lui témoignait une attention particulière. Il passait chaque matin au moment de la perfusion, Erich Sebastian était étendu, inerte, indifférent à ce visiteur qui lui parlait de son art.

Véronique, Gaëlle Ausborne venaient souvent. Chaque fois elles le promenaient dans le parc, cassé, lugubre, l'instant de la séparation était toujours une déchirure, la cloche qui signalait la fin des visites sonnait, Erich Sebastian se cramponnait aux mains de Gaëlle et de Véronique, muet, les yeux dilatés, le corps secoué de convulsions. Les deux femmes partaient en pleurant. Dans ces années 1983, 1984, 1985, elles prirent souvent la direction de la clinique du docteur Pialoux qui était devenue la résidence d'Erich Sebastian.

Il semblait parfois, comme au printemps de 1984, que son état s'améliorât. Gaëlle l'emmena dans sa maison de la Hague, elle lui offrit du homard et des huîtres, ils firent quelques promenades sur la côte, mais Erich Sebastian était vite épuisé. Il ne se détachait pas du souvenir de sa mère et il racontait à l'infini les voyages à Venise, à Munich, à Lisbonne. Véronique le reçut à la Roque. Il s'installait derrière une des hautes fenêtres du salon chinois et regardait sa fille occupée à dresser un jeune étalon. Lorsqu'elle disparaissait sur sa monture, il restait pétrifié, saisi par la froidure humide du salon chinois, raide et crayeux parmi les fauteuils blancs, les porcelaines, les chiens de Fo-Hi. La cavalière avait disparu, comme les visiteurs derrière les grilles de la clinique, ces images de départ, de reflux le torturaient, le faisaient trembler ou gémir de nouveau jusqu'à ce que gavé de somnifères il sombrât.

Ses conversations charriaient un intarissable réseau d'obsessions macabres, des heures il parlait du cadavre de sa grand-mère Marthe étendu dans le vestibule de la Roque, il montrait l'endroit où le corps avait été exposé pour les fermiers et les gens du village et il s'asseyait dans les stalles qui décoraient le vestibule, livide, comme en prière. Un soir d'octobre 1984, il disparut. Véronique alerta aussitôt la gendarmerie. Elle n'avait qu'une peur : qu'il eût mis fin à ses jours en se précipitant dans l'étang ou les douves. Le château, ses abords, la chapelle, le parc, tout fut ratissé. Affolée, Véronique avait appelé sa mère, Gaëlle Ausborne. Elle était seule, perdue dans le grand château, et elle se sentait coupable d'avoir manqué de vigilance. Gaëlle Ausborne arriva vers minuit. Les recherches se poursuivaient.

Des hommes-grenouilles avaient fouillé les douves et l'étang.

— Il s'est noyé, il s'est noyé, répétait Véronique.

Dans le parc on voyait passer des hommes avec des lampes torches. Ingrid, Véronique et Gaëlle se tenaient auprès du feu dans le salon chinois, elles offraient du café, du vin chaud aux enquêteurs. Vers trois heures, le capitaine vint annoncer à Véronique qu'on arrêtait temporairement les recherches. On était au paroxysme de l'angoisse. Seule Gaëlle n'avait pas perdu confiance. Elle disait qu'elle le connaissait bien, qu'il n'était pas suicidaire.

Le lendemain vers huit heures, la gendarmerie appela pour dire qu'un fermier venait de trouver dans sa grange, à une quinzaine de kilomètres environ de la Roque, un homme en imperméable sombre qui correspondait point par point au signalement d'Erich Sebastian Berg. L'homme se disait en route pour Anvers... Dans le salon chinois ce fut un soulagement vite terni par la douleur : Gaëlle, l'amie, la confidente, celle qui depuis son arrivée à Paris avait encouragé et protégé Erich Sebastian, se prononçait pour l'internement définitif.

*

Il resta à la clinique de Rueil jusqu'au printemps de 1985. Dans l'hiver, insensiblement, il s'était mis à dessiner, des signes, des paraphes à l'encre de Chine, les concrétions de son dédale. Des yeux, des bouches, des corps écartelés, des clous, des linceuls remplis de lettres. Gaëlle et Véronique ne l'avaient pas abandonné. Il passait des heures à regarder barboter les canards du bassin de la clinique. Il se plaignait de toujours avoir froid. Au docteur Pialoux il avait confié qu'il croyait tout connaître de ses obsessions et de ses gouffres et qu'en conséquence jamais plus il ne peindrait. La mort de sa mère avait à jamais tué sa faculté créatrice. Les dessins qu'il faisait à longueur de journée n'étaient pour lui que des amusements. Pour peindre, il faudrait une secousse, comme un réveil.

Le psychiatre avait recommandé qu'on évitât la villa de sa mère, le château de la Roque. Un jour il souhaita revoir son atelier. Le tableau avec les lutteurs noirs était toujours là, inachevé. Il frémit. Il dit avec une précision hallucinante qu'il n'avait pas peint depuis le 13 octobre 1981. Il voulut revoir les tombes du Père-Lachaise, il allait sur les passages pavés d'une démarche hésitante, il était comme un enfant à qui on apprendrait à marcher. Il se souvenait d'une stèle, d'un caveau orné d'anges, de chapelles qui lui plaisaient. Il était Orphée quêtant dans les plis de sa folie la présence de la déesse Peinture.

Il ne voulait plus habiter chez lui. Les séjours à la clinique semblaient moins nécessaires. Il s'installa chez Gaëlle Ausborne. Il avait pris goût à la claustration. Dans la petite chambre blanche que lui avait donnée Gaëlle, il lisait pendant des heures la Bible, les Psaumes, le Livre de la Sagesse, les différents récits de la mort et de la résurrection du Christ. Sur le mur, d'un geste, il avait tracé une croix superbe. Il contemplait cette croix. Il lisait et méditait l'agonie du Verbe.

Un soir, Gaëlle le trouva lumineux et serein. Toute la journée il avait fouillé sa bibliothèque, consulté des ouvrages sur la statuaire romane. Il se jeta dans ses bras. Il exultait :

— J'ai envie de sculpter, de dessiner des autels, des Vierges, des calices... Je crois que je vais mieux... J'ai fait un rêve la nuit dernière : j'étais prêtre, je portais une hostie géante dans une cathédrale, une hostie qui était comme un soleil qui m'aveuglait...

— Dessine, sculpte, n'hésite pas... L'art religieux se meurt, personne ne s'y intéresse... Vas-y...

Elle l'admira. Il était encore amaigri mais il revivait. Il

voulait dessiner, sculpter, peindre. Gaëlle, au terme de ces mois de gouffre, avait aussi l'impression de revivre.

— Qu'a-t-on fait de la villa de Rueil ? demanda-t-il soudain. J'ai le souvenir d'une maison remplie d'odeurs délétères, de chats qui me dévisageaient...

— La maison t'appartient. On ne pouvait rien décider pendant ta maladie. On l'a nettoyée, aérée...

Il regardait par la fenêtre, songeur.

— Je ne sais que décider. Je veux vivre. Je veux couper mes liens avec tout ce qui m'a fait plonger. Mais si je vends cette maison, il faut aussi que je me débarrasse du pavillon de Delft et du fort de Rügen...

Une fois de plus Gaëlle se montra rassurante. Elle couvait des yeux son Orphée, Erich Sebastian, celui qu'Hélène Berg appelait *cet enfant*. Elle était disposée à tout mettre en œuvre pour qu'il puisse tenter son expérience religieuse. Elle appellerait les relations qu'elle avait à Solesmes, à Sénanque et au Bec-Hellouin. Elle était décidée à tout faire pour l'arracher au magnétisme de la folie et de la mort. Elle aussi avait considérablement vieilli depuis la disparition d'Hélène Berg. Peut-être commençait-il une nouvelle vie. Fallait-il pour autant qu'il se séparât des trois reliquaires qui jalonnaient sa route, le fort des Berg, le pavillon d'automne, la villa de Rueil ? Chacun contenait une icône, un objet précieux : la galerie familiale, le tableau cinéraire, les traces sonores de l'œuvre d'Hélène. Elle n'eut pas à répondre.

— Tu sais, dit Erich Sebastian, pendant tous ces mois d'absence, j'ai vécu chaque jour des sortes de rituels où mes morts me parlaient...

CRUCIFIXUS

« Eli, Eli, lema sabaqthani »...
« Mon Dieu, mon Dieu, pourquoi m'as-tu abandonné ? »

MATTHIEU, 27, 46

Atelier portatif : Sénanque, Marseille, Saint-Malo.
J'ai conçu dans l'urgence le mobilier liturgique et l'or-
fèvrerie de l'abbaye de Sénanque. J'ai plongé dans la vallée crayeuse, comme au fond d'un gouffre de foi. Les
moines allaient se réinstaller là après des siècles d'absence.
Ces lieux étaient pour moi seul. Des ouvriers s'affairaient
à restaurer des salles. Nous échangions quelques mots. La
solitude ne me pesait plus. J'aurais pu dessiner l'autel, l'ambon, le haut siège du prieur à Paris. Mais je voulais m'im-
prégner de la géométrie musicale de ces lieux : marcher
dans le cloître, arpenter la salle capitulaire, écouter le vent
hivernal râper les falaises et les éperons calcaires qui sur-
plombent l'abbaye, faire monter en moi le souvenir et la
rumeur des voix de ceux qui avaient veillé là.
Le futur prieur, un moine d'Aiguebelle, venait souvent
me voir. Il s'installait dans ma cellule blanche, sommaire-
ment meublée. Les murs étaient couverts d'esquisses. Mes
croix avaient l'épaisseur trapue des vieilles croix d'Irlande.
Le calice que j'avais imaginé ressemblait à une lourde
coupe incrustée de pierres, comme on en voit au trésor du
musée de Dublin. La patène avait l'envergure d'un plat. Le
prieur se montra surpris, et heureux. Gaëlle Ausborne avait
dû lui montrer les ossuaires et les croix de Huel Goat. Elle

avait aussi préfacé et publié les dessins de la folie en les attribuant à un certain Adam Orber. Le prieur semblait bien connaître mon travail. Il n'eut qu'une exigence : que la conception de l'autel s'articulât autour du nombre 8. Il voulait par là rappeler la coupole de la nef à huit pans inégaux. Cette coupole, je l'avais contemplée des heures. Mais j'aimais qu'il m'en expliquât l'origine et la symbolique. « C'est un emprunt, disait-il, à l'abbaye mère de Sénanque, Mazan, mais Mazan l'avait déjà empruntée aux églises romanes du Vivarais. » Et il décrivait les quatre trompes qui la soutiennent, les quatre arceaux à six lobes représentant les quatre vivants aux yeux innombrables et aux six ailes qui jour et nuit clament devant le Trône : « Saint, Saint, Saint, le Seigneur, le Dieu tout-puissant, celui qui est, qui était et qui vient, le Maître de tout ! » Il continuait à déchiffrer cette vision apocalyptique, et, pour lui, les quatre piliers cannelés qui apparaissent sous les trompes découvraient les quatre pieds du Siège céleste. L'octogone condensait tout le mystère pascal. Et j'étais ébloui lorsque celui qui aurait à veiller sur ces lieux restaurés se mettait à jouer avec les nombres. La fonction de mon autel à huit colonnes serait de marquer ce passage vers la lumière, l'immersion dans le mystère de la mort et de la résurrection du Christ dans sa mission de médiateur — homme + Dieu = 5 + 3 — et dans celle de rédempteur — 2 x 4. C'étaient là les mots et les recommandations du prieur. Et c'était un autel bien étrange qu'il me commandait : un *autel baptismal* ! Car tout dans cette architecture à huit pieds devait mener à la jonction de la terre et du ciel, vers le huitième jour, qui était aussi le premier de la Création nouvelle, celui de la Résurrection.

À mon tour, je jouai des perspectives, de la figure de l'octogone. Mon autel aurait la forme d'un baptistère roman. Je le voulais de petite taille, une dalle de calcaire des parois qui dominaient la faille aux lavandes posée sur huit pieds de bronze, huit pieds qui seraient les séraphins de la vision de Jean et les évangélistes. Je fis venir de Dublin un sculpteur talentueux que j'avais rencontré au temps de mes errances nordiques. Il sculptait plutôt les maîtres de la littérature irlandaise, Joyce, Yeats. Il fut séduit par le projet. Je lui montrai aussi les esquisses des sièges liturgiques que j'avais envisagés : l'une pour l'enfeu du chœur, l'autre pour la salle capitulaire. De hautes chaises d'un bronze bien vert avec ce qui était à mes yeux les symboles fondamentaux de toute l'aventure chrétienne : l'Alpha, l'Oméga, les poissons des catacombes, le Serpent, la Lance sanglante et la Coupe.

La nuit, quand je ne dessinais plus, je priais. Ou je veillais. Ou je lisais : des psaumes, les récits de la Passion, des poèmes de Reverdy, son *Gant de crin* que j'avais déjà beaucoup lu dans ma chambre blanche du boulevard du Montparnasse. Le vent s'engouffrait dans les couloirs et les salles vides. Je ne songeais plus au mobilier qui serait fondu à Marseille. Je songeais à un corps étendu sous d'autres lavandes, non loin de là, dans la robe rouge des Passions. Un corps qui avait pourri.

Les ouvriers ne dormaient pas à l'abbaye. J'étais seul. J'allumais une torche — une de ces torches de papier gras qui crépite et qui fume — et j'allais marcher dans le cloître. Les chapiteaux brillaient à la lueur de la lune. Des heures, je marchais sur le pavage inégal, toujours attiré par le paradis central avec ses buis, le Jardin de l'Époux, la matérialisation de la Jérusalem céleste. J'étais citoyen du ciel. Oubliés la folie, la tombe de ma mère sous d'autres lavandes, l'enfermement et la déréliction de Rueil. Déjà je me précipitais dans la salle capitulaire : je m'asseyais sur le sol, là même où serait placée la cathèdre du prieur. J'avais toutes les clés, je me précipitais dans l'église. Une nuit de très longue et très vive insomnie, j'inventai deux nouveaux objets : un candélabre et un crucifix, gigantesque, torturé.

J'étais tombé amoureux de l'abbaye aux pierres blanches, encavée dans sa faille. L'abbaye avec sa vêture de lavandes, si mauves à l'automne. L'abbaye sinistre lorsque le mistral descendait dans la vallée, le vent du Maître, le vent de l'Esprit prêt à réveiller les morts.

*

Comme toujours elle revenait dans ma vie. Hirsute, mal habillée, hagarde, telle que je l'avais peinte dans les années soixante-dix. Elle arriva un soir que je ne l'attendais pas. Gillespie, le sculpteur irlandais, venait de poser l'autel et les deux cathèdres. Elle arrivait comme elle était arrivée un soir avec Malraux passage de la Folie. Elle riait. Elle jubilait. Pour sa cathédrale de Saint-Malo, l'archevêque de Rennes me commandait du mobilier. Et Gaëlle m'annonçait pour le printemps 1987 une nouvelle exposition à la Vieille-Charité à Marseille. Elle se coucha sur mon modeste lit de pin. Elle avait apporté du whisky. Et du cognac. Depuis la mort de ma mère, depuis que j'étais sorti de la folie, je ne m'étais jamais senti si proche d'elle. Nous bûmes. Elle savait ce qu'elle voulait montrer à la Vieille-Charité et je m'en remettais à elle. Les *Richelieu* toujours, les portraits de Malraux et de De Gaulle, son portrait à elle sur les pavés mouvants du passage de la Folie, quelques paysages d'Irlande, quelques ossuaires. J'appris alors qu'elle avait vendu la totalité de mes dessins de Rueil dans une galerie de la rue de Seine. Elle voulait concurrencer Pierre Girard. Elle s'excusa : elle avait besoin d'argent. Elle avait vendu les œuvres d'un jeune suicidé, Adam Orber. Je lui pardonnai tout. C'est cette nuit-là aussi que j'appris que Pierre Girard était atteint d'un mal inexorable.

Je l'emmenai dans le cloître. Il faisait une nuit claire et glaciale de janvier. Les pierres criaient dans le gel. Pas de vent. Un ciel griffé d'étoiles, des buis bleus dans le givre, et ces chapiteaux, ces dallages, ces colonnes. Gillespie avait installé les huit pieds de bronze de l'autel, les Vivants et les Témoins. Gaëlle caressait les courbes, les volutes. Sans sa pierre, l'autel ressemblait à une vasque.

Gaëlle Ausborne avait passé une partie de son enfance à Marseille. Je me souvenais aussi que ma mère avait aimé éperdument cette ville. Elle me montra la Vieille-Charité, ses balcons, ses chambres, sa nef rose. L'endroit me ravit. Elle me fit parcourir le trajet que feraient ceux qui viendraient regarder les toiles d'Autessier, de Huel Goat, d'Adam Orber, et aussi d'Erich Sebastian Berg. Gaëlle voulait sacraliser le parcours en plaçant par exemple un *Richelieu* ou un ossuaire dans une cellule. Dans l'église qui se dressait au milieu de la cour, elle disposerait les toiles démentes de la Chaussée des Géants. Et les châteaux cathares qu'elle adorait. Ce qui me plut, ce furent ces passages que devraient effectuer les visiteurs sur le gravier de la cour centrale, entre les différents foyers de l'exposition. Entre mes différents noms.

Gaëlle connaissait tout de Marseille. Elle m'emmena sur des belvédères d'où l'on pouvait contempler la ville, serrée entre les collines et la mer. La mer avait un bleu d'ardoise. Avec elle aussi, je montai jusqu'à Notre-Dame-de-la-Garde. Le site, ses abords pelés, les ex-voto me séduisirent. Je pensais à ma mère, je pensais à Rimbaud, tandis que Gaëlle me parlait de l'origine isiaque de ce culte. J'étais bien sous la terre, dans ce pic, dans l'intimité des cierges et des offrandes. En entrant dans la chapelle souterraine, Gaëlle s'était signée, mais de façon étrange : on eût dit un signe de croix inversé. J'étais bien et peut-être mieux encore que dans le vide absolu de Sénanque. Je priais la Madone chthonienne, celle qui avait paradoxalement reçu la charge de veiller sur les marins, les matelots, tous ceux qui vont sur les mers. Je priais la Madone et je croyais voir le moignon de Rimbaud.

Gaëlle me réservait une autre surprise. C'était le début de février. Depuis le début de l'après-midi, elle piaffait. Vers dix-huit heures, nous prîmes la direction de Saint-Victor, nous descendîmes aussitôt dans la crypte. C'était la messe de la Chandeleur. Je découvris une chapelle terreuse, avec des coulures de salpêtre sur les murailles, des enfeux vides, des sarcophages, comme des barques de pierre, des voûtes, des piliers gravés. Gaëlle me montra une représentation de l'arbre et du serpent avec une curieuse tête de Moïse. L'office commençait. Je ne reconnaissais rien à cette messe. On nous distribua des cierges de cire verte. L'autel était décoré de rameaux d'amandiers en fleur. Le célébrant portait une chasuble d'or. Soudain, un jeune homme blond aux longs cheveux s'avança et se mit à ramasser nos cierges allumés. Il les collectait méthodiquement, mais avec beaucoup de grâce. Il était vêtu d'une aube blanche. Je le dévorais des yeux. Il fallut que Gaëlle m'avertisse d'un coup de coude pour que j'aperçoive la statue de la Vierge noire que l'on venait de déposer devant l'autel. Je n'avais d'yeux que pour le jeune blond. Quand il fut devant la Vierge noire, les bras remplis d'une forêt de cierges, il se déchaussa avant de pénétrer dans l'espace du chœur. Ses longs pieds fins étaient du vert de la cire. Il s'inclina devant la statue puis jeta les bougies dans une vasque qu'on avait apportée. Des flammes surgirent aussitôt et léchèrent la statue. Le célébrant s'était approché pour bénir le brasier. J'étais fasciné : le jeune servant aux cheveux blonds et aux pieds de cire, les cierges verts, la Madone chthonienne, la bénédiction du feu dans les catacombes, les sarcophages et les reliques, la rémanence d'une cérémonie ancienne. C'était Ettal. C'était la présentation de Jésus au Temple, l'Évangile le disait bien. Au même instant je songeai à Adam Van Johansen et au tableau de Rembrandt qu'il contemplait dans le pavillon de Delft. Le jeune blond s'était rassis. Je ne voyais plus ses bas verts. Il s'était placé derrière l'autel, distant, méditatif. J'eus beaucoup de peine à suivre le reste de l'office. Je ne me souviens que d'une chose, qui me surprit : les hosties — je communiai — ressemblaient à de petits biscuits en forme de barque.

Le soir, Gaëlle m'entraîna au récital d'une jeune comédienne qu'elle admirait, une femme superbe à la voix envoûtante et profonde, et qui disait des poèmes, des textes d'aède visionnaire, d'initiée du Nord et des vallées du Nil. Je ne me débarrassais plus de l'image du jeune servant de Saint-Victor. J'aurais tout fait pour le retrouver, pour caresser ses bas verts. C'était une visitation aussi ravageuse que le passage de Fabian dans ma vie. Je me réinstallai à Sénanque. Les travaux finissaient. Tout était en place. J'avais un nouveau rite désormais : mes nuits d'insomnie, je me levais et j'allais m'asseoir dans la cathèdre aux lions — celle de l'enfeu du chœur — ou dans la haute chaise aux cerfs — celle que j'avais mise dans la salle capitulaire.

C'était un soir de février. Nous dînions avec Gaëlle chez la veuve du peintre Prassinos, une belle femme élégante et digne. C'était dans les Alpilles, à quelques pas de la tombe de ma mère. Gaëlle avait eu la pudeur de me laisser seul pendant que je désherbais le carré de lavandes. Il n'y avait pas de nom sur la tombe de ma mère. Io Prassinos nous reçut dans sa maison. Nous visitâmes l'atelier, la dernière toile était là, inachevée, pigmentée de noir, non loin d'elle le chapeau souillé de peinture. Moi qui avais toujours travaillé dans la poussière et le désordre, la propreté de l'atelier me surprit. J'avais beaucoup de respect pour la personne et le travail de Prassinos. Je soupçonnai Gaëlle de vouloir racheter les dernières toiles. Elle devait avoir des parts dans cette galerie de la rue de Seine où elle avait vendu les dessins de fou d'Adam Orber.

Quand nous sortîmes de l'atelier, les autres invités étaient arrivés. Un couple avec un adolescent. J'hésitai une fraction de seconde : c'était le servant de Saint-Victor ! Mêmes cheveux blonds, même attitude cérémonieuse. Je crois que j'eus de la peine à dissimuler mon trouble. Gaëlle comprit aussitôt. Io Prassinos décida de montrer l'atelier de son mari aux derniers arrivés. Il s'agissait d'un couple d'architectes de la région de Gordes, Isabelle et Hans Oder. Le père était d'origine allemande. Sa morgue et sa suffisance eurent vite fait de m'agacer. Je me mis à parler avec la mère qui connaissait très bien mon travail. Les Oder possédaient deux de mes toiles... Tout le temps que dura la seconde visite, j'observai l'attitude recueillie et guindée du jeune Egon. Il me regardait quelquefois en esquissant un vague sourire. Io Prassinos se glissait entre les toiles et les chevalets, vestale discrète, diaphane. Au dîner, on me plaça près d'Isabelle Oder. Egon était en face de moi. Je fus volubile comme je le suis rarement. Je parlai surabondamment de Sénanque, de l'exposition de la Vieille-Charité, des travaux futurs de la cathédrale de Saint-Malo. Egon ne perdait pas la moindre de mes paroles. Je l'ignorai ostensiblement. Je ne parlais qu'à Io Prassinos et Isabelle Oder. J'étais sensible à la délicatesse et à la culture de ces femmes. Io Prassinos eut des mots d'une extrême dureté à l'égard de Pierre Girard. Je n'avais pas à interroger l'adolescent : j'avais *reconnu* le servant de Saint-Victor. Quand vint le moment de prendre le café, nous passâmes au salon. Il s'approcha. Je voulus savoir s'il connaissait mes toiles. Il avait une voix très étudiée. Il parla d'un *Richelieu* et de deux corps noirs qui joutaient : les deux Africains de l'atelier de la Folie ! Je le laissai venir. Je compris qu'il était élève de terminale à Marseille. Il avait dix-sept ans. Par moments, ses gestes et ses intonations me rappelaient

Jehan d'Anvers. Jamais je n'évoquai l'office de la Chandeleur. Il venait de lire *La voie royale*. J'achevai de le troubler — mais mon trouble était aussi vif — en lui disant que j'avais bien connu Malraux. Tout en conversant avec Io Prassinos et Gaëlle, le père nous épiait. Je poursuivis l'interrogatoire. C'est ainsi que j'appris que les parents d'Isabelle Oder avaient une maison près de Cancale. Egon adorait y passer quelques semaines en été. J'en restai là. J'étais convaincu que je le reverrais.

Deux semaines plus tard, Gaëlle et moi étions invités à Gordes. J'eus une émotion telle en revoyant ce *Richelieu* et les *Jouteurs* que je demandai aussitôt aux Oder s'ils accepteraient de prêter ces tableaux pour l'exposition de la Vieille-Charité. À son air fermé, je vis que je dérangeais les plans de Gaëlle Ausborne, mais je voulais impérativement ces œuvres que près de vingt ans séparaient. Le *Richelieu* était une huile sur toile de 153 cm x 118 cm. Le rideau du fond était dessiné à grands traits si bien que le cardinal donnait l'impression de surgir de la matière de la toile. C'était la plus grimaçante et la plus déstructurée des figures du cardinal. Je ne l'aurais jamais donnée au Général.

Quand j'eus fini avec les préparatifs de l'exposition — mes expositions m'intéressaient de nouveau —, je me tournai vers Egon. J'eus soin de l'inviter avec ses parents au vernissage de la Vieille-Charité au début du mois de mai. Et en partant, je lui glissai le numéro de mon hôtel à Marseille.

Au retour, Gaëlle me querella. Elle saisit le prétexte des toiles qui bousculaient ses projets, mais je la sentais jalouse. Elle régnait sur mes toiles, sur ma vie. Je me tus. Toute la soirée, j'avais contemplé et désiré les cheveux, les mains, les pieds fins d'Egon. L'expérience mystique de Sénanque m'avait arraché à l'enfer. La perspective de l'exposition de Marseille et mon amour pour Egon me donnaient envie de vivre. À Marseille, je serais libre. Gaëlle multipliait les voyages entre Paris et Marseille. Je traînais seul sur le Vieux Port, au Pharo, sur la Canebière. J'allais allumer des flammes dans l'église souterraine de Notre-Dame l'Isiaque : une pour ma mère, une pour l'exposition à venir, et la dernière pour Egon. Quelques jours avant le vernissage, je reçus un message à mon hôtel. Je rappelai Egon chez sa logeuse qui m'eut l'air d'une vieille *genitrix* inquiète. Je me fis passer pour Gabriel Autessier. Nous convînmes d'un rendez-vous pour le lendemain dans un bistrot non loin du lycée Saint-Charles. Toute la journée j'avais crayonné des esquisses pour Saint-Malo. À Sénanque le prieur m'avait demandé de jouer autour de la figure de l'octogone. À Saint-Malo je reprendrais simplement le motif du tétramorphe, c'est-à-dire des Quatre Vivants des visions d'Ézéchiel et de Jean. Egon arriva soucieux. Il sortait d'une composition. Je lui offris à boire et lui présentai les figurations que j'avais imaginées pour les Quatre Vivants : un homme, un aigle, un lion et un taureau, chacun cramponné sur un livre. Sur ces livres seraient gravées les lettres grecques : I, X, α, ω — le Christ souche et fin de toutes choses. Egon regarda ces projets avec une très vive attention. Puis je l'emmenai à la Vieille-Charité. Gaëlle Ausborne était à Paris. On commençait à déballer les premières toiles. Le grand portrait de Gaëlle défigurée sur les pavés mouvants du Passage venait d'être accroché dans une cellule. Egon s'arrêta longuement devant un *Malraux* halluciné dont je ne me souvenais pas — il s'agissait d'une étude d'après les photographies de Matthieu Der au pavillon de la Lanterne, mais j'avais transposé Malraux dans son bureau du Palais-Royal, témoin la gerbe de glaïeuls qui surgissait derrière lui — et un *De Gaulle errant* sur les grèves d'Irlande. Egon semblait très attiré par cette période. Devant moi, il n'avait aucune préoccupation, aucun goût d'adolescent. Il se taisait. Il disait très peu de choses. Je l'invitai à manger une bouillabaisse sur le Vieux Port. Il affirma un instant qu'il avait du travail et que sa *genitrix* l'attendait. Je voulais le faire boire et parler. Ce n'était pas de Marseille mais de Paris qu'il rêvait. Il se voyait bien évoluer dans le milieu artistique, le monde des galeries. Je lui dis l'horreur que m'avait toujours procurée la fréquentation forcée de ce milieu. Puis je tentai de centrer la conversation sur des choses plus intimes, l'enfance dans la maison de Gordes, la facilité et le luxe, la piscine et les collections de tableaux. Il en parlait sans fierté, mais il fallut quelques verres pour qu'il avouât à quel point il détestait son père. Il le détestait autant que je l'avais haï les deux fois où il m'avait été donné de le rencontrer. Je l'écoutais, les mains dans le homard et les poissons de roche, je le regardais et je savais que tout à l'heure je me faufilerais dans la chambre qu'il occupait dans la maison de la *genitrix*, seulement pour accomplir des gestes qu'il m'était interdit de faire dans un restaurant : caresser ces longs cheveux blonds et ces pieds chaussés de lin vert qui m'avaient tant fasciné le soir de la Chandeleur.

Au vernissage de la Vieille-Charité, il était là avec sa mère. Il était rare que je prenne la parole en de telles circonstances. Je le fis ce soir-là pour lui. Je parlai des dessins d'Adam Orber qui étaient exposés dans une chapelle latérale. Je repris la fiction de Gaëlle Ausborne en racontant le destin foudroyé de ce jeune artiste. J'avais exigé que soient également présentés les projets pour Sénanque. En public, je remerciai Isabelle Oder et son époux qui m'avaient gentiment prêté *Richelieu* et les lutteurs noirs. Egon portait un blazer marine et un pantalon blanc. Au moment du cocktail, je le pris à part pour lui montrer les croix, les calligrammes, les signes chinois d'Adam Orber, l'alphabet et l'escalier de ma folie. Il était trop intelligent pour ne pas croire à la fiction du peintre suicidé. Un dîner réunissait officiels et amis au Petit Nice, sur une terrasse qui dominait la mer. Je bousculai le plan de table en faisant placer près de moi Egon. J'offris du champagne. Je portai un toast *en l'honneur de celui qui arrivait.* Isabelle Oder, qui s'était assise à côté de Gaëlle Ausborne, semblait prendre tout cela avec bonne grâce. J'avais obtenu tout ce que je voulais : Egon s'installerait à Paris dès septembre et il passerait une partie de l'été chez ses grands-parents près de Cancale.

Je ne fis pas halte à Paris. Je pris la direction de Saint-Malo et m'installai à l'hôtel de l'Univers. Je louai deux chambres contiguës de façon à avoir un atelier. Je travaillerais le jour, enfermé dans ma chambre d'hôtel, et la nuit, j'irais marcher sur les remparts face au large. J'avais quitté Marseille brusquement pour éveiller le désir d'Egon. Nos rapports se limitaient à quelques caresses illicites dans la chambre de la *genitrix.* Seul dans cette bogue de granit, je dessinai comme un fou. La cathédrale, dont la forme épouse la déclivité du sol, m'enchantait. J'aimais la grande verrière de Jean Le Moal tendue comme un rideau de feu de la Jérusalem céleste. Je passai des heures et des heures dans ma cathédrale. Je crayonnais sur un banc. Parfois un grain enveloppait la ville, la nef s'obscurcissait. Sur mes animaux emblématiques, je ferais poser une plaque en granit noir d'Afrique qui s'harmoniserait avec le vert du bronze oxydé et l'or du bronze poli.

Je ne sortais que la nuit lorsque la ville se vidait, lorsque le jusant découvrait les chaussées marines qui mènent au Fort national et au Grand-Bé. La nuit venue, quand la marée basse laissait sur ces voies luisantes flaques et laminaires, je marchais à la lumière de la lune, j'adorais sentir derrière moi, au cœur de la forteresse maritime, la masse de la cathédrale, je montais vers le Grand-Bé. Je m'arrêtais sur la tombe de Chateaubriand. Une nuit, dans un bar, un vieux Malouin m'avait raconté que l'écrivain avait été inhumé à la verticale. Cette histoire m'excitait. En revanche, que Sartre eût osé pisser sur cette sépulture me révulsait. De retour à Paris, j'irais avec Egon au cimetière du Montparnasse pisser sur la tombe de Sartre et Beauvoir. Parfois je rêvais de me laisser encercler par le flot. Je songeais aussi au baptistère que je placerais tout au fond du chœur : j'avais repéré une double cuve de granit provenant de l'ancienne église de Paramé. Il me restait à inventer un socle et un couvercle : l'une des cuves recevrait l'eau baptismale tandis que l'autre abriterait les saintes huiles. Pour cet ensemble je ne voulais qu'un vert : celui de la cire de Saint-Victor.

Début juillet, les résultats du bac connus, Egon débarqua à Saint-Malo. Isabelle Oder avait admis qu'il soit mon assistant pour les travaux de la cathédrale. Il acceptait mes rites et mes caresses sans vraiment voir la réalité du sentiment qui les animait. Il avait loué un vélo. Dès dix heures chaque matin, il arrivait à l'Univers. Il m'attendait au bar ou dans la chambre qui me servait d'atelier. Le début d'été était torride. Nous nous réfugions à la cathédrale. Nous ne perdions rien des travaux de réaménagement du chœur. En particulier, nous assistâmes au dépôt d'un amoncellement d'ossements épars — qui avaient été trouvés pendant les fouilles — dans une fosse au milieu du chœur. En référence au maître-autel que je préparais, l'archiprêtre avait tenu à ce que fût gravée cette citation d'Ézéchiel : « *Esprit, viens des quatre points cardinaux, souffle sur ces morts et ils vivront.* » La cérémonie d'enfouissement eut lieu de nuit, à l'abri des regards des touristes. J'eus l'impression de revivre l'enterrement de Christoph à Ettal.

Car Ettal m'occupait beaucoup. Ettal et Anvers. Egon ne cessait de m'interroger sur ces périodes de ma vie. Sa mère lui avait offert le livre de Gaëlle Ausborne. Ce qui me séduisait en lui, outre sa grâce et son corps, c'était sa connaissance de mes toiles. Il récitait les périodes, les dates. Il était capable de décliner dans l'ordre la série des études sur Richelieu. Un soir, dans ce bar aux mille bières que nous affectionnions — L'Aviso, je crois —, il m'annonça son intention de commencer des études d'histoire de l'art pour pouvoir un jour me consacrer son mémoire.

Le temps se détraqua. La pluie et la brume s'abattirent sur Saint-Malo. Je ne pensais qu'au chandelier pascal et à l'ambon qui me restaient à concevoir. Je rêvais d'une tige royale jaillie des eaux de la mer Rouge et d'une chaire avec des inscriptions de vagues et d'ondes. Au sortir de la cathédrale, dans une boutique d'articles marins, un après-midi, j'avisai un ciré jaune. C'était le frère de celui que j'avais porté à Anvers. Je l'offris aussitôt à Egon.

Les grands-parents possédaient une malouinière sur la route de Cancale. Ils m'invitèrent un soir pluvieux. Avec Egon, nous avions parcouru les landes et les chemins côtiers. Nous avions les yeux remplis de toutes les nuances du large. Tout l'après-midi, au bord de la mer des partances et des naufrages, j'avais marché et couru avec mon double. Ses cheveux mouillés ruisselaient sur le ciré jaune. Un soupçon de barbe révélait l'appartenance de mon androgyne au continent mâle. Longuement je l'observai, profil perdu sur les vagues, et je devinai les triptyques qui occuperaient mon automne. Comme jadis à Anvers, j'avais subtilisé un crâne dans les fouilles de la cathédrale. Le prieur de Sénanque m'avait promis le double du calice que j'avais dessiné pour l'abbaye. Quant à l'épée de Jehan d'Anvers, elle devait être quelque part sous les amoncellements et les détritus de mon atelier de Paris. Le crâne, le Graal, l'épée : je demanderais à Egon de poser avec ces talismans.

Nous arrivâmes chez les grands-parents ruisselants et

fourbus. La pluie, l'air iodé, le désir et les projets m'avaient excité. Je devais avoir l'air d'un fou. Le grand-père, un vieillard digne et racé, me reçut avec une infinie gentillesse. C'était un officier de marine en retraite. Je demandai à voir son cabinet, sa collection d'astrolabes et de sphères armillaires, de lunettes et de sabres. Il avait confectionné une remarquable collection de maquettes. Il servait le whisky plus que généreusement. Des notables avaient été invités. On fêtait Erich Sebastian Berg, le peintre et l'auteur du futur mobilier de la cathédrale. Je déclarai tout de go qu'on ne fêterait qu'Egon, son bac, ses projets. Les années de navigation et de songerie dans la bibliothèque marine avaient fait du grand-père un éternel rêveur. La grand-mère, elle, sèche et noueuse, était d'une lucidité totale. Elle fut à mon égard d'une correction froide, sans effusion. Elle me parlait à peine. Je garde le souvenir d'une maison magnifique, avec des tapis du XVIIIe, des consoles, des marines, des vases de Sèvres, des mappemondes, des cristaux. Au dîner on n'entendit que moi. L'alcool aidant, je me lançai dans des développements sans fin sur le mobilier religieux, Sénanque, mon hiver dans la faille aux lavandes, les deux cathèdres, le Graal irlandais, et ce que je préparais pour Saint-Malo : l'autel des évangélistes avec sa pierre d'Afrique, la double cuve baptismale, l'ambon aux ondes et le siège de présidence. Une femme qui avait été antiquaire me félicita pour l'élégance de mon assistant. Je ne relevai pas. Egon avait trop bu. Ou trop marché le long des grèves. Il était muet. Je ne refusai jamais un verre.

À un moment je décrochai. Je continuai de converser comme un automate. Au café surtout, lorsqu'il nous fut servi un très vieux calvados. Je regardais Egon qui s'était alangui auprès du feu, les pieds sur un fauteuil de cuir craquelé. Ses chaussettes vert d'eau me rappelaient ses bas liturgiques de Saint-Victor. Je contemplais Egon à demi endormi et je bavardais toujours. Ou plutôt un autre parlait en moi. Car Erich Sebastian Berg s'était tu, concentré dans le guet de celui qui désire. C'était un autre qui répondait aux questions, évoquait Malraux, les royaumes du Nord, le travail et les expositions à venir. Tandis qu'Erich Sebastian Berg regardait les cheveux emmêlés, les mains et les pieds de l'androgyne qui l'avait définitivement arraché au deuil et à la folie, un autre jactait, racontait la carrière d'Hélène Berg. C'est alors que le vieil officier alla chercher un enregistrement de la *Passion selon saint Matthieu* — enregistrement du début des années cinquante — où Hélène tenait le rôle de la première servante et de la femme de Pilate. L'autre en moi était d'une infatigable volubilité. Ce n'était pas le silencieux Huel Goat. Ce n'était pas le sombre Adam Orber. Près des vagues bretonnes, quelque chose comme un esprit d'Anvers.

On ne saura jamais rien des conditions exactes de la mort de Véronique Berg le 15 mai 1988. La jeune agrégée de lettres occupait un poste de professeur dans un lycée de Caen, ce qui lui permettait de passer la plupart de son temps libre à la Roque. Là elle se consacrait à sa véritable passion après les lettres : l'équitation. Elle élevait des chevaux. Elle gagnait des concours. Son corps fut trouvé par des fermiers dans une carrière. Elle avait fait une chute d'une soixantaine de mètres. Elle avait été tuée sur le coup. C'était l'errance de son cheval bien connu des fermiers qui avait attiré l'attention. La jument n'avait que de légères blessures. Et elle avait elle-même mené les enquêteurs sur les lieux du drame.

Les gendarmes privilégièrent la thèse du suicide. Véronique avait rompu quelques semaines plus tôt avec son ami, un jeune professeur de lettres qu'elle avait connu à la Sorbonne. Mais Véronique n'était pas suicidaire. Rien dans le journal qu'elle tenait n'annonçait pareille résolution. La veille de l'accident, elle avait reçu quelques amis à la Roque. Elle avait parlé de son père, des projets de voyage qu'elle avait avec lui. Il lui avait promis une croisière sur le Nil. Elle voulait contempler avec lui ce bleu des hypogées royaux dont il parlait sans cesse.

Ce fut Ingrid qui appela Erich Sebastian. Il peignait dans son atelier de la Folie. Il courut jusqu'au boulevard de Ménilmontant, sauta dans un taxi. Deux heures plus tard, il était à la Roque, hurlant, halluciné. Il courait en tous sens. Le corps de Véronique était toujours à l'hôpital de Caen. Il était perdu, fou, et totalement méthodique. Il exigea que fût préparée l'antichambre où jadis avait été étendue la dépouille de sa grand-mère Marthe. Il gesticulait. Il criait. Il fit voiler les miroirs, dégager les vases, les consoles. Il arpentait les salons, hagard, désordonné. Guillaume, qu'il avait naguère follement aimé, était le régisseur. Erich Sebastian lui demanda de le conduire à la carrière. C'était une excavation de pierre blanche au milieu d'une sapinaie. Il crut deviner sur la roche des traces de sang. Il trépignait. Il pleurait. Guillaume le ramena à la Roque.

Ingrid arrivait. Il eut l'impression d'apercevoir une vieillarde avec des cheveux blancs ramassés en chignon. Ils tombèrent dans les bras l'un de l'autre. C'était leur première véritable étreinte depuis qu'ils avaient conçu leur fille. Ingrid faisait montre d'un magnifique sang-froid. Elle parvenait à dissimuler son chagrin. Elle vérifia qu'on avait bien descendu le lit d'enfant de Véronique. C'était une sorte de long berceau rose parsemé de motifs floraux. Et elle appela l'épouse du régisseur pour lui demander des fleurs des champs, des aubépines, des roses sauvages, des genêts. Elle voulait tresser des couronnes, des guirlandes. Elle voulait recouvrir la jeune morte d'un manteau de fleurs des champs. Elle expliquait avec une sérénité intacte que c'était ce que l'on avait fait pour sa jeune sœur. Et elle appela Piet pour qu'il vînt réciter des prières. De son côté, Erich Sebastian avait demandé à Guillaume de prévenir le prieur de Sénanque et l'archiprêtre de Saint-Malo.

L'autopsie durait. L'hôpital informa la famille que le corps ne serait disponible que le mercredi 18 mai. Erich Sebastian écumait. Il voulut prendre le téléphone pour insulter le médecin légiste. Il hurlait que sa fille ne s'était pas suicidée, que ce corps lui appartenait, qu'il le voulait sans attendre. Il pria Guillaume de le conduire à Caen. Le régisseur tremblait. Il redoutait un scandale. Erich Sebastian demanda qu'on l'arrête au pied du château et il entra dans une boutique de couleurs. Il sortit avec une provision énorme. Sur la route du retour, il avait retrouvé une légèreté étonnante. Et il rappelait à un Guillaume rougissant leurs jeux érotiques d'antan. Il s'enferma dans la chapelle. Il avait simplement demandé qu'on lui portât de la viande froide, des litres de café brûlant et du très vieux calvados.

Sur le mur brut, parsemé de coulures et de cloques, il se mit à peindre. Il était juché sur l'autel. Il jeta les contours de ce qui serait un triptyque avec un fond rouge sang. Sur le volet gauche, une cavalière, juste filigranée, courait sur une ligne de sable sombre. Une passagère de l'ailleurs et du deuil. Elle chevauchait comme prisonnière d'un cube ou d'une cage de verre. Le vieux marc, le café et la viande étaient posés à même l'autel. Erich Sebastian peignait avec frénésie. Les fonds étaient à peine ensanglantés qu'il lançait sur la muraille la poussière crayeuse du chœur et des lambeaux de fleurs séchées. Pour la partie de droite, il représenta les parois blanches de la carrière : on devinait les rainures et les failles de la pierre avec au pied de la paroi un pavot de sang frais. Sur la muraille de la carrière, il dessina comme une galerie de portraits, des visages sombres, torturés et l'on croyait reconnaître l'amiral Berg, Hélène, Ingrid, Piet, Adam Van Johansen, lui-même, Egon et le prieur de Sénanque.

Il mangeait un peu. Il buvait une rasade de calvados. Il avait rarement peint la nuit. Il attendait généralement le lever du jour pour commencer à travailler. Mais cette nuit-là, il peignait sous l'emprise d'une force qui le dépassait. Il peignait la mort de Véronique. Alors, au centre, il traça un gigantesque linge avec des plis et des lettres, un linge-texte qui enveloppait un corps gonflé, proliférant, et qui suintait. Il dépensa une énergie insoupçonnable sur cette carcasse centrale. C'était la rage qui le faisait peindre. Il vomissait Dieu, sa loi, ses anges. La mort de sa Véronique, c'était un gouffre dans l'ordre du monde. C'était cette béance, ce cratère ardent qu'il voulait restituer. La tombe de sa douleur. Le suaire sans Christ, le sacrifice de sa déesse.

Il sortit le lendemain à midi. La jeune morte dormait sous sa vêture naturelle. Des roses, des brassées d'aubépines, des genêts, et un tombereau d'orchidées qu'avait offert Gaëlle Ausborne. Ils étaient tous là dans le salon de la Roque, tous devant le corps couché de l'arrière-petite-fille de Marthe, Gaëlle, Pierre Girard, le docteur Pialoux, le curé de Saint-Malo, le prieur de Sénanque. Ils avaient embrassé la joue glacée de la jeune morte. Quand il entra dans le salon, ivre, épuisé par sa nuit de peinture, Erich Sebastian se jeta sur le lit de Véronique. Il arracha le drap, les fleurs, il hurlait, il voulait relever le corps de la cavalière.

Ingrid et Guillaume s'interposèrent. Le docteur Pialoux aussi. Il l'emmena le long des douves de la Roque, puis dans la campagne pour humer les fleurs. Pendant ce temps, Gaëlle et Ingrid avaient fait transporter la dépouille de Véronique au pied du triptyque sanglant de la chapelle.

Le vendredi 20 mai, l'archiprêtre et le prieur concélébrèrent la messe. Le prieur avait apporté le grand calice irlandais de Sénanque. Erich Sebastian eut la force de lire la page finale du *Rivage des Syrtes* que Véronique plaçait plus haut que tout. Tassée auprès de Piet, Ingrid était plus vieille que jamais. On n'avait pas encore fermé le cercueil. Véronique semblait sourire sous le triptyque de son père. Entre les aubépines et les orchidées, elle avait la grâce d'une adolescente préraphaélite. Puis la jument préférée emmena le charroi funèbre. Le soleil exultait. Ingrid avait demandé au régisseur de parsemer de pétales le chemin qu'emprunterait la procession. On monterait jusqu'au petit cimetière où étaient enterrés les grands-parents d'Erich Sebastian. Le convoi passait en silence à travers champs. Des vaches affolées fuyaient.

Le cercueil fut cloué sur le gravier blanc du cimetière. Ingrid s'effondra. Erich Sebastian, caché derrière d'épaisses lunettes, s'était blotti dans les bras de Gaëlle. Dans un mélange de simplicité et de solennité, le prieur de Sénanque récita un très lent *Notre Père*.

Au retour, une collation fut servie au château. Erich Sebastian avait décidé de ne pas s'attarder. Gaëlle Ausborne et le docteur Pialoux proposèrent de le raccompagner à Paris. Il déclina. Il préférait demander à Guillaume de le conduire. Tout le temps que dura le trajet, il ne dit pas un mot. Il ne voulait pas rentrer passage de la Folie.

Il se fit déposer à quelques pas de la rue Mouffetard. Guillaume et lui s'embrassèrent et retrouvèrent leur complicité de vingt ans.

Il monta chez Egon, ne dit rien de ce qui s'était passé. Ce soir-là, le jeune homme se donna sans réserve.

Erich Sebastian se levait avant l'aube. Souvent il laissait le grand appartement à Egon et préférait dormir dans l'atelier. Il vivait entre son lit et le capharnaüm de son *laboratoire central*. Dès cinq ou six heures, il disait sa messe picturale. L'atelier ressemblait encore à un puits de cendre. Il écoutait les *Leçons du vendredy sainct* de Charpentier et les *Trois Leçons de Ténèbres du mercredy* de Couperin que lui avait offertes Egon. Il écoutait jusqu'à l'hypnose le «Jérusalem, Jérusalem» qui scandait les déplorations. Jérémie pleurait dans son puits de cendre. Dans le chant, les déplorations éteignaient une à une les lettres hébraïques qui constituaient le nom de Dieu. Près de lui, et en souvenir de ces bougies qui dans l'obscurité des offices représentaient les jalons du nom divin, Erich Sebastian avait disposé des candélabres qu'il avait *empruntés* à Notre-Dame-du-Perpétuel-Secours. Les flambeaux crachotaient dans le fouillis inextricable de l'atelier. Le ménage n'avait jamais été fait depuis le début des années soixante. Il régnait une poussière suffocante.

La messe picturale d'Erich Sebastian avait pour objet la célébration du Crucifié. Quand il ne mettait pas Charpentier ou Couperin, il choisissait d'écouter l'agonie du Christ dans la *Passion selon saint Matthieu*. Trente ou cinquante fois il repassait le «*Eli, Eli, lema sabaqthani*», chanté par une basse dont la voix aurait fracassé les sépultures du Père-Lachaise. Alors il pouvait attaquer les corps. Il était parti de photographies anciennes, les étalons de Mme Jouve saisis par Matthieu Der, un reportage du même Matthieu Der dans un magazine photographique sur les morgues des hôpitaux parisiens, et des images plus récentes d'Egon couché parmi les détritus de l'atelier. Il avait même demandé à Éloïm et Adji qui visitaient encore parfois l'atelier d'aller lui chercher le corps d'un homme jeune dans la fosse commune du Père-Lachaise. L'homme — une beauté d'une trentaine d'années — flottait sous un tissu pourpre dans un bain de formol.

Erich Sebastian peignait jusqu'à midi. Les linges, les suaires, les thorax, les carcasses longilignes, les poitrails ouverts, les membres levés comme des glaives thanatiques constituaient son ordinaire. Il sortait de l'atelier, vert, égaré. Il avait entendu des heures les offices des Ténèbres. Il sentait la sueur, la peinture et le formol. C'était le moment où il aurait voulu dévêtir Egon. Mais Egon était à la Sorbonne ou ailleurs dans Paris. Egon se donnait, puis disparaissait. C'était son rythme. Erich Sebastian montait à l'appartement transformé à son tour en capharnaüm. Egon avait reçu des amis. Les bouteilles traînaient encore dans le cabinet de Karl. Erich Sebastian se postait au balcon. Parfois, vers midi, Egon faisait une apparition. Erich Sebastian reconnaissait à deux cents mètres sa silhouette fine juchée sur le vélomoteur. Il lui arrivait aussi d'attendre une ou deux heures. En vain.

Il y avait les jours blancs et les jours noirs. Les jours blancs, Erich Sebastian déjeunait à la Coupole, chez Lipp ou à la Bastille avec Gaëlle Ausborne, le docteur Pialoux ou Ingrid. Et ensuite ils marchaient plusieurs heures dans Paris. Gaëlle quittait difficilement sa galerie de la rue de Seine. Elle l'avait rebaptisée Arétuse. Avec ces amis, et même devant Ingrid, Erich Sebastian parlait d'Egon, de sa vie cachée, de ses disparitions. Il disait de lui « *mon être de fuite*». Il en était fou amoureux. Bien qu'Egon fût incapable de peindre, Erich Sebastian voyait en lui un disciple et un héritier. Il avait même déposé chez un notaire un testament aux termes desquels Ingrid et Egon étaient ses uniques héritiers.

Les jours noirs, il passait l'après-midi à boire. Passage de la Folie ou dans les bistrots du boulevard de Ménilmontant. Et il adorait rentrer chez lui, en aveugle, le long des murs, des vitrines, des rideaux de fer, en tâtonnant. Soit il montait dans le grand appartement et il s'effondrait auprès d'Egon déjà endormi. Soit il titubait jusqu'à son atelier. Un de ces jours noirs de novembre 1989 — la Toussaint et la fête des Morts avaient rouvert en lui une faille vive —, il rentra dans l'atelier, mit Charpentier à tue-tête et entreprit de sortir le corps du jeune gisant de son bain de formol. Il voulait peindre *Crucifixus, novembre 1989*. Il était ivre et capable d'une étonnante sûreté de geste. De toute éternité, des crochets de boucherie pendaient au plafond de la verrière. Il noua un fil au cou du mort et le suspendit au croc. Le corps flasque ruisselait. Erich Sebastian avait devant lui le sexe, les testicules fripés. Il alluma les flambeaux. Le mort se balançait au-dessus des flammes, dans les courants d'air. Ce fut comme dans la chapelle de la Roque. Il peignit jusqu'au lendemain midi, autrefois il avait dessiné et gravé des croix sans corps, ce qui l'attirait à présent, c'était l'énigme de cette chair molle et gonflée, de cette viande putride qui coulait au-dessus de son chevalet. Le mort sans bras fendait la toile de sa dépouille pendue, jusqu'ici Erich Sebastian avait surtout peint des *corps déposés* — dans la tradition de Mantegna et de Rembrandt —, *Crucifixus, novembre 1989* était le premier des corps cloués à un invisible gibet.

À midi, lorsqu'il eut fini, il décrocha le corps, brisa la

gourmette d'étain qu'il portait au poignet, et décida qu'il l'habillerait. Il trouva dans un placard un jean et une chemise. Il jeta la gourmette dans son fatras. Vida le grand aquarium de formol. La nuit suivante, Éloïm et Adji redescendraient le Christ dans la sépulture commune. Ou ils le jetteraient dans la Seine. Comme ils voudraient.

Il ne signa pas la série des Crucifiés. Ce qui permit à Gaëlle Ausborne de les montrer dans sa galerie Arétuse en les attribuant à un certain John Egal. Le soir du vernissage, Egon tint le rôle de John Egal. C'était un jour noir. Erich Sebastian Berg buvait quelque part dans la périphérie du Père-Lachaise. La critique fêta John Egal. *Crucifixus, novembre 1989* exerçait sur tous ceux qui le voyaient une véritable fascination. Egon avait des dons de comédien. Il n'avait pas vingt ans et on le célébrait comme une révélation. Tout fut vendu. Pour cette représentation d'un soir, Egon obtint de Gaëlle un cachet important. Et, chose qu'il n'aurait jamais osé demander à Erich Sebastian, une des premières études intitulée *Le Crucifié du mercredy*.

C'était le temps des revenants. Un jour qu'il achevait un crucifié dans l'atelier cendreux, Erich Sebastian crut entendre un coup sourd à la porte. Il sursauta. Il pouvait être tranquille : Éloïm et Adji avaient dégagé le corps. Il pensa immédiatement à Egon. Il se retourna : c'était Luc de Teffène, toujours aussi maigre, inchangé, les tempes tout juste argentées. Ils s'étreignirent. Ils roulèrent dans la poussière et les coulures de peinture. Luc de Teffène venait d'acheter, à la galerie Arétuse, *Crucifixus, novembre 1989*.

— Tu es fou, hurlait Erich Sebastian, je vais te rembourser, je te l'aurais donné !

Ils déjeunèrent. Luc de Teffène avait appris la mort de Véronique. Il savait qu'aussitôt rentré à Paris Erich Sebastian s'était enfermé dans son puits de cendre pour peindre cette suite de crucifiés. Il connaissait même la liturgie des jours noirs et des jours blancs. Qui l'informait ? Luc de Teffène cultivait toujours ses amitiés gaullistes. Il occupait des fonctions importantes à la mairie de Paris. Il parla d'une rétrospective qu'il pourrait organiser à l'Hôtel de Ville ou au Grand Palais. Le menu était celui des déjeuners d'autrefois : huîtres, sole, tarte aux fruits, irish coffee. Luc offrit de très grands crus.

— Je veux te revoir nu, je veux te peindre, murmura Erich Sebastian.

— Sais-tu pourquoi j'ai acheté *Crucifixus, novembre 1989*? demanda Luc de Teffène.

— J'ignore… Parce qu'il te plaisait !

— Non, pour expier une faute… Quand tu es parti, je me suis retrouvé face au *Triptyque d'Anvers* que je ne supportais plus. Je dois t'avouer aujourd'hui que je l'ai vendu à un collectionneur japonais…

— Aucune importance, aucune importance ! clamait Erich Sebastian. Au contraire, tout est bien ainsi. Tu as effacé l'infamie qu'on avait faite au maître d'Anvers…

Atelier portatif (ces entretiens ont été conduits par Gaëlle Aus-
borne à l'automne de 1991 pour la télévision suisse. Je venais
d'achever une série d'une trentaine de toiles consacrées à Egon. Je
lui avais demandé de poser avec l'épée d'Anvers, le Graal de
Sénanque et le crâne de l'évêque malouin. Ces objets ne quittaient
plus mon atelier. Je les avais installés dans l'alcôve entre les
pilastres, dans un endroit que j'appelais « les étagères de la nuit ».
J'avais également entrepris — et ce à l'insu de Gaëlle Ausborne —
une suite d'autoportraits signés Essenbach. Les entretiens eurent
lieu dans le cabinet de Karl, dans mon atelier du Passage et au
Père-Lachaise. Le fantasque Egon n'en perdit rien. Comme aux
temps bénis de Saint-Malo, il était vraiment mon assistant. Il nous
servait à boire. À plusieurs reprises, il fallut interrompre le tour-
nage. Nous étions complètement ivres. E.S.B.) :

6 octobre 1991, atelier de la Folie

Gaëlle Ausborne : On commence cette série d'entretiens
un verre d'alcool à la main…
    Erich Sebastian Berg : Et alors ? Je me fiche des bien-pen-
sants ! L'alcool joue une grande place dans ma vie. Et peut-
être surtout dans ma vie créatrice. Il y a des jours où je me

désintoxique... Des jours blancs où je marche dans Paris, où je déjeune avec des proches... Mon drame, c'est que je suis connu, mes goûts sont connus, des propriétaires de châteaux bordelais qui m'ont acheté des toiles m'envoient des caisses somptueuses... J'ai bu du château-pétrus en peignant mes corps crucifiés...

G.A. : Raconte-nous un peu comment tu travailles, tes rituels de peintre...

E.S.B. : C'est très variable. Ces derniers temps, je me levais très tôt. Je couchais même dans mon atelier. J'ai perdu ma fille au printemps de 1988. Un stupide accident de cheval. Pour elle, pour sortir du deuil, j'ai peint des crucifiés, des corps étalés sur des plaques, des autels, des dalles. Des crucifiés anonymes. J'ai choisi des modèles dans mes archives privées, je me suis beaucoup inspiré des travaux d'un de mes amis, Matthieu Der, dans les morgues des hôpitaux de Paris. Le modèle de *Crucifixus, novembre 1989* est un mort anonyme du Père-Lachaise que des amis sont allés me pêcher dans la fosse commune... Il a passé plusieurs semaines dans un bain de formol dans mon atelier.

G.A. : Cela ne nous dit toujours pas comment tu travailles ?

E.S.B. : Je jette beaucoup de peinture sur la toile. Je ne sais pas où je vais. Et la peinture est fluide, ductile. C'est toujours une surprise, ou un miracle... J'ai bien sûr une vague idée de la forme, de la figure, mais je ne sais pas ce qui va arriver. Je ne corrige rien. À midi, quand je quitte l'atelier, tout est joué. Le soir, même si j'ai beaucoup bu, même si je dois m'accrocher à la rampe pour monter jusqu'ici, je reviens voir. Et là c'est la galerie, immédiatement, ou la cheminée... J'ai brûlé et je brûle encore beaucoup de toiles... Cet atelier n'a aucune autre source de chauffage !

G.A. : Tu ne gardes rien pour toi ?

E.S.B. : Rien. Je dois attendre inconsciemment que ce soit meilleur. Je considère toujours mes toiles comme des déchets. C'est pour cette raison que j'exige les gros cadres dorés et les vitres... Pour transformer ces déchets en œuvres!

G.A. : Tu ne gardes vraiment rien?

E.S.B. : Rien. Et je n'aime pas revoir mes toiles. Je souffre à chaque rétrospective. Oui, je souffre, je n'aime pas piétiner dans mes traces, dans ma bourbe picturale...

G.A. : Je t'ai pourtant vu heureux en mai 87 à la Vieille-Charité...

E.S.B. : Heureux! Et pour cause, j'étais amoureux fou! Quant au reste... Je ne suis pas sûr que ces études sur Richelieu dont on fait grand cas soient une grande chose. Ton portrait défiguré passage de la Folie est pas mal... Je crois aussi que j'ai su peindre les écrivains, Malraux, Rimbaud, Issenko, Proust...

G.A. : Pourquoi ces différents noms?

E.S.B. : Je signe rarement mes œuvres... J'ai pris le goût des pseudonymes lorsque j'ai quitté Paris en 1970. Et si tu regardes, ces pseudonymes délimitent dans ce que je laisserai des îlots singuliers. Adolescent, j'avais été fasciné par Friedrich. Je voulais pousser plus loin encore l'ascèse du paysage. C'est ce que j'ai fait sous le nom d'Autessier. Les ossuaires et les croix de Huel Goat, c'est la même chose. C'est un autre de mes visages de peintre. Le sacré, la Bretagne, l'aridité des tourbières et des landes. Les autres noms, c'est toi Gaëlle qui les as inventés... Les dessins d'Adam Orber, c'est toi qui les as publiés en créant la fiction du peintre suicidé. Les crucifiés, je ne les avais pas signés parce qu'à la mort de Véronique, je n'avais plus de nom. Au vernissage tu as demandé à Egon de jouer le rôle de John Egal. Cela m'a ravi. C'est mon disciple, mon héritier, un garçon que j'adore... Les travaux de Sénanque et de Saint-Malo, je les ai signés Erich Sebastian Berg.

G.A. : Egon Oder t'a servi récemment de modèle...

E.S.B. : L'arrivée d'Egon dans ma vie a été une grâce. Après la dépression, après la mort de Véronique. J'ai toujours gardé la nostalgie de mon premier véritable tableau, le *Triptyque d'Anvers*, dont je sais aujourd'hui qu'il dort dans le coffre d'un collectionneur au Japon... À l'époque, j'avais peint un moine, un marin et un chevalier... Le prieur de Sénanque voulait pour sa cellule une image de Jean le Déchaussé. Et j'avais le désir de triptyques où le même modèle apparaîtrait nu ou à demi vêtu avec trois objets talismaniques, une épée, un calice et un crâne... J'ai photographié Egon... Plus de deux cents photos. Nu, torse nu et en jeans, en slip, déchaussé, assis sur ce siège de berger portugais qui me vient de ma mère... On a beau bien se connaître, Egon a détesté cette séance de pose. Il suait, il était crispé. Magnifique... Plus fort et plus beau que toutes les planches de Muybridge !

G.A. : On dirait que sous tes pseudonymes, tu es allé chaque fois au-delà d'un seuil...

E.S.B. : C'est vrai. Autessier m'a mené au-delà des pas basaltiques de la Chaussée des Géants. Avec Huel Goat, j'ai sombré dans un monde de croix, de vers, de sortilèges. Du chemin d'Adam Orber, je n'ai aucun souvenir, j'étais drogué. Les Crucifiés de John Egal, c'est autre chose, au-delà de la nuit. La viande, trouée, étalée sur des plaques. Magnifiée. L'odeur de la mort.

7 octobre, cabinet d'armateur de Karl

G.A. : Hier, on parlait de corps, de viande...

E.S.B. : Je n'ai rien d'autre à dire. J'ai peint, la bidoche livide, formolée, la bidoche qui sent, les couilles fripées de l'anonyme du Père-Lachaise qui se baladaient devant moi quand je peignais *Crucifixus, novembre 1989*, sa peau verdie.

C'est fini. Cette période est close. À présent, je peins Egon, la beauté, les bras pleins de nerfs, les muscles fins, déliés, et ses cheveux de guerrier d'or...

G.A. : Nous sommes ici dans un lieu qui compte beaucoup pour toi...

E.S.B. : Tu connais mes sanctuaires. Quand j'ai acheté cet appartement — c'était à mon retour à Paris il y a juste dix ans — j'ai fait transporter du fort de Rügen ce décor, les boiseries, le fauteuil canné, les armoires grillagées, les bibliothèques...

G.A. : C'est drôle, le fauteuil que Pierre Paulin a dessiné pour le bureau du président Mitterrand à l'Élysée est le frère de celui-ci...

E.S.B. : Tu hantes ces lieux plus que moi... C'est possible... Les pupitres sont encore remplis des carnets, des diplômes, des journaux de bord de mon grand-père. C'est dans ce décor que j'ai appris à boire. C'est dans ce décor qu'il m'a appris qu'il faisait de moi son héritier... La seule chose qui ait de la valeur dans cet appartement, c'est ce cabinet...

G.A. : As-tu des biens ?

E.S.B. : Des biens ?

G.A. : Oui, tu me comprends, des propriétés...

E.S.B. : J'ai acheté cet appartement en 1981. C'est le seul bien que j'ai acheté. Les autres, je les ai reçus et bien souvent je m'en serais passé. La Roque où je ne mets plus les pieds depuis la mort de Véronique, la villa de ma mère à Rueil où il m'arrive d'aller écouter quelques-uns de ses enregistrements, et mes deux mausolées que je n'ai pas visités depuis longtemps. Je sais que c'est le souhait d'Egon. Il voudrait voir le fort de mon grand-père — je le suppose intact —, je ne dirai pas la même chose du pavillon d'Adam Van Johansen... C'était une construction fragile, il doit être pourri.

G.A. : Et ton atelier ? Dans cet inventaire, tu as oublié ton atelier !

E.S.B. : Il appartient à un ancien amant, je ne devrais pas le dire, c'est un homme qui occupe des fonctions importantes. J'ai renoué avec lui l'an dernier, plus de vingt ans après notre rupture. L'atelier lui appartient. Je ne lui paie aucun loyer. Il m'a installé là quand je suis arrivé à Paris. Je peux difficilement peindre ailleurs…

G.A. : Tu as évoqué Anvers. Je voudrais aujourd'hui, avec le recul, avec la sérénité que tu as acquise aussi, que tu nous parles d'Adam Van Johansen…

E.S.B. : Mais c'est un interrogatoire ! Vite un divan ! (*Rires.*) C'est vrai que je ne suis pas un autodidacte, j'ai eu un maître, Adam Van Johansen, toute l'académie l'appelait AVJ, un homme secret, tyrannique. Un initié. J'ai croisé beaucoup d'initiés, je ne le suis pas moi-même et je n'aurai pas de disciple au sens initiatique du terme. Le prieur et futur cardinal Korbs à Ettal, membre éminent de la loge des Trinitaires, AVJ bâtisseur de cathédrale, Gregor Issenko qui parlait sans cesse d'une crypte avec des ossements ou des peaux d'ours cachée sous Paris… Remarque, j'ai rencontré Egon dans une crypte… Bref, AVJ nous terrorisait et nous intriguait. Je n'ai compris que très tard que j'étais l'élu. Évidemment j'ai eu avec lui une aventure charnelle mais il m'a surtout appris à peindre. Pour lui, une toile travaillait à la fondation du monde. Je l'entends à cette heure encore parler de Patinir, de la libération de Rembrandt à la mort de Saskia, du « bruit sourd des sabots sur le sol gelé de Bretagne » qui poursuivait Gauguin. Il connaissait toute l'histoire de la peinture. Il nous montrait peu le geste de peindre. C'était autre chose, je dirais — je déteste le terme — une *mise en condition*…

G.A. : Il t'a foutu à la porte !

E.S.B. : J'avais commis le sacrilège. *The sacrilège* : vendre le chef-d'œuvre final! La crise fut foudroyante. Il nous a mis à la porte, Luc et moi. On est sortis avec les morceaux du triptyque dans les bras, il est aujourd'hui dans un coffre au Japon! Et je ne l'ai jamais revu. J'ai su par la suite à quel point il avait souffert, j'ai compris aussi qu'il n'avait cessé de me chercher. Il est mort en 1974.

G.A. : Je voudrais que tu nous racontes la dispersion de ses cendres?

E.S.B. : Je suis arrivé à Anvers. Le notaire m'a remis ses cendres dans une urne. Ordre m'était donné de les disperser dans le jardin et sur le lac du pavillon japonais. Je me suis retrouvé à un endroit où nous avions fait l'amour, à l'endroit aussi où il s'était donné la mort. Il n'avait désiré que des adolescents de dix-sept ans. Leurs effigies en bronze, sculptées par lui, m'entouraient. Je n'ai pas été capable de jeter ses restes dans l'étang. J'ai peint un portrait très noir du maître sur lequel j'ai jeté sa poussière...

G.A. : Où est ce tableau?

E.S.B. : — Il faudrait le demander à Egon. Il sait tout. Le portrait est resté quelques années dans le pavillon. Aujourd'hui il est à Lugano, je crois.

G.A. : Tu vis parmi les fantômes...

E.S.B. : J'ai cinquante et un ans, c'est normal...

13 octobre, Père-Lachaise et atelier

G.A. : Des tombes, des fantômes... Tes détracteurs te disent traditionnel, enraciné...

E.S.B. : Quel compliment! Ils ne doivent pas dire que ça! Enraciné dans la diversité de mes vies, de mes noms, et il y a mes fantômes, les fantômes des peintres que j'ai été, et ceux de ceux que j'admire. Hier, j'ai emmené Egon à Auvers sur la tombe de Van Gogh. Avec lui nous aimons les tombes. Nous avons passé la nuit de ses dix-huit ans, le 30 juin 1988, sur la tombe de Chateaubriand, que nous sommes allés venger ensuite en pissant sur la dalle de l'affreux Sartre...

G.A. : Je voulais parler de tes morts, tes morts intimes...

E.S.B. : Ils ont leur sanctuaire, matériel, le fort de Rügen, le pavillon de Delft, la villa de Rueil, la chapelle de la Roque, et un sanctuaire secret, intérieur : j'ai fait murer une pièce de mon appartement pour pouvoir regarder jusqu'à l'obsession des images de Véronique apprenant à marcher, mon grand-père est dans *l'esprit de l'alcool* que nous buvons, ma mère dans les voix des Passions...

G.A. : Les autres arts ont une importance pour toi ?

E.S.B. : Essentielle. Quand je peignais les Crucifiés, j'écoutais des offices des Ténèbres baroques, je forçais le volume et la tonalité basse du « *Eli, Eli, lema sabaqthani* » de Bach... Et je vais encore dans des musées...

G.A. : Que penses-tu de l'art américain ?

E.S.B. : Rien. Il ne n'intéresse pas. L'art pour moi a une souche qui est la culture, et elle s'ancre dans le passé.

G.A. : Tu as dit un jour détester ton métier ?

E.S.B. : J'ai dit tout et n'importe quoi. C'est une déclaration dont je ne me souviens pas. C'est vrai que souvent je n'aime pas du tout mes tableaux. Et bizarrement, si je dois être sincère, je dirai que je préfère, mais très nettement, ceux que j'ai peints sous un pseudonyme. Les grands paysages d'Autessier, quelques croix et ossuaires de Huel Goat, *Crucifixus, novembre 1989* qu'a acheté — je m'en réjouis — mon premier protecteur Luc de Teffène. Oui, je ne suis pas sûr d'aimer mon métier. Mais je le fais. C'est... Mon maître d'Anvers aurait dit un sacerdoce... Le mot est trop fort pour moi... Un sacerdoce ! (*Rires.*) Une nécessité. Oui, une nécessité.

Egon disparaissait souvent. Il n'était pas dans sa chambre du Quartier latin. Il ne suivait plus ses cours d'histoire de l'art. Il passait ses nuits à danser dans des boîtes d'homosexuels. Isabelle Oder appelait Erich Sebastian qui ne pouvait pas la renseigner. Elle était violente, haineuse. Egon ne s'était même pas déplacé pour l'inauguration de la fresque *Jean le Déchaussé* qu'avait commandée le prieur de Sénanque. De novembre 1991 à février 1992, il disparut complètement. Erich Sebastian sombra. Gaëlle Ausborne et le docteur Pialoux veillaient sur lui. Il alla de nouveau se réfugier quelques jours dans la clinique de Rueil. Il n'avait qu'une hantise : la mort de Véronique. Il entrevoyait un complot monté par ses ennemis pour le détruire.

Gaëlle l'emmena fin janvier à Dublin. Ils burent du whisky chaud chez le sculpteur qui avait fondu le mobilier de Saint-Malo et de Sénanque. Ils firent les pubs. Gaëlle récitait des passages entiers d'*Ulysse*. Elle l'emmena à Glendalough. Il ne parlait que d'Egon. Il parlait de son corps, de ses cheveux d'or, du crâne qu'il avait vu tournoyer entre ses mains. Il voulut revoir les croix de Monasterboice. Il soufflait dans les ruines une bise mortelle.

Leur avion se posa à Roissy le soir du 1er février. Gaëlle tenait à coucher dans l'appartement du Père-Lachaise. Ils n'étaient pas entrés que le téléphone sonnait. C'était Egon. Il appelait pour prendre des nouvelles. Il serait là le lendemain. Il vint prendre le thé. Erich Sebastian ne demanda rien. Il le déchaussa, caressa ses pieds parés d'élégants motifs de fougères. Ils firent l'amour. Impossible de savoir ce qui s'était passé, les raisons de cette disparition. Erich Sebastian crut deviner qu'Egon avait suivi une femme. Il avait besoin de lui. Il ne pouvait plus peindre sans lui. Il reprit ses études sur le corps d'Egon. En le peignant, il jouissait de son corps plus encore que dans l'amour. Il le peignit de dos, cambré, l'épée à la main. Buvant au Graal, impudique, le sexe lourd, présent, offert. Et il ne se lassait pas de faire tourner le crâne entre ses doigts de fille. C'étaient toujours des triptyques, d'égales dimensions, 198 cm x 147,5 cm. Seul variait l'ordre des talismans. Le Graal avait l'opulence d'un chaudron de fécondité. Et Perceval le tenait dans sa nudité d'ermite ou d'errant ; Erich Sebastian avait fait de lui un roi nomade, un servant nu de la Vraie Présence. Pour *Jean le Déchaussé*, il lui avait mis l'aube et les bas liturgiques de la crypte de Saint-Victor. Ici le corps était toujours nu, parfois simplement tracé sur la trame visible de la toile, d'autres fois à peine esquissé, mangé par un jeu d'aplats orange ou pourpre, le pied négligemment posé sur le trépied pythique.

Le trépied pythique accueillerait d'autres visiteurs, d'autres modèles. Luc de Teffène vint poser. Le plus inattendu fut un ingénieur allemand qui écrivit un jour de février 1992. Il avait vu le *Portrait du maître* à Lugano. Il disait posséder une petite huile intitulée *L d T XI*. Il voulait poser pour Erich Sebastian. La lettre l'intrigua. Erich Sebastian crut à une supercherie, une manigance de propriétaire de galerie ou de journaliste. Il y répondit sur le mode de la provocation : «Je vous attends le 1ᵉʳ mars à onze heures, nu comme un ver, dans mon atelier parisien du 13, passage de la Folie-Regnault dans le XIᵉ arrondissement. Métro Père-Lachaise. E.S.B.»

La veille, à toutes fins utiles, Erich Sebastian prépara une toile. Il dînait ce soir-là avec Luc de Teffène. Ingrid venait d'entrer à son tour à la clinique du docteur Pialoux. Sa dépression s'aggravait. Luc était nerveux. Il ne tenait pas en place. Il attendit que les huîtres fussent servies pour annoncer la nouvelle :

— Je te propose une rétrospective au Grand Palais à l'automne 1994...

— Mais tu m'enterres! répliqua Erich Sebastian. Tu m'enterres!

Et déjà il imaginait en jubilant ce qu'il faudrait montrer, tout ce qu'on connaissait déjà, ce qu'il avait peint sous cinq noms différents, et ce qu'il cachait encore et qu'il révélerait à cette occasion : les autoportraits d'Essenbach. Ils traversèrent Paris : Erich Sebastian voulait boire de la Guinness dans un pub irlandais de la rue Montmartre. Ils appelèrent Egon qui était injoignable. Vers minuit ils l'eurent au téléphone : il avait débranché sa ligne pour étudier. Lorsqu'il apprit la nouvelle de l'exposition au Grand Palais, il déclara qu'il arrivait sans attendre. Et ils finirent la soirée, au champagne, chez Luc, en regardant *Crucifixus, novembre 1989.*

Erich Sebastian se réveilla migraineux. Il n'était pas loin de onze heures. Il s'habilla, courut à l'atelier. Il ne vit rien d'abord. Tout était vide. Puis une voix se fit entendre, avec un fort accent allemand :

— Vous avez dit nu comme un ver!

L'homme était dans la chambre voisine.

— Nu comme un ver, répondit Erich Sebastian soudain paralysé par la timidité.

L'homme entra, il était mat, musclé, un physique de sportif. Il s'assit sur le tabouret. Tout en peignant, Erich Sebastian l'interrogea. L'homme avait acquis *L d T XI* au début des années quatre-vingt. Erich Sebastian préférait des modèles plus jeunes mais celui-ci n'était pas sans beauté. Insensiblement ils s'étaient mis à parler en allemand.

— Je vous ai connu dans une autre vie, dit l'ingénieur.

— Quand j'étais Huel Goat, Autessier ou John Egal, ironisa Erich Sebastian.

— Non, simplement quand tu étais Erich Sebastian Berg et que tu étais amoureux de moi au collège d'Ettal !

Erich Sebastian lâcha aussitôt pinceau, chiffons, palettes.

— Fabian ! Fabian ! hurlait-il.

Ils s'étreignirent, le modèle nu comme un ver, le peintre crasseux, mal réveillé, sentant encore l'alcool de ses errances de la nuit. Ils pleuraient. Erich Sebastian n'était plus capable de peindre.

— Rhabille-toi, nous reviendrons...

Fabian était à Paris pour plusieurs jours. Ils s'enfermèrent dans le cabinet de Karl. Fabian avait tout lu, tout suivi, tout collectionné. Il n'avait pas manqué une exposition d'Erich Sebastian Berg. Il était passé vingt fois passage de la Folie sans jamais oser frapper. Et il avait enfin mûri cette provocation, convaincu qu'elle aurait un écho.

Il avait toujours proclamé que la moitié de son activité de peintre consistait à rompre. D'où les diversions, les escapades sous d'autres noms. Depuis la mort de Véronique, sa vie d'homme consistait à retrouver des figures élues : Luc de Teffène, et maintenant Fabian. Il n'avait jamais désiré d'hommes mûrs mais il eut du plaisir à peindre Fabian et Luc. Il ne craignait plus les corps vieillis, les peaux tavelées, les griffures de l'âge. L'un et l'autre, il les peignit de dos, comme s'ils avaient fui, absorbés par la matière de la toile. Il travailla la musculature épaisse de l'un et la frêle silhouette de l'autre. Certes, il regardait ses modèles, mais il avait en mémoire une photographie de Muybridge, la planche 344, « *Striking a Blow with Right Hand* ». Erich Sebastian accentua simplement l'écartement des jambes et ajouta les testicules. Il fit aussi une série de portraits — de petits formats, 35,5 cm x 30,5 cm — avec le souhait que la nudité du corps irradiât le visage. Il n'avait plus de désir. Quelquefois il lui arrivait pourtant d'entraîner le modèle dans la chambre voisine et de se jeter sur lui le temps de quelques attouchements. La docilité de Fabian le surprenait. Qu'un homme aussi viril, au faîte de sa puissance sociale, acceptât cette soumission et ces rites l'étonnait et l'émouvait. Fabian venait de divorcer. Il ne semblait pas pressé de rentrer à Zurich. Il avait loué un appartement avenue de la République, pas très loin de l'atelier. Il disait qu'un fax et un téléphone lui suffisaient pour régler ses affaires. Il passait le plus clair de son temps dans l'atelier ou le cabinet de Karl. Son ancienne épouse s'occupait des enfants. Fabian avait amassé une fortune considérable. Il semblait ne plus vouloir travailler. Il était heureux lorsque Erich Sebastian lui faisait découvrir Paris. Ils allaient des heures en évoquant Ettal, leur haine et leur pacte de jadis. L'auteur du mystérieux croc-en-jambe dans la cour enneigée restait des heures dans l'atelier, nu, soumis. La présence de ce corps qui avait lutté, nagé, baisé des femmes enchantait Erich Sebastian. Il croyait lire dans le dessin des muscles des strates de vie. Autant Luc de Teffène ressemblait de plus en plus à un cardinal ascétique et efflanqué, autant Fabian incarnait la force et une certaine rusticité. Sur les petits portraits, Luc avait gardé ses minuscules lunettes rondes à fine monture d'or. On sentait l'homme d'appareil, l'intrigant, le manœuvrier. Fabian, lui, n'avait rien perdu de la puissance du montagnard d'Ettal.

Egon prit-il ombrage de ces retours? Ses disparitions se multiplièrent. Il s'était longuement confié à Gaëlle Ausborne. Il passait ses nuits à danser dans des boîtes gay, les cheveux tirés, maquillé, en porte-jarretelles. Il adorait se faire passer pour John Egal. Il avait produit quelques dessins, pas très bons, que Gaëlle avait exposés par pure complaisance. Ses liens avec la Sorbonne et la licence d'esthétique s'étaient plus que distendus. Il avait avoué à Gaëlle tenir un cahier secret dans lequel il racontait son aventure avec Erich Sebastian Berg.

Au début de 1993, ses parents lui coupèrent les vivres. Il allait avoir vingt-trois ans. Gaëlle était convaincue qu'il se droguait. Il se retrouva sans argent. Il ne voulait pas dépendre d'Erich Sebastian. Ils firent un voyage à Sénanque. Erich Sebastian voulait assister aux cérémonies de la Semaine sainte. Ce ne furent que crises et bagarres. Egon ne cessait d'instruire le procès de celui qu'il accusait de l'avoir dévoyé. Il affirmait que s'il n'avait pas rencontré Erich Sebastian il aurait eu une vie normale, qu'il aurait aimé les femmes. Toutes ses aventures féminines échouaient. Et il ne voyait qu'un responsable à ces échecs.

Il était jaloux de tout, et surtout de Fabian et de Luc. Il les détestait. Il les appelait le *boche* et le *pédé*. Au printemps de 1993, exsangue, il vendit *Le Crucifié du mercredy*. Il s'était à peine débarrassé du tableau qu'il cachait dans son pigeonnier de la rue Mouffetard qu'il reprit ses habitudes au Père-Lachaise. Il venait déjeuner un jour sur deux. Il était beau, aimable, affectueux. Et il restait une partie de l'après-midi pour les caresses et les rites érotiques. Erich

Sebastian écrivit à Claude Antéi, le commissaire de l'exposition du Grand Palais, pour lui recommander Egon qu'il chargeait de superviser l'accrochage. La perspective de ce travail réjouissait Egon qui imaginait déjà la division des salles et la répartition des œuvres. Il n'y avait qu'un problème : le banquier japonais refusait de prêter le *Triptyque d'Anvers*.

C'était le vendredi 25 juin 1993. Erich Sebastian avait déjeuné à l'appartement avec Egon. Puis il avait voulu montrer à Fabian le parc de Saint-Cloud et la villa de Rueil. Ils avaient passé quelques heures dans la chambre noire à écouter de vieux enregistrements d'Hélène Berg. Quand ils rentrèrent, tard dans la nuit, l'appartement était à sac. Le salon avait été dévasté. Au centre de la pièce, ils trouvèrent des toiles lacérées et calcinées, des châssis brisés, éventrés. Erich Sebastian avait dissimulé dans ses réserves quelques triptyques d'Egon qu'il gardait pour le Grand Palais. Ils avaient été massacrés dans un mouvement de folie ravageuse. Il ne restait rien du porte-Graal, rien de l'adolescent au crâne, rien du chevalier nu à l'épée. Si, dérisoire, entre les cendres et les gravas, un fragment de toile noircie où l'on devinait encore le sexe brandi d'Egon.

Erich Sebastian était effondré. Fabian le soutint. Sur le pupitre du cabinet de Karl, Egon avait laissé un mot. Il en voulait à celui qui, écrivait-il, avait *capturé sa grâce*. Il haïssait les triptyques, ces *images de crispation et de sueur froide*. Il les avait détruites. Il les avait brûlées. C'était à n'y rien comprendre. À midi, il était parfait, calme, souriant. Et il avait suffi qu'Erich Sebastian s'absentât en compagnie de Fabian pour qu'il se jetât comme un profanateur sur des toiles qui étaient parmi les plus belles. Il concluait sa lettre par ces mots : *Je veux vivre*.

Fabian voulut appeler au numéro de la rue Mouffetard. Il n'y avait personne. La situation était suffisamment grave pour que l'on sortît du sommeil Gaëlle Ausborne. Elle veillait. Elle dit qu'elle arrivait. Elle pleura parmi les débris des toiles. Elle ne semblait pas surprise. Elle ramassa dans les cendres le médaillon avec la bite d'Egon.

Le lendemain, Claude Antéi téléphona de bonne heure. Il avait reçu la lettre d'un certain John Egal qui affirmait son intention de mettre le feu au Grand Palais dès qu'y seraient exposées les œuvres d'Erich Sebastian Berg. Il voulait simplement savoir s'il fallait accorder quelque crédit à cette menace. La réponse d'Erich Sebastian — qui n'avait pas fermé l'œil — fut immédiate : « Aucun ! »

Atelier portatif : Nuit du 12 au 13 octobre 1994.

J'avais peint un nouveau *Triptyque d'Anvers*. À partir des cendres et des lambeaux calcinés que j'avais trouvés chez moi le 25 juin 1993, à partir de ce fragment que j'appelais le *blason d'Egon*. Le marin, le moine, le chevalier étaient Egon. Le marin buvait au Graal avec une religiosité infinie. Le moine souriait, extatique, le crâne serré contre sa joue. Arrogant, triomphateur, le chevalier brandissait l'épée. J'avais collé dans l'entrejambe du chevalier le blason d'Egon. La suture était si parfaite qu'on ne discernait rien.

C'est la première chose que j'ai vue en entrant, le triptyque rebaptisé *Triptyque d'Anvers, du Feu et de la Folie, juin 1993*. Au-dessus de moi, la voûte de la grande galerie, le ciel de Paris. J'avais tenu à faire ce repérage en compagnie de Fabian. Claude Antéi, le commissaire de l'exposition, m'avait donné les clés. Dans le cartable que portait Fabian, il y avait des torches et des morceaux de tissu rouge... Nous sommes montés, appelés par le *Triptyque* qui nous regardait. Fabian a allumé les torches. J'ai dédaigné les chemins d'Autessier, de Huel Goat, d'Adam Orber, de John Egal et d'Essenbach. Leurs paysages du nord du monde, leurs croix, leurs gouffres, leurs crucifiés, leurs autoportraits. Un seul chemin m'attirait : celui d'Erich

Sebastian Berg. Des chapelles annexes recelaient toutes les divisions et les diversions du nom. Nous irions seulement dans la grande galerie.

Conformément à mes exigences, les tableaux étaient tous vitrés. Dès que je m'en approchais, je m'y mirais. Mais je connaissais l'angle, la distance idoines. Fabian se taisait. Il éclairait une toile et je l'habillais de pourpre : les armoiries du prieur d'Ettal, le *Richelieu* de Malraux, aigle sanglant et guerrier, Proust, Rimbaud sur sa civière de retour à Marseille, Malraux, Gregor Issenko au-dessus de la Chambre ursine, de Gaulle en Irlande, Gaëlle Ausborne, Luc de Teffène, le dernier portrait de Fabian, et mes trois préférés, le Maître d'Anvers — le tableau-cinéraire de Lugano —, la cavalière de la Roque et Egon, Egon avec un crâne qui tournoyait entre ses doigts comme un globe. Treize toiles que je voilai de pourpre dans la grande basilique de mes reliquaires et de mes déchets. Parfois je croyais entendre la mer qui se fracassait sur les marches du large escalier. La mer trouée de luminescences, les sillages rouges sur la Seine et les feux de Paris.

Nous allions en silence. Les flambeaux crachotaient. Dans cette basilique de verrières, de poutrelles et de rivets, Erich Sebastian Berg était venu honorer les siens. Ses morts, ses fantômes. Sous les vitres, ce n'étaient plus des toiles. C'étaient des reposoirs, des autels. Des tabernacles qui renfermaient du sang, des désirs, de la sueur, du sperme et des cendres. Des veilleuses, des offrandes, des lumignons et des actes d'amour. Et il me semblait qu'ils commençaient à vibrer sur la mer qui montait. Elle arrivait, elle encerclait le palais de ses longs bras gris de poulpe. Elle aurait tôt fait d'engloutir mes cénotaphes vitrés. Et j'attendais la signature de l'écume sur ces miroirs rougis...

Ces reliquaires n'étaient pas signés. Il leur faudrait une balafre d'embrun et de sel. Parfois je croyais reconnaître le chahut des voitures qui descendaient les Champs-Élysées. Mais cette impression s'estompait vite. J'étais au nord du monde, dans un archipel de glace et de vent polaire, j'étais à Rügen... Dans le fort, à Ettal, à Anvers, à Saint-Victor de Marseille, je n'avais jamais été le grand prêtre. Et pas plus dans l'atelier de la Folie. Cette nuit, enfin, je l'étais. Sous la haute verrière criblée d'étoiles. Cette nuit, et seulement cette nuit. Un grand prêtre entouré de centaines de reliquaires qui l'escortaient. À Rügen, dans nos offices nocturnes, il y avait parfois eu un corps. Aussi demandai-je à Fabian d'aller décrocher *Crucifixus, novembre 1989* tandis que j'irais chercher le calice de Sénanque qui était exposé sur son autel. Et j'étendis le Christ anonyme au milieu de la nef. Il n'avait pas de linge pourpre. Trois fois, éclairé par les torches que brandissait Fabian, j'élevai le calice d'or et d'émeraudes. Trois fois, en prononçant une courte formule qui devait être la fille de la *muette* de Karl. Trois fois au-dessus d'un corps anonyme et pendu, l'oint de mes messes picturales. À cet instant il me sembla que la verrière se déchirait sous l'assaut des vagues et du vent. Des étoiles pleuvaient dans la coupe d'or et d'émeraudes. La *muette* était dite. Il me restait à m'enfoncer dans la nuit marine accompagné d'un double, d'un frère de traversée et de naufrage. Mon matelot des désirs et des neiges d'Ettal.

L'exposition du Grand Palais fut officiellement inaugurée le jeudi 13 octobre 1994 à midi. La garde républicaine en grande tenue — douze hommes sabre au clair — se tenait en V sur les marches du palais. Le président Mitterrand arriva vers midi, à pas très lents, essoufflé et sans voix. On eût dit un spectre dans un long manteau vert huilé. Erich Sebastian l'attendait sur le seuil. Blême et spectral lui aussi. Egon s'était pendu à l'aube dans l'atelier du passage de la Folie. Erich Sebastian ne montra rien de sa douleur. En attendant le président Mitterrand, il avait longuement bavardé avec Claude Pompidou, le maire de Paris, Jacques Chirac, et l'un de ses jeunes et brillants lieutenants d'origine finistérienne. Claude Antéi et le ministre de la Culture ouvrirent la marche. Erich Sebastian accompagnait François Mitterrand et Claude Pompidou. Les instructions étaient formelles : le président était si fatigué qu'il ne parcourrait que la grande galerie. Il s'arrêta devant les *Richelieu*, les châteaux cathares retinrent aussi son attention, puis il obliqua : il voulait voir les ossuaires et les croix de Bretagne et d'Irlande, *Crucifixus, novembre 1989* et le mobilier liturgique de Sénanque.

— Vous savez ce qu'il y a derrière ? dit-il à Erich Sebastian d'une voix atone. Vous êtes un mystique, vous n'avez

pas besoin de vous cacher derrière tous ces noms, vous êtes un mystique. Un mystique a toujours un nom lumineux...
Le président resta un long moment devant *Crucifixus, novembre 1989*. Il avait les lèvres blanches et pincées, les yeux clos. Et pendant ce temps, Erich Sebastian regardait ce corps verdâtre qui s'était balancé, pendu à la verrière de l'atelier... Le président s'était tu. Il allait comme un automate. Comme s'il eût épuisé ses facultés de contemplation, comme s'il eût tari ce qui lui restait d'énergie vitale. Il eut la force de faire des politesses à Mme Pompidou. Étrangement, une complicité semblait unir ces êtres, l'Élysée, la mort, la mort qui rôde à l'Élysée. Claude était ravie d'avoir revu le bureau de Georges, son secrétaire de Matignon et *Éros, Hérodote, Érosion*. Elle était radieuse. Depuis 1974, elle n'avait plus mis les pieds à l'Élysée. Le président la salua longuement, avant d'avoir un aparté avec Jacques Chirac. On lui apporta son manteau de chasse et son écharpe. Et il quitta, raide et souffrant, le mausolée d'Erich Sebastian sur lequel veillait la garde en grand apparat.

Les invités du président se retrouvèrent sous une autre verrière, celle du jardin d'hiver de l'Élysée. Le président les fit attendre. Erich Sebastian, tétanisé, avait englouti un double whisky. Des images le hantaient : les gardes sur les marches de son mausolée, le président-psychopompe, son rituel de la nuit et le corps pendu d'Egon. C'était Luc de Teffène qui lui avait appris la nouvelle dans cette chambre d'hôtel près du Palais-Royal où il avait passé la nuit avec Fabian.

Un huissier annonça l'arrivée du président de la République. Il entra dans le jardin d'hiver au bras d'une jeune femme très élégante qui le couva du regard tout le temps de la cérémonie et du déjeuner, la secrétaire générale adjointe de l'Élysée. Le président dit quelques mots pour célébrer un grand peintre français, au talent considérable et varié, un peintre qui travaillait dans la tradition et l'exigence. Et, avant de remettre à Erich Sebastian la cravate de commandeur de la Légion d'honneur, il s'écarta du texte qu'on lui avait préparé et parla avec émotion des études sur le *Richelieu* de Champaigne — ces *figures du pouvoir, ces abstractions déstructurées* — et du Crucifié de novembre 1989 qui l'avait manifestement troublé.

Seulement sept convives participaient autour du président au déjeuner qui fut servi dans le salon des Portraits, sous les effigies des souverains de la vieille Europe. Le président, dos au jardin, avait auprès de lui sa secrétaire générale et Gaëlle Ausborne. Erich Sebastian s'assit devant la cheminée, entouré de Jacques Toubon et de Claude Antéi. Luc de Teffène et Pierre Girard assistaient également à ce déjeuner.

L'attitude d'Erich Sebastian surprit. Il était heureux soudain, volubile, souriant. Le soleil d'octobre sur les couverts de vermeil et les cristaux, les lambris, la nappe brodée d'or, cette sensation de plain-pied avec la mort et le pouvoir, cette proximité du corps, déjà passé aux ombres, du roi, tout l'excitait. Et le président Mitterrand ne parlait que de la mort, du passage, du Crucifié qu'il avait contemplé — le pendu prémonitoire —, de ce qu'il pouvait y avoir après la mort. De ses lectures, de quelques souvenirs d'études à Angoulême. Au milieu du repas, Erich Sebastian voulut voir la bibliothèque circulaire où avait posé de Gaulle et le salon d'argent, le salon de l'abdication de Napoléon.

— Conduisez-le, dit le président à sa secrétaire générale. Il est ici chez lui...

Erich Sebastian revint, ravi. Il fallait sans cesse lui servir à boire. Gaëlle le considérait avec ébahissement. Les boiseries, le luxe, le service du salon des Portraits semblaient intimider les convives. On n'échangeait que des propos convenus, comme à une veillée funèbre. Erich Sebastian, à la plus grande joie de Luc, avait retrouvé son insolence et sa fougue d'Anvers. Et cette insolence et cette fougue amu-

saient un président malade, las du protocole et des conven-
tions, un président de plus en plus attiré par la vérité du
rire, des cadavres et des ombres.

Atelier portatif : J'ai quitté l'Élysée seul et ivre. J'ai bu un café au Drugstore, j'ai marché, mécaniquement, sans savoir où j'allais. Claude Antéi, Pierre Girard et Gaëlle Ausborne organisaient le soir même un dîner à la Closerie. Il était clair que je ne m'y rendrais pas. Je me suis arrêté dans des églises. J'allumais des cierges pour Egon. J'allumais des cierges et je pleurais. Je n'avais pas voulu voir le corps pendu au croc de boucher de la verrière. Jamais plus je ne peindrais dans cet atelier.

Je me suis arrêté dans des bars. Un jeune journaliste, qui était le matin même au Grand Palais, m'a reconnu. Il me parlait du président Mitterrand, de sa santé, et je ne pensais qu'à Egon. Nous avons marché ensemble. Je lui racontais le déjeuner qui avait suivi le vernissage, le salon des Portraits, le luxe de l'Élysée, la beauté de la lumière d'automne qui inondait le parc. Je lui parlais de Napoléon, du salon d'argent, de De Gaulle, de Pompidou et de Mitterrand. Je lui disais qu'à la fin de notre entretien dans son bureau le président m'avait montré des canards qui erraient dans le jardin…

Le journaliste était invité à une soirée chez des amis au pied des murailles du Père-Lachaise. Il me proposait de l'accompagner. Je lui ai demandé de téléphoner à la Closerie pour dire que j'étais souffrant. J'étais en deuil. Je pleurais mon androgyne. Je pleurais dans les bras d'un inconnu. Egon avait été une figure inspiratrice, un modèle, un double rajeuni, un amant et peut-être surtout un fils. Il aurait pu mourir au bout du monde. Il s'était suicidé dans mon atelier.

Nous sommes arrivés à la soirée, excités, électriques, incohérents. Je ne voulais pas qu'on prononçât mon nom. J'étais le vieux de l'assemblée. Il y avait des êtres étranges, une rousse très fardée, un assez bel homme genre espion nazi, et toute une faune interlope qui vivait entre les bars branchés de Bastille et les squats. L'appartement était minuscule. On n'y respirait plus. Je suis sorti dans la petite cour au pied des murailles couvertes de lierres du Père-Lachaise. J'avais pris une bouteille de vin. Je ne voulais pas danser. Je ne voulais voir personne. Mon journaliste avait retrouvé une amie et il dansait comme un fou.

La douleur m'assaillait. Egon. Le pendu de l'atelier de la Folie. C'était le jour de ma double mort. Le suicide d'Egon et le mausolée du Grand Palais, avec les douze gardes comme au Panthéon. Je sanglotais en rêvassant quand un jeune homme est venu s'asseoir près de moi à la vieille table de fer forgé. Il s'est présenté. Il avait une certaine élégance native. Il était originaire de Bourg-en-Bresse et étudiait l'architecture à Paris. Il connaissait parfaitement mes toiles et s'était promis de visiter l'exposition du Grand Palais. Il a ri en voyant le picrate que je buvais. Il avait apporté du bon bordeaux qu'il est allé chercher sans plus attendre. Il s'exprimait avec beaucoup d'aisance. Je lui ai demandé de me dire ce qu'il aimait. Il rentrait d'un voyage au Japon. Il était ému par un temple de Kyôto dont le nom sonnait dans le silence monastique comme un chant grégorien sur la pierre : Daisen-in. Un temple en bois posé parmi d'autres dans le vieux Kyôto. Un temple au bout d'un dédale de rues de galets blancs et de hauts murs de torchis. Je l'écoutais. Tout en l'écoutant, sous la vieille table de fer forgé, j'avais délacé ses chaussures et je lui caressais les pieds, comme je l'aurais fait à Egon. Mon rite saugrenu ne semblait pas lui déplaire. Nous buvions son bordeaux magnifique. Il parlait en architecte du plancher qui craque, du calme des toits en suspens au-dessus des rivières de sable, des frontières spatiales anéanties. Il me subjuguait. Non qu'il fût beau, mais il émanait de lui un charme, de ses pieds surtout qui avaient foulé les enceintes monastiques de l'Orient lointain. Il se revoyait — c'était au début de cette année, en janvier — au Daisen-in, assis dans l'axe du jardin sec, les jambes repliées sous la table chauffante, regardant dehors tomber la neige. Il était ivre. Moi aussi.

Il me tutoyait et me disait :

— Vas-y, vas-y, il faut que tu ailles à Kyôto, il faut que tu voies le Daisen-in, plus encore que le Pavillon d'or, il est beau de regarder dehors tomber la neige...

LE PORTEUR D'ÉCLAIR

Luc de Teffène avait fait jouer ses relations politiques —
il travaillait désormais à l'Élysée auprès du président Chirac — pour qu'Erich Sebastian obtînt vite le droit d'aller
résider à la villa Claudel à Kyôto. Depuis la soirée au pied
des murailles du Père-Lachaise, les mots de l'architecte
bressan n'avaient cessé de le hanter. Il rêvait du Daisen-in
et de son jardin sec enneigé.

Il arriva à Tôkyô. Un factotum de l'ambassade devait
venir le chercher à l'aéroport. Personne. Il n'avait pas
dormi. Il avait volé des heures au-dessus des mers nordiques et de la Sibérie. Il téléphona à l'ambassade. Il déran-
geait. Il prit un taxi et découvrit une ville démente, levée,
un entrelacement d'autoroutes et de ponts. Du taxi, il aperçut comme un noyau austère, des murailles, des portiques,
des pins et des douves. Des joggers fous couraient en tous
sens autour du Palais impérial. Des bastions de néons et de
verre surplombaient les jardins immémoriaux. Il marcha
jusqu'à son hôtel par d'étroites ruelles : les maisons
cubiques paraissaient fragiles, prêtes à tomber à la première secousse. Il habita quelques jours à Asakusa, près du
Sensôji. Il était seul, délesté. Il tenta de marcher dans une
ville qui l'excluait. Le vide du sanctuaire Meiji, les moines
vêtus de blanc, toutes ces galeries et ces toitures de bois, la

345

forêt lugubre avec ses corbeaux si près de la ville l'affolè-
rent. Il cherchait des enclaves, des lieux où respirer. Le
parc de Ueno avec les clochards et leurs cabanes de carton
lui sembla sinistre. Quelquefois il trouvait un sanctuaire
avec son *torii*, son gong, sa fontaine et ses vasques d'encens
qui fumaient. Il se perdit dans un petit cimetière rempli de
stèles d'enfants parées de petits tabliers rouges. Des esprits
des limbes, pétrifiés et moussus auxquels on apportait des
jouets et des peluches en offrandes.

Luc de Teffène lui avait recommandé d'appeler le tra-
ducteur de Claudel, de Racine et de Genet au Japon : le
professeur Watanabe. C'était un francophile féru de
théâtre et de peinture. Le professeur venait de mettre en
scène *Les bonnes*. Erich Sebastian, après une journée de
déambulations solitaires par les parcs et les sanctuaires, dut
goûter aux mondanités de l'intelligentsia tôkyôïte. La mise
en scène s'inspirait des règles japonaises, les bonnes — des
hommes — évoluaient sur un promenoir qui s'avançait
dans la salle. Tout cela était ambigu, maniéré, somptueu-
sement décadent. Le professeur avait mis l'accent sur la
dimension sacrificielle de la pièce. À la fin, en compagnie
de quelques invités choisis, Erich Sebastian dut aller saluer
les acteurs dans les loges. Ils étaient décevants, une fois
tombée la gangue des guêpières et des strass. On ne les touchait pas. On se prosternait devant eux comme s'il se fût
agi d'intercesseurs sacrés.

Quelquefois la mélancolie l'étreignait. Il était attendu à
Kyôto au début d'octobre. L'envie le prenait de rentrer. Il
se voyait mal pensionnaire d'une villa. Portât-elle le nom
de l'auteur de *Connaissance de l'Est*. Il avait toujours détesté
les contraintes, les commandes officielles. Luc l'avait
informé avant son départ qu'il devrait assurer un cycle de
conférences. Ce serait la première fois qu'il parlerait de
peinture en public. C'étaient ses derniers soirs à Tôkyô. Il
déclinait toutes les invitations du couple Watanabe et des

gens de l'ambassade. Il parcourait son quartier d'Asakusa. Les soirées étaient douces. Dans le jardin du sanctuaire des cigales chantaient. Quelques restes d'encens se consumaient encore. Au pied de la pagode, on avait allumé les lanternes de papier marquées de la fleur de prunier. Erich Sebastian s'asseyait sur un muret, dans le jardin, près de temples minuscules qui avaient les dimensions de guérites. Des bols, des coupes, des verres étaient posés sur ces autels de bois. Et même une chope de Guinness... Les cigales, les effluves d'encens, le bruit de l'eau qui sourdait des pierres, le rougeoiement des lanternes captivaient Erich Sebastian. Parfois un frémissement aquatique l'arrachait à sa rêverie : une tortue venait de plonger.

D'autres fois, il allait marcher sur les rives de la Sumida. Il allait s'asseoir sur le piédestal de la tour de Starck. Il était bien sur ce damier noir à regarder l'eau, les sillages, le faisceau et le foisonnement des lumières. Le fleuve et les feux le happaient. Il était vide. Sans passé, sans repères. Il s'accoutumait à cette ville. Il avait oublié qu'il avait été peintre. Il revoyait les douze gardes d'apparat aux portes de son mausolée. C'était dans une autre vie. Il savait qu'il avait dans ses bagages le petit cahier secret d'Egon Oder. Il le lirait peut-être lorsqu'il aurait pris ses quartiers à Kyôto. Les eaux de la Sumida s'écoulaient lentement. Erich Sebastian voulait revoir son sanctuaire aux cigales et aux tortues. Il passerait la porte du Tonnerre, remonterait Nakamise dôri, la longue galerie bordée d'échoppes qui menait au temple. Et il resterait tard dans le jardin à veiller, en attendant un simple bruit : le plongeon d'une tortue.

La villa Claudel était un ensemble neuf, tourné vers les collines et les bois, à quelques pas du Nanzen-ji. Les artistes disposaient d'un petit studio et d'un atelier. C'étaient en règle générale de jeunes créateurs qui n'avaient pas encore fait leurs preuves. Ils adoraient la vie commune, ils passaient des soirées à rire et à boire. Erich Sebastian se démarqua en ne participant à aucune de ces soirées. Il demanda seulement au directeur de lui indiquer les dates des conférences, il demanda aussi une faveur : il voulait que les baies de son atelier fussent murées. Il sympathisa avec un jeune professeur de lettres de l'Institut français, Olivier Léonard. C'était un garçon d'origine lorraine, joueur d'orgue et grand connaisseur de poésie. Il était venu faire son service militaire à Kyôto et il y était resté. Il avait un léger défaut de prononciation qui amusait Erich Sebastian. Olivier semblait avoir une culture picturale assez réduite. Aussi se réjouissait-il de la présence d'Erich Sebastian Berg à la villa.

Au début d'octobre, au tout début du séjour d'Erich Sebastian à Kyôto, il l'invita dans un petit restaurant exquis des quartiers périphériques. Il lui fit goûter un assortiment de *sushi*, des *makizushi* — c'est-à-dire des légumes entourés de riz vinaigré et enroulés dans des feuilles d'algues — et des *nigri,* des morceaux de poisson cru posés sur une boulette de riz vinaigré. Ils dégustèrent aussi des *sashimi* de daurade enveloppés dans des feuilles de bambou. Erich Sebastian interrogea Olivier Léonard sur ses cours, sur sa vie à Kyôto. Olivier avait participé aux opérations de sauvetage après le séisme de Kôbe. Il raconta l'horreur qu'avait été la découverte des corps bloqués dans les immeubles, la résignation des uns et la folie vengeresse des autres, en particulier à l'égard de l'administration accusée d'incurie. À l'écouter on aurait dit qu'il avait perdu quelque chose à Kôbe. L'orgue d'un couvent sur lequel il aimait jouer. Un être désiré peut-être. Un certain pucelage sans doute, celui que l'on a tant qu'on ne connaît pas le vertige de la viande et l'odeur de la mort.

Ils mangeaient dans un petit salon que délimitaient des cloisons coulissantes. Et ils s'étaient déchaussés avant de s'asseoir sur le tapis de jonc. Erich Sebastian parla du Daisen-in.

— C'est un beau temple, répondit Olivier, mais c'est surtout l'ensemble des temples du Daitoku-ji qui est fascinant. Mais le Daisen-in n'est pas mon préféré. J'aime beaucoup le Tôfuku-ji à cause de sa vallée et de ses arbres, souvent je prends le train jusqu'à Uji pour aller méditer dans le pavillon du Phénix du Byôdô-in, mais mon préféré, je crois, celui où je vais souvent lire, c'est le Nanzen-ji. Il est juste à côté de la villa.

— Vous m'emmènerez? risqua Erich Sebastian.

— Non, je crois qu'il faut y aller seul. Vous verrez, c'est très facile. Pour aller à Uji, le train traverse des bois de bambous. C'est une chose extraordinaire. Au Nanzen-ji, je me suis fait un ami du maître Sengai qui parle un français impeccable. Il s'est approché de moi un jour que je lisais Rimbaud au-dessus des graviers et des mousses du jardin sec. Je vous le présenterai... Oui, ce sont ces temples qu'il

349

faut voir en priorité. Avec *votre* Daisen-in. Le Pavillon d'or et le Ryôan-ji, c'est pour les touristes...

Il parlait sans prétention. Et ce qu'aimait Erich Sebastian, c'était ce plain-pied, cette franchise, cette confiance immédiate. On aurait pu penser qu'il ne savait pas qu'Erich Sebastian était peintre. Il s'adressait à lui comme à un ami de son âge. Un de ces artistes stipendiés et choyés — ces artistes en couveuse que produit tout régime — qui habitaient la villa. Erich Sebastian adorait cette impression de liberté. Il pouvait aller enfin sans le *poids mort* de son passé et de ses œuvres. Il avait atrocement souffert ces dernières années. Il avait laissé derrière lui trois reliquaires. La chapelle de la Roque, l'atelier de la Folie et le mausolée du Grand Palais. Il dînait accroupi avec un inconnu, au bout du monde. Il était sans désir. Tout à la grâce du moment.

Et tout en écoutant le jeune Olivier Léonard qui voulait absolument l'inviter à l'un de ses cours à l'Institut, il se disait qu'il avait dû arriver au bout d'un cycle. D'un faisceau d'incarnations. Il avait demandé au directeur de la villa Claudel qu'on obturât les fenêtres de son atelier mais peut-être ne peindrait-il plus. Peut-être ne toucherait-il plus de corps.

Olivier commanda de nouveau du saké. Erich Sebastian sentait comme un bourdonnement, une torpeur qui l'envahissaient. Il entendait, mais très loin, la voix d'Olivier Léonard. Olivier racontait que la dernière fois qu'il avait joué de l'orgue, c'était en août 1996, pour le mariage de son frère. Erich Sebastian était quelque part sur les rives de la Sumida. Dans son jardin aux cigales et aux tortues.

Le lendemain, malgré la veille et l'ivresse, il se leva à l'aube. Il voulait être au Daisen-in dès l'ouverture. Il s'avança : il était interdit de pénétrer dans le temple sans s'être déchaussé. Il mit ses pas dans ceux du jeune architecte bressan. Il faisait frais. À part le garde, il n'y avait personne. Le bois craquait. Il s'arrêta devant un océan de gravier d'où surgissaient deux mamelons. Le gravier était impeccablement ratissé. Il s'assit. Ce fut comme un vertige. Il n'y avait pas de neige. Une légère brume. Il lui sembla que les mamelons vibraient. Le jeune architecte s'était assis là. Il retrouva sa voix, ses expressions. Il ne serait jamais venu là sans lui. Il ne l'avait pas désiré. Il l'avait caressé en pensant à Egon et il ne l'avait pas peint. C'était le premier de ses intercesseurs qu'il ne peignait pas. Il se releva. Il aimait sous les pieds la sensation des planches rugueuses qui craquent. Il découvrit un autre jardin sec, de proportions plus resserrées, avec des rivières de gravier, des îles, des ponts, un paysage chinois minéralisé.

Il remit ses chaussures. Le pèlerinage continuait. C'étaient les mots du jeune architecte qui avaient dessiné son parcours de ce matin d'octobre. Il *reconnaissait* les galets, les temples tassés, la végétation bien verte, les clôtures de torchis. Soudain il vit un groupe qui se massait devant une porte. Il le doubla. Une allée pierreuse bordée de mousses conduisait à un autre temple, le Kôtô-in. Erich Sebastian eut l'impression de traverser un sanctuaire de verdure. Dans ce qui ailleurs aurait été un jardin sec, des lanternes de pierre jaillissaient d'un pavage de mousses. Du promenoir, on pouvait contempler des troncs, des bambous, une profusion d'essences, des perspectives feuillues. La rosée avait humecté les mousses. Le plancher était humide et glacé. Erich Sebastian traversa des salles vacantes. Les cloisons coulissantes ouvraient sur les recoins et les surprises du jardin. On devinait sur des portes des décors peints, avec des pics neigeux, des cascades, des tigres, des oiseaux. Les touristes arrivaient. Il était temps de fuir. Erich Sebastian reprit la belle allée feuillue entre les mousses. La griserie montait. Il sauta dans un bus, se perdit. Le chauffeur ganté l'agrippa au moment où il s'apprêtait à descendre : il n'avait pas payé son billet. Il entra dans l'enceinte du Pavillon d'or. Les groupes d'écoliers en uniforme noir et casquette affluaient. Ce fut un ravissement : le pavillon à triple étage surmonté du phénix flottait sur un lac. Il dérivait, immobile sur son miroir d'eau. Erich Sebastian qui avait lu les guides jusqu'à les connaître par cœur se récita les noms japonais : le rez-de-chaussée, c'était le Hôsui-in, le premier, le Chôondô, et le second, le Kukyôchô. Mais ce qui lui plaisait surtout, c'étaient les traductions si poétiques de ces noms : *Carré de l'Eau de Vérité, Grotte de la Rumeur Marine, Haut de la Conclusion.* Les groupes d'écoliers le bousculaient. Là-bas, à la pointe d'une île de rocailles et de pins, une grue montait la garde. Erich Sebastian ne bougeait plus. Et ce qui lui semblait plus beau que le pavillon encore, c'était son reflet dans le lac. Il était bientôt midi. Le zénith d'octobre embrasait la feuille d'or. Erich Sebastian était immobile, indifférent à la rumeur de la foule qui défilait. Il s'abîmait dans la contemplation du reflet du Pavillon d'or. Les fines colonnes et le phénix s'enfonçaient parmi les racines des algues. Il s'écarta. Il titubait. De vieilles femmes enturbannées ratissaient les mousses du sous-bois. Ses yeux étaient troubles. Il revoyait les mamelons de sable du Daisen-in, les ondulations de la mer d'éternité.

Il bondit dans un taxi. Un fantôme l'obsédait. Plus celui du jeune architecte, celui du novice qui avait incendié le pavillon un jour de 1950. Il demanda au chauffeur de le conduire au Ryôan-ji. Il savait qu'Olivier Léonard rirait lorsqu'il lui raconterait sa journée : il visitait les temples à touristes. Il était plus de midi. Il n'avait rien mangé depuis la veille. Il n'avait ni soif ni faim. Il alla faire quelques pas au bord d'un étang couvert de feuilles de lotus. Au centre du lac, il y avait une île avec un portique rouge. Comme il déambulait sur la rive, il avisa soudain un adolescent brun, très beau, qui filmait le lac et ses fleurs. Il était accompagné d'un homme qui devait être son père. Erich Sebastian les suivit. C'étaient deux Américains. Il ne voulait surtout pas les dépasser. Les deux autres flânaient. Erich Sebastian ralentit. Il était entré seul au Daisen-in, avec le seul souvenir de l'architecte. Au moment de contempler le jardin de sable et de rochers du Ryôan-ji, il mettrait ses pas dans ceux d'un jeune inconnu que naguère il aurait pu peindre. Le fils et le père se passaient le caméscope. Erich Sebastian qui les filait craignit que son manège ne fût bientôt découvert. Ce devait être leur première visite de temple. L'adolescent parut surpris de devoir laisser ses baskets à l'orée du jardin. Erich Sebastian le regarda s'avancer de ses grands pieds blancs et malhabiles vers l'étendue de sable rituellement ratissée. Et il se posa, allongeant ses jambes au soleil.

Un long mur en terre protégeait l'espace. Quinze pierres de tailles différentes émergeaient. Erich Sebastian avait lu qu'il fallait faire le tour du jardin de gauche à droite pour découvrir successivement la pierre du Bouddha, la pierre-baleine qui évoquait une légende de la mer, les pierres de la mère tigre et de ses enfants, l'île Tortue et la Grue du paradis. Les quinze pierres étaient donc bien rassemblées en cinq groupes, mais quelle que fût la position de l'orant, il n'en pouvait jamais voir plus de quatorze à la fois. Erich Sebastian se déplaça, traquant la quinzième pierre. Il traquait la pierre manquante — et le jeune Américain. Il lui sembla qu'il avait disparu. Il revint face au jardin : l'adolescent exhibait toujours ses grands pieds blancs au soleil. Erich Sebastian ressentit une émotion violente : le jardin, les îles minérales aux noms magiques, le contemplateur déchaussé. Il le photographia. L'adolescent s'en aperçut. Il eut un air amusé et complice.

Au sortir du temple, le père et le fils montèrent dans un taxi. Erich Sebastian se retrouva sur l'esplanade, idiot, désemparé. Il s'était attaché à cet inconnu. Une contemplation, une connivence les liaient. Il regarda partir le taxi qui les emportait. Erich Sebastian avait prévu la visite d'autres temples. Une apathie le gagnait. Il avait vécu avec ce jeune inconnu le début d'une histoire. Et soudain, livré à la vacuité de Kyôto, il était seul, il était triste.

Il n'eut pas la force de visiter d'autres temples. Il se fit conduire jusqu'à la villa et s'enferma dans son atelier. Il prépara six toiles d'égales dimensions : 198 cm x 147,5 cm. Il les badigeonna de bitume, de pourpre et d'or. Puis il se réfugia dans sa chambre, cassa le bar. Il but pratiquement une bouteille de whisky Suntory. Il sortit. Il dit «Bonsoir, Madame» au directeur qui le considéra d'un air affolé. Il se dirigea vers la gare, se perdit dans un réseau de galeries marchandes souterraines. Il s'attabla dans une gargote chinoise. Les marmites fumaient. On l'installa devant un vieil homme ivre qui dînait seul. Il commanda n'importe quoi. Il riait aux éclats. Il revoyait le jeune Américain du Ryôan-ji, les six toiles de bitume, de pourpre et d'or. Il se leva, se perdit de nouveau. Il était sous la gare de Kyôto. Il marcha le long de la Kamo asséchée. Les temples cachés derrière leurs hauts murs et leurs portails clos l'attiraient. Il retrouva miraculeusement la villa, appela Fabian et Gaëlle Ausborne qui semblèrent ne pas se rendre compte de son ivresse. Lorsqu'il eut posé le téléphone, l'angoisse le saisit de nouveau. Il savait qu'il ne voulait pas revoir les six toiles. Deux triptyques. Il savait qu'il lui suffirait de gratter le bitume, la pourpre et l'or pour découvrir les fantômes de Véronique Berg et d'Egon Oder. Il préféra fouiller dans ses valises jusqu'à ce qu'il retrouve un petit cahier vert. Vert comme les cierges de la crypte Saint-Victor. C'était le cahier secret d'Egon que Gaëlle avait subtilisé dans la mansarde de la rue Mouffetard. Il se mit à lire des passages :

C'est le feu de son regard qui m'attire. Je l'avais remarqué dès l'office de la Chandeleur. C'est pourquoi je n'ai pas été surpris de le retrouver chez les Prassinos. Tout le temps que je regardais les toiles du vieux peintre, il me faisait subir une véritable mise à l'épreuve. (…)

Il me désire. Il ne fait que cela. Je l'aime et je le hais à la fois. Il m'a enlevé. Il m'a arraché à la monotonie de ma vie d'élève. Dès que je m'écarte de lui, tout est fade. À Sénanque, à Saint-Malo, c'est lui le vrai prêtre. Je n'ai jamais autant lu que depuis que je vis près de lui. Rimbaud, Proust, les érotiques de Bataille, Genet et les lettres de Van Gogh. (…)

Le Graal est derrière les claires-voies. *En relisant cette phrase qu'il disait à Sénanque. Merde, il est trop tard. Est-ce qu'il est trop tard. Est-ce qu'il est trop tard, ne me reste qu'à sous-vivre, à vivoter. Ça l'arrangerait peut-être. Mais non, en avant. Debout. (…)*

Je reste enfermé dans ma mansarde. Je passe mes journées à dormir. La nuit, je me maquille, je mets des porte-jarretelles, et je danse. Je suis toujours très lunatique. Certains jours capable de casser sa porte, d'autres persuadé que je l'ai tellement ennuyé qu'il a décidé de ne plus me revoir. (…)

Il est vrai que les années précédentes, je décidais toujours de mon retour. Je suis passé cet hiver. Il n'y était pas et j'ai décrété que c'était parce que (…)

Me photographier. Me peindre. M'enfermer nu dans des triptyques. L'idée était stupide, abusive et décevante et cruelle. Il faut être vaniteux comme lui pour se croire capable de matérialiser l'imaginaire, de capturer la grâce. (…)

Il m'a fait lire Le Pavillon d'or. *Quelle erreur ! Quand je ne dors pas, quand je ne danse pas travesti en femme — peut-être mon vrai sexe —, quand je ne me fais pas passer pour John Egal, je médite ces phrases : «Si tu croises le Bouddha, tue le Bouddha ! Si tu croises ton ancêtre, tue ton ancêtre ! Si tu croises un disciple du Bouddha, tue le disciple du Bouddha ! Si tu croises tes père et mère, tue père et mère ! Si tu croises ton parent, tue ton parent ! Alors seulement tu trouveras la Délivrance. Alors seulement tu esquiveras l'entrave des choses, et tu seras libre. » (…)*

Je ne suis plus John Egal, je m'identifie de plus en plus au moine Mizoguchi. Celui qui brûla le Pavillon d'or. Un fantasme : mettre le feu au Grand Palais la nuit du 12 au 13 octobre 1994. (…)
C'est parce que je t'aime que j'adore me branler dans ma chambre devant ton Crucifié du Mercredy. *(…)*
Vivre et détruire, c'est la même chose.

Le mardi 8 octobre, frais, sans trace de l'excès et de l'effroi nocturnes, Erich Sebastian Berg était dans son atelier. Les fonds n'étaient pas bien secs. Il traça dans un arrière-plan la silhouette d'une cavalière qui semblait chevaucher sur une grève. Il dessina d'un trait une dépouille pendue. Dans son ivresse et son délire de la nuit, il avait brûlé les pages du cahier secret d'Egon. Il prit les cendres et les étala méticuleusement sur le corps pendu.

Il sortit. Il lui sembla que les frondaisons des collines commençaient à roussir. Il voulait voir le Tôfuku-ji. Le temple avait été édifié au-dessus d'une faille boisée. Des écoliers en uniforme noir et chaussettes blanches piaillaient dans les galeries. Il s'attarda devant le jardin avec ses mousses, ses linteaux de pierre qui constituaient autant de petits ponts, ses herbes, ses bassins, ses ruisseaux. C'était superbe mais un peu trop vert et humide à son goût. Il préféra la vallée. Il resta un long moment sur le promenoir qui surplombait les arbres verts et roux. L'automne mordait différemment la diversité des essences. Certains feuillages avaient toujours un éclat printanier. La vallée feuillue l'attirait. Des images, des bribes de phrases le traversaient. Il pensait au moine Mizoguchi qui avait incendié le Pavillon d'or. Il s'égara dans le quartier du Tôfuku-ji. Les mêmes murs de torchis blanc cachaient des villas ou des temples. Il descendit jusqu'à l'Institut français. Il croyait savoir qu'Olivier Léonard finissait son cours à onze heures. Il l'attendit au bord du bassin dans lequel nageaient des carpes centenaires. Dès qu'il aperçut dans l'entrée la silhouette du jeune prof, il se précipita. Il dit : «J'ai recommencé à peindre!» Olivier Léonard parut troublé. Il reprenait ses cours à seize heures. Il proposa une visite au Nanzen-ji.

Il fallait passer une gigantesque et lourde porte de bois. Olivier allait là comme chez lui. Un brasier — on devait brûler des écorces et des déchets végétaux — répandait des senteurs capiteuses. Ils s'assirent le long du jardin sec, les jambes pendantes. Le gravier ratissé s'arrêtait au bord d'une plage de verdure. Il y avait des buis et des plantes taillés comme des hérissons. La fumée blanche du bûcher s'élevait de l'autre côté de la clôture. Derrière le temple, des cascades ruisselaient de la montagne. Il y eut le bruit d'un gong et une mélopée, lente, insistante. Erich Sebastian ne bougeait plus, captivé par le jardin blanc et ses arbres, la fumée odorante qui montait de l'autre côté du mur, les prières. Il prit la main d'Olivier et lui dit :

— Vous avez raison, c'est le plus beau. Maintenant je sais que je vais pouvoir les peindre. Ma fille et mon dernier amant. Ils sont l'A et l'Ω de mon sanctuaire intime...

Olivier ne répondit rien. Il ne parut pas choqué qu'un homme lui prît la main.

— Je voudrais vous demander quelque chose. Je voudrais que vous alliez de ma part à Tôkyô chez le banquier Hei. Allez voir le *Triptyque d'Anvers*...

Ils se levèrent. Ils marchèrent sur des passerelles de bois qui craquaient. Olivier montra à Erich Sebastian les peintures précieuses des salles. Il y avait des tigres, des oiseaux, des paysages de neige. Il fit glisser une porte. Le maître Sengai était accroupi. Il calligraphiait sur de fines lames de bois. Il quitta son écritoire dès qu'il aperçut Olivier. Jamais Erich Sebastian n'avait vu un visage à ce point détaché des choses terrestres. Jamais, si souillées que fussent les mains par la vie, l'argent, les femmes, les garçons, il n'avait lu sur un visage d'homme pareille hauteur, pareille distance. Le maître Sengai connaissait l'œuvre d'Erich Sebastian. Il lui parla des croix et des ossuaires de Huel Goat. Il lui dit qu'ils obéissaient tous deux aux mêmes principes : le *pinceau économe* et la *frugalité d'encre.*

Olivier avait compris que le maître voulait se remettre au travail. Ils prirent congé. Le maître se figea sur le seuil de la porte coulissante et attendit qu'Erich Sebastian et Olivier eussent complètement disparu. La courtoisie l'imposait dans la secte Zen. Erich Sebastian souhaitait revoir le jardin. Soudain il sursauta : le jeune Américain du Ryôanji était là, les jambes étendues. Il portait ce jour-là des socquettes fleuries. Le père filmait le jardin et les fumées. Erich Sebastian ne put s'empêcher de sortir son appareil photo. L'adolescent prit la pose en fixant la plage de mousses et le bûcher. La présence d'Olivier et du père interdisait tout échange. Comme Erich Sebastian s'éloignait, l'adolescent lui adressa un signe de la main.

Erich Sebastian avait informé le directeur de la villa qu'il ne prononcerait pas de conférences. Il se disait disposé à recevoir les artistes qui en manifesteraient le désir. Il quittait son studio pour aller méditer au Nanzen-ji. Il lisait et relisait ces lignes d'Hokusai dans sa préface des *Cent vues du Fuji* : «Depuis l'âge de six ans, j'ai pris la manie de dessiner la forme des choses. À l'âge de quinze ans, j'avais déjà publié une quantité de dessins, mais tout ce que j'ai produit avant l'âge de dix-sept ans ne vaut pas la peine d'être compté. À soixante-treize ans, je crois avoir acquis quelque connaissance de la structure véritable des choses, des animaux et des plantes, des arbres, des poissons et des insectes. Je crois que, quand j'aurai quatre-vingts ans, j'aurai encore fait quelques progrès. À quatre-vingt-dix ans, je pénétrerai le mystère des choses ; à cent ans, j'aurai accompli une œuvre merveilleuse, et quand j'en aurai cent dix, tout ce que je ferai, ne fût-ce qu'une hachure ou une ligne, ce sera de la vie. Écrit à l'âge de soixante-quinze ans par moi, qui fus jadis Hokusai et qui suis maintenant Gwakio Rojin, le vieillard fou de dessin. »

C'était un testament. C'était une prière. Erich Sebastian s'asseyait toujours là où s'était allongé le jeune Américain. Il se levait, grisé, faisait coulisser la porte de la cellule du maître Sengai. Il aimait le français académique du vieux maître. Il aimait l'odeur de l'encre et le frémissement du pinceau. Il aimait les aphorismes et les histoires du maître. Deux, trois, toujours les mêmes.

Un créateur n'a de comptes à rendre qu'à lui-même...

Quand mon maître se sentait prêt à calligraphier, il se mettait d'abord à boire force rasades de vin, il arrachait son foulard, laissait flotter ses cheveux, poussait une série de rugissements, puis vidait douze baquets d'encre jusqu'à épuisement de tout son papier...

Un moine errant, T'an-hsia arriva un soir d'hiver près d'un vieux temple abandonné. Il neigeait. Un vent glacial soufflait. Il entra dans la carcasse du temple et avisa une superbe statue dorée du Bouddha. Et estimant que le plus grand service que pouvait encore lui rendre le Bouddha cette nuit d'hiver était de le réchauffer, le moine T'an-hsia brûla la statue...

Le maître Sengai savait à quel point ces paraboles réjouissaient celui qui avait peint les croix et les ossuaires,

Huel Goat au *pinceau économe.* D'autres fois, il lui récitait l'épitaphe du vieillard fou de dessin :

Mon âme, muée en feu follet, peut aller et venir à l'aise sur les champs estivaux.

Il sortait de la cellule du maître Sengai. De nouveau, il s'asseyait sur les marches qui surplombaient le jardin sec. Il songeait au secret d'Olivier Léonard. Qu'avait-il perdu à Kôbe ? Un orgue du xviiie comme il le prétendait, une fiancée, un amant ? Il était difficile de deviner les préférences sexuelles d'Olivier. Erich Sebastian se disait qu'il aurait pu faire l'amour avec Olivier Léonard. Il lui semblait parfois comprendre qu'Olivier en avait le désir. Certes, il lui parlait des étudiantes qui assistaient à ses cours avec un brin de libertinage et d'ébriété. Mais cela avait quelque chose de faux. Olivier avait un reliquaire à Kôbe. Le reliquaire d'un songe ou d'un désir. *Reliquaires d'un désir* : ce serait le sous-titre des deux triptyques officiellement intitulés *Triptyque, octobre 1996,* et *Hommage à Véronique Berg et Egon Oder.*
Erich Sebastian paressait sur le bois chauffé. Il regardait décliner la lumière. Il laissait un pourboire important au jardinier du temple qui brûlait des branchages et des herbes de l'autre côté de la clôture chaque fois qu'il venait. Il contemplait les vagues et les sillons dans le sable. Il lui semblait que les thèmes érotiques qui avaient dominé sa vie s'éloignaient. Quelquefois un blason le harcelait avec un sexe dressé, vibrant dans une toison épaisse, et ce qui le parachevait, des cuisses, de beaux pieds, un torse, des mains, des cheveux. Il contemplait le sable, les mousses, la fumée qui s'élevait derrière le mur. Il priait Hokusai, Sengai, Véronique et Egon, l'A et l'Ω de son Nanzen-ji secret.

Erich Sebastian fut convié au temple Toji pour l'inauguration des œuvres d'un des pensionnaires de la villa Claudel. Il n'avait rien d'autre à faire ce jour-là. Il proposa à Olivier Léonard de l'accompagner. Le jeune peintre, Ludovic Outrebon, avait conçu de longs rouleaux marqués d'idéogrammes qu'il avait pendus au toit du temple. Un cocktail devait ensuite être servi dans un grand hôtel du centre de Kyôto.

Quand il découvrit les rouleaux qui se dévidaient depuis les gouttières, Erich Sebastian eut du mal à contenir son fou rire. Il pénétra dans le temple. L'artiste, très concentré, prononçait un discours qu'une étudiante traduisait instantanément à l'intention des notables nippons. Il parlait de sa souffrance, de la portée mystique de son geste, il était l'humble continuateur des calligraphes japonais. Erich Sebastian se plaça auprès du seul invité qu'il connût dans l'assistance, le directeur de la villa. Ludovic Outrebon poursuivait son discours plein d'emphase. Jamais il ne remercia la villa et le ministère français des Affaires étrangères. Le directeur était furieux. Erich Sebastian sortit avec Olivier pour revoir les œuvres. Elles étaient accrochées là jusqu'à la fin des temps. C'était grotesque. On eût dit des rouleaux publicitaires. Servis sans le discours amphigourique et creux, c'étaient de vulgaires draps écrus qui souillaient une architecture magnifique. En d'autres temps, Erich Sebastian aurait commandité une expédition réparatrice. Il se contenta de rire. Il se promit de raconter à Luc de Teffène dès son retour l'incommensurable prétention et la vanité de pareilles opérations. Olivier Léonard était choqué. Il s'insurgeait contre le fait qu'on osât suspendre de telles merdes à un ensemble parfait. Et c'était une fois de plus l'image que l'on donnait de l'art français à l'étranger. Les Japonais, polis, avaient applaudi. Et on ne pouvait qu'applaudir à une telle mascarade. Une fondation milliardaire avait servi de mécène. Le jeune artiste, fier comme un coq, avait accompli son grand œuvre. Erich Sebastian se réjouit de ne pas avoir prononcé de conférence. Il n'avait rien à dire à ces gens-là. Et ces gens-là le considéraient comme un figuratif traditionnel et dépassé. Il détestait les discours. Il préférait l'ascèse et la sûreté du geste de peindre. Il était mieux dans la cellule du maître Sengai à écouter ses paraboles. Qu'aurait d'ailleurs pensé le maître d'une telle imposture ? Mais il y avait longtemps que le vieux calligraphe ne sortait plus.

Erich Sebastian s'engouffra dans un taxi. Il n'avait qu'une envie : s'enfermer dans son atelier, retrouver ses triptyques. Ils prenaient forme. *Triptyque, octobre 1996* racontait le suicide d'Egon. Le panneau central montrait un corps pendu et noirci, un corps méconnaissable qui se balançait à côté d'une lampe plafonnière. Sur ce corps le peintre avait jeté comme un fouet de peinture blanche. Au sol on devinait dans une coulée noirâtre une dépouille fracassée. Une lumière blafarde ruisselait de la verrière. Les volets latéraux présentaient, au cœur d'une embrasure percée dans une muraille de bitume, la même image, inversée : et là on reconnaissait Egon, nu, dessiné jusqu'au sexe, Egon jouant et dansant avec un crâne. Autant le corps central était défait, réduit à un faisceau de lignes dans un suaire de couleurs froides, autant, sur les panneaux des côtés, la chair d'Egon resplendissait, les cheveux passés à l'or, les bras agiles, gracieux, les doigts et les paumes fluides, dans la posture de l'offrande. On eût dit que deux boules de bitume tournoyaient dans les orbites du crâne. Une fois encore Erich Sebastian avait célébré la beauté et l'androgynie de celui qui proclamait que vivre et détruire étaient synonymes. Et la destruction éclatait au centre dans la grisaille d'une cage de verre, avec cette lampe, ce corps qui tombait du ciel et cette viande boueuse et noire répandue à terre. Une dernière fois, Erich Sebastian avait travaillé et soigné le blason d'Egon, la bite bien à la verticale, le sac des testicules lourd, nettement marqué.

Hommage à Véronique Berg et Egon Oder partait de trois photographies d'Egon, trois clichés qu'Erich Sebastian conservait toujours dans son portefeuille. Et il avait détouré les trois effigies pour les inscrire sur des espaces hivernaux, sableux et gris. Les pieds, les ombres, le trépied de berger portugais, les pattes du cheval qui caracolait à la ligne d'horizon, tout semblait prêt à sombrer, à s'engloutir dans la mouvance du sol. Le triptyque se déroulait comme un film. Egon fumait, assis sur le trépied, en jeans noirs et chaussettes grises, torse nu, les jambes croisées, la main gauche posée sur la cheville. On le retrouvait au centre, toujours légèrement de profil, mais debout cette fois, le ventre et les flancs très lumineux, le visage perdu dans l'ombre, fixant le crâne dont il semblait inspecter les orbites. Le dernier panneau le montrait à demi tourné, exhibant ses fesses comme il ne l'avait fait sur aucune des toiles peintes de son vivant, il fumait encore face à une fenêtre qui était figurée à la façon d'une haute plaque grise. Il avait toujours le crâne à la main, il fumait face au vide, face à ce miroir dépoli, et on croyait deviner quasiment à la bordure droite du volet un lutrin avec un livre. En souvenir de la nuit des

364

dix-huit ans sur le Grand-Bé, le peintre avait déposé là un exemplaire des *Mémoires d'outre-tombe*.

Mais ce n'était pas tout. Sur les murs noir et rouge qui se dressaient derrière Egon, Erich Sebastian avait placé trois petits tableaux, on eût dit trois photographies en noir et blanc. À gauche et à droite, accompagnant Egon fumant, deux images de Véronique enfant, apprenant à marcher, cheveux au vent, robe de velours et socquettes blanches. Véronique que l'on voyait encore à l'arrière-plan du panneau gauche, à la lisière des sables et des eaux, en cavalière juste filigranée. Au centre, répondant au pendu de *Triptyque, octobre 1996*, au-dessus du crâne mordoré que contemplait Egon, le mur était creusé d'une petite anfractuosité. Comme un tabernacle. L'image n'était plus clouée comme celle de Véronique apprenant à marcher. Erich Sebastian, vingt-deux ans jour pour jour après la première toile, avait reproduit là, en miniature, le portrait-cinéraire du maître d'Anvers. AVJ, déformé, bitumeux, ruisselant, pétri de coaltar et de cendre, regardait Egon qui regardait la mort.

Olivier Léonard invitait une nouvelle fois Erich Sebastian à dîner. C'était vers la fin du séjour, le samedi 26 octobre. Erich Sebastian lui proposa avant le dîner de venir prendre un verre à la villa. Il voulait lui montrer les triptyques.

Erich Sebastian servit le rituel Suntory. Olivier paraissait préoccupé. Il laissa passer quelques minutes avant de lui proposer d'entrer dans la pièce voisine. Machinalement, Olivier abandonna ses chaussures sur le seuil. Il se figea, resta de longues minutes immobile et muet, comme au bord du jardin du Nanzen-ji. Quand il se retourna vers Erich Sebastian, il avait les traits ravagés. Il se remit à parler d'une voix blanche. Il ne parla que de deux choses : la volute de fumée qui s'échappait de la main d'Egon sur le volet droit d'*Hommage à Véronique Berg et Egon Oder*, et la balafre de peinture blanche qui giclait sur le corps du pendu de *Triptyque, octobre 1996*.

— Vous connaissez à présent l'A et l'Ω de mon Nanzen-ji intime, dit sobrement Erich Sebastian. C'est fini. Il est hors de question de vendre ces toiles. J'en ferai don au président de la République. Mon ami Luc de Teffène les lui remettra. Il en disposera comme il l'entend. Beaubourg, les musées de province...

Ils allèrent dîner. Erich Sebastian monta sur le porte-bagages du vélo d'Olivier. Ils retournèrent dans le petit restaurant de leur rencontre. Ils commandèrent les mets du premier soir.

— Demain, j'irai voir le Byôdô-in, dit Erich Sebastian. Et la semaine prochaine, je me rendrai à Nara. L'épouse du professeur Watanabe, qui est originaire de cette ville, m'a réservé une chambre dans le parc aux daims...

Olivier Léonard semblait triste. Il mangeait sans appétit. La conversation languissait. Erich Sebastian se permit de lui demander s'il avait pris rendez-vous avec le banquier Hei. Olivier recouvra sa fougue.

— Non seulement j'ai pris rendez-vous mais j'y suis allé. Je me suis fait passer pour un étudiant qui travaille sur votre œuvre et j'ai vu le *Triptyque d'Anvers*. Il est dans une tour de verre au-dessus des jardins du Palais impérial. C'est vous, votre talent déjà, le tableau est fragile, abîmé... Comment dire, c'est l'A de ce que vous m'avez montré tout à l'heure...

— Vous voulez dire que vous venez de voir l'Ω, répliqua Erich Sebastian en grande forme.

— Ce n'est pas ce que j'ai voulu dire, répondit Olivier, il me paraît simplement difficile d'aller plus loin...

Ils éclatèrent de rire. Évoquèrent le scandale de l'inauguration des rouleaux du Toji.

— J'aurai une faveur à vous demander, dit Olivier. Avant votre départ, j'aimerais pouvoir de nouveau me recueillir devant vos triptyques. Vous savez, je ne suis pas sûr de rentrer en France…

Erich Sebastian saisit l'occasion qui se présentait.

— Vous avez des liens ici ?

— Non, j'ai une copine, mais il n'y a rien de fort…

— Et à Kôbe ?

— À Kôbe ? — Olivier affectait de ne pas comprendre.

— Oui, à Kôbe, insista Erich Sebastian. Vous avez perdu quelque chose à Kôbe. Un orgue magnifique, un amant, votre pucelage de l'horreur ? Vous me cachez quelque chose.

Olivier se tortillait. Il but une rasade de saké avant de répondre.

— C'est vrai que je suis lié à Kôbe. Je suis comme vous, Erich Sebastian, j'y cache le *reliquaire d'un désir*… C'est à la fois un orgue, un homme, mon pucelage de l'horreur comme vous dites. Un vieux lettré musicien qui avait votre élégance, vos goûts, vos manières…

Ils sortirent. Ils revinrent vers la villa. La nuit était douce et lumineuse.

— Il reste un peu de whisky, dit Erich Sebastian.

De nouveau, Olivier se déchaussa au seuil de l'atelier. Il resta un long quart d'heure face aux tableaux. Quand il sortit de la chambre noire, il parla d'un sauna qui était ouvert toute la nuit et où il voulait emmener Erich Sebastian.

— C'est bien ainsi, dit le peintre en versant le whisky.

Il se disait qu'il voyait Olivier pour la dernière fois. Il allait quitter le Japon, reprendre son errance. Il avait cru comprendre que Fabian voulait s'installer à Rome.

367

— Il était comment Egon ? demanda brusquement Olivier.

— Egon, répondit Erich Sebastian, songeur. Egon... Il était l'androgynie, la beauté incarnée... Il n'était pas de ce monde...

— Et pour vous ?

— Un modèle à n'en pas douter, un double, un casse-tête... Quelqu'un qui m'a sauvé de la folie et que moi j'ai plongé dans la folie... Il a tenu un cahier effroyable, hallucinant, que j'ai lu ici au tout début de mon séjour. J'ai brûlé ce cahier et étalé les cendres sur le panneau central du triptyque qui raconte sa mort... Un modèle, un double et peut-être surtout un fils...

Ils avaient beaucoup bu. Erich Sebastian demanda à Olivier de se déshabiller. Il voulait seulement voir son corps. Ce corps chaste qu'avait peut-être désiré le vieux lettré musicien, ce corps diaphane de prêtre du souvenir.

Ce fut tout. Ils sortirent et marchèrent jusqu'à la porte monumentale du Nanzen-ji. Ils se quitteraient là. Ils s'embrassèrent comme deux amants.

Avant de quitter Kyôto, Erich Sebastian tenait à saluer le maître Sengai.

— Vous partez? dit le maître en se levant de son écritoire.

— Oui, répondit Erich Sebastian. Je voulais peindre deux triptyques pour mettre un terme à cette période de mue et de deuil. Ils sont finis.

— Vous comptez les vendre?

— Certainement pas. Autrefois, on les aurait donnés au prince, je me contenterai de les offrir au président de la République...

Ils s'étaient assis au bord d'un autre jardin que ne connaissait pas Erich Sebastian, un rectangle de sable vierge cerné de mousses.

— C'est étrange, dit Erich Sebastian, j'ai l'impression de m'être déjà assis devant ce jardin, mais dans une autre vie. Il m'arrive souvent de penser que ce que j'accomplis dans ma vie réelle tend à devenir l'exact reflet de ce que j'ai vécu en imagination.

— Imagination n'est pas le mot juste, corrigea le maître. Il faudrait plutôt dire *réminiscence de la source première*.

Ils contemplaient le sable étale.

— J'aimerais garder un signe de votre passage dans ce

temple, reprit le maître. Vous pouvez tracer ce signe dans le sable.

Erich Sebastian parut surpris, mais il s'exécuta. Il prit une tige de bambou qui traînait parmi les mousses et dessina un signe qui devait être une *réminiscence de la source première*. Le maître éclata de rire.

— C'est le signe du *porteur d'éclair*. Vous êtes le *porteur d'éclair*...

— C'est bien, dit Erich Sebastian. J'ai été Berg, Huel Goat, Autessier, Orber, Egal, Essenbach. Me voici porteur d'éclair.

— N'écrivez jamais ce nom, reprit le maître. Il est là sur le sable : immobile comme une pierre tombale. Cela suffit.

Des corbeaux venaient de se poser sur la clôture du Nanzen-ji.

— Regardez, dit le maître. Ce sont mes rivaux. Ils tracent de leurs ailes noires le nom des morts...

Erich Sebastian se leva. Il sentait dans son dos l'œil du maître qui le regardait s'effacer.

C'était un jour de pluie. Il prit le train pour Uji. Les forêts de bambous ruisselaient. Des torrents gonflaient les rivières. Les maisons cubiques semblaient prêtes à fondre sous les trombes. Il arriva trempé au Byôdô-in. L'averse crépitait sur l'étang aux lotus. Le temple, avec son corps central et ses deux bâtiments latéraux, avait l'élégance d'un oiseau en vol, un phénix des lotus et des eaux. Il émanait de l'ensemble une conjonction de beauté et de fragilité. À la lisière de l'étang, il y avait une aire de gravier ratissé et quelques lanternes de pierre, deux ou trois bouées des âmes. L'ondée redoublait. Le parc était peuplé de parapluies chamarrés. Erich Sebastian s'assit sur les planches qui surplombaient la grève et ses lanternes, face à l'étang qui bouillait. Derrière lui, dans le pavillon, se trouvait la grande et belle statue d'Amida sculptée au XIᵉ siècle par le prêtre Jôchô. Les visiteurs défilaient derrière lui. Depuis qu'il avait tracé le signe dans le sable du Nanzen-ji, il était habité par l'impassibilité. Il allait sur le monde comme sur un piédestal de lotus. Il savait que le grand phénix d'or veillait sur lui.

Il ferma les yeux. Il lui semblait, lorsqu'il fermait les yeux, que le Byôdô-in rompait toute amarre avec le monde réel et dérivait. Amida, le phénix, les ailes latérales, tout glissait sur les eaux, entre les lotus et les crépitements de l'averse. Et il se redisait la litanie des noms des temples qu'il avait visités, ces architectures miraculeuses et fragiles qui avaient traversé les séismes et les siècles, les brasiers et les guerres, ces pierres, ces vagues de gravier, ces linéaments de bois, ces rives sacrées auxquelles on abordait après s'être délesté de ses chaussures, ces planches rugueuses sur lesquelles des hommes découvraient la forme la plus inattendue de leur vérité intime : Daisen-in, Kôtô-in, Kinkaku-ji, Ryoân-ji, Tôfuku-ji, Nanzen-ji, Byôdô-in. Erich Sebastian se souvint de l'antique parole. Il suffisait de sept justes pour sauver le monde. Sept temples posés dans l'automne éternel suffiraient à sauver la beauté.

Il montait des rives de l'étang une odeur de sphaignes et d'algues rouissantes. Erich Sebastian était toujours à la proue du pavillon du Phénix. Il ne bougeait plus. Son champ de vision se limitait aux planches mouillées par l'averse, au jardin de gravier et aux lanternes. Il ne regardait même plus les eaux qui bouillaient sous leur feutrage de feuilles grasses. Soudain il vit des pieds qui s'étalaient sur le bois, de longs pieds gantés de gris avec des représentations d'oiseaux stylisés. Un visiteur venait de se poster contre lui. Erich Sebastian continua de fixer la grève et ses lanternes, tout en caressant les mains et les pieds de celui qui s'était assis si près de lui. Ces caresses ne semblaient pas déplaire au visiteur. Il resta un long moment. Il avait pris la main d'Erich Sebastian et il la caressait à son tour. Brusquement il s'éclipsa. Erich Sebastian ne l'avait jamais regardé. Il savait simplement que ce n'était pas Olivier Léonard.

Le vent poussait la pluie sous l'auvent. Erich Sebastian quitta sa proue. Il voulait revoir la statue d'Amida. Il s'avança vers l'une des galeries : il aperçut dans une nuée d'uniformes et de casquettes un blouson rouge. Le jeune Américain et son père redescendaient vers le parc.

Il parcourait les capitales dans l'ordre inverse de leur fondation. Ainsi il finirait par Nara. L'épouse du professeur Watanabe, le metteur en scène des *Bonnes*, lui avait réservé une chambre dans un hôtel au cœur du parc de Nara. Il était un pèlerin anonyme. Il était le porteur d'éclair. Il souhaitait visiter le Tôdai-ji. C'était le plus grand édifice en bois du monde. Il y avait une foule considérable. Des centaines de lycéens se pressaient dans les jardins. Il entra dans le temple. Tout était énorme, conçu pour abriter la statue colossale du Bouddha : cela lui parut sans grâce. Il allait quitter les lieux lorsqu'il avisa un groupe de jeunes Européens qui se massaient au pied du sanctuaire central. Il s'arrêta pour les regarder alors qu'ils se débarrassaient de leurs chaussures avant de monter sur le piédestal du Bouddha. Il eut un choc : un jeune blond aux cheveux longs délaçait très lentement ses brodequins. Il eut l'impression de revivre la Chandeleur dans la crypte de Saint-Victor. Il détourna son regard avant que l'étudiant ne fût sur le piédestal. C'était le double d'Egon.

Toute la journée, cette image le hanta. Il parcourut le parc en quête du sosie d'Egon. Il s'égara sur les hauteurs, près d'un sanctuaire shintô. La voie des dieux cheminait entre les arbres, les escaliers, les sentes et les lanternes de pierre. Les daims broutaient dans le parc. Ils n'avaient plus rien de sacré. C'étaient des adeptes du consumérisme touristique. Il avait pensé visiter le Kôfuku-ji et le musée de Nara. Il n'avait plus aucun élan. Il revoyait le sosie d'Egon qui s'apprêtait à marcher sur le socle du Bouddha géant, il revoyait le jeune Américain, ses trois apparitions, les caresses furtives du Byôdô-in, il revoyait Olivier Léonard pétrifié devant *Triptyque, octobre 1996,* et *Hommage à Véronique Berg et Egon Oder.* Les dieux de l'érotisme, les sortilèges des sens le travaillaient encore. C'étaient eux qui l'avaient fait peindre. Mais le porteur d'éclair n'avait plus besoin de ces entraves.

Il se réfugia à son hôtel. Qu'il fût ami de Mme Watanabe lui donnait droit à un traitement de faveur. Il était à peine installé dans sa chambre qu'une servante en kimono kaki vint lui apporter le thé vert. Sa terrasse était décorée de lanternes de pierre. La chambre avait un mobilier à l'occidentale. Il regretta son *futon* de Tôkyô et de la villa Claudel. Il paressa. Il était hagard. Il ne se défaisait pas de la vision du visiteur blond du Tôdai-ji.

Il n'avait pas faim. On était le samedi 2 novembre 1996. En Occident, dans la religion où il était né, c'était le jour des morts. Il eut l'envie d'errer dans le parc. La nuit tombait. Il entra par hasard dans un salon de thé, s'assit auprès d'un vieux Japonais très élégant qui lisait en sirotant un breuvage. Le vieillard sec et très racé portait deux emblèmes des pratiques vestimentaires françaises : le béret basque et la cravate Hermès... Il marcha. Il refit le pèlerinage jusqu'au Tôdai-ji, remonta jusqu'au sanctuaire shintô sur la montagne. Il arrivait qu'on devinât les prunelles des daims sous les arbres. Une joie subite le gagnait. Il allait escorté de ses morts, de ses blasons, de ses hantises fondatrices. La nuit était claire et douce. Il allait dans la compagnie des daims psychopompes. Au pied de la grande pagode, une des constructions de bois les plus vieilles du monde, des vasques d'encens fumaient encore. Plus loin, dans un petit temple, des veilleuses clignotaient. Cent fois, deux cents fois, il parcourut le même itinéraire. La lune s'était levée. Son disque couronnait la grande pagode. Il allait vers les bois, longeait l'étang de Sarusawa, réveillait un ou plusieurs daims alanguis sous les branches, et revenait invinciblement vers la pagode, les cuvettes d'encens, les veilleuses... L'idée de la mort était confuse en lui. Il entendait bouger les pierres du Ryôan-ji. Il revoyait des pieds avec des motifs d'oiseaux sur le pont trempé du Byôdô-in, un androgyne blond qui allait vénérer le Bouddha du Tôdai-ji, une balafre de peinture sur un corps noirci, pendu près d'une lampe au plafond d'une verrière, une dépouille fracassée, une chair qui suintait. Il se souvenait de cette définition que lui avait livrée le maître Sengai, la folie de la transcendance à ses yeux : un monde sans fleurs et sans fruits. Jadis il aurait dit : un monde sans corps et sans peinture. Il ne savait plus. Il lui semblait que la lune vaporisait une sorte de neige sur les temples et les daims mystiques de Nara.

TABLETTES ROMAINES

(notes intimes)

TABLETTES ROMAINES

(Première partie)

I. Le pape Miltiade voulait faire exécuter dans ses appartements certains travaux de peinture. Tous les peintres de Rome affluèrent, s'affairèrent devant lui, si nombreux que la salle Pauline n'en pouvait contenir que la moitié.

Un peintre arriva après tous les autres, sans se presser, comme indifférent. Il salua le pape, mais au lieu de rester en sa présence, il s'écarta. Très vite le pape dépêcha l'un des siens pour savoir ce qu'il devenait. Le serviteur revint aussitôt.

— Il s'est déshabillé au pied d'une fresque de Raphaël et est assis, demi-nu, à méditer.

— Remarquable ! s'écria le pape. C'est l'homme qu'il me faut : c'est un vrai peintre !

II. Les papes ne m'avaient jamais vraiment attiré. Il a suffi que je voie les superbes photographies du dernier élu, le Zaïrois Léopold Hédor Dagotta, devenu pape sous le nom de Miltiade II, quand on le transportait à travers Saint-Pierre, pour que je me précipite dans la basilique. Je l'ai vu, coiffé de sa tiare d'émeraudes. Je me moquais de son origine, de son pouvoir spirituel. Une fois de plus, c'était

379

l'image, c'était sa couleur magnifique qui me saisissaient. Il était unique, seul comme dans une tragédie, hissé sous un dais. La grandeur d'une telle image ne pouvait que se déployer sur le monde.

III. Je suis devenu son intime. Ma provocation orientale au pied des fresques de Raphaël l'a conquis. Le lendemain, il était là. Il avait laissé au Vatican sa moire précieuse et ne portait que de la bure. On aurait dit un moine efflanqué, ascétique. La Rome qu'il dirige va au chaos. Chaque jour, les églises, les couvents, les symboles chrétiens sont l'objet d'attentats dévastateurs. On démêle très mal les complicités islamistes, satanistes, nihilistes. Avec son air de mystique, sa bure triste, ce Miltiade le Zaïrois me plaît. Et peut-être plus seulement comme une image. Quand il arrive le soir dans mon appartement japonais, je me dis qu'il a passé des heures à pleurer ou à prier, jusqu'à l'ivresse.

Il m'a montré ses talismans. Il a caché sous la pierre d'autel de sa chapelle secrète un peu de terre kinoise pour se souvenir de son origine, de la boue des rives du fleuve où il aimait nager. Il a fait venir dans cette même chapelle le corps d'une sainte africaine, une certaine Adélaïde N'Diom, qui avait eu des visions du Christ et de sa croix sanglante, et dont le corps n'a pas pourri. Il chérit et caresse sa tiare d'émeraudes comme le ferait un enfant ou un fou. Plus il voit le monde aller à sa perte, plus il se renferme dans sa forteresse vaticane, il ne rêve plus comme au début de grands voyages, de foi que l'on exporte et que l'on affirme. Une veilleuse, une soutane de bure grise, la poussière rouge de Kinshasa et le corps imputrescible d'une maigre fée semblent lui suffire.

IV. J'ai trouvé mon unité dans la dispersion du désir, et souvent mon désir fragmentait et fétichisait les corps. Mon œil de voyeur ne saisissait qu'une bribe qu'il hypostasiait dans l'incandescence de son désir. Seule me sauvait ma main de peintre. La main qui toujours rassemble, comme au plafond de la Sixtine : l'œil divin éclaté en rayons et la main qui donne forme au monde. Dans la dispersion et la douleur, l'œil désirait et contemplait les cheveux et les pieds d'Egon, tandis que pour l'éternité la main du peintre tressait la geste de l'androgyne. Tout artiste est les deux : main qui saisit le corps, œil qui peint.

V. C'est dans l'avion, au retour du Japon, que j'ai appris en lisant un hebdomadaire, la disparition de Pierre Girard. Je le savais malade. Cet homme m'avait aidé, séduit, et je l'avais haï, tout poisseux qu'il était d'argent, de vilenies et d'intérêts sordides. Je ne l'ai pas pleuré. Au-dessus de la Sibérie, ce fut comme un vide, un pincement au cœur vite effacé. J'ai été incapable d'écrire le moindre mot de condoléances au giton qu'il avait chargé de régler sa succession.

VI. Les *Richelieu* de Philippe de Champaigne étaient parfaits. Que suis-je allé les profaner?

VII. Depuis quelque temps, le souvenir de ce déjeuner à l'Élysée le jour de l'inauguration de l'exposition du Grand Palais en octobre 1994 ne cesse de me hanter. Je revois avec une netteté hallucinante le salon d'angle où nous déjeunions — le salon des Portraits je crois, avec dans des médaillons les effigies des souverains de la vieille Europe —, la table luxueuse, les sièges recouverts de soieries bleues, et le président Mitterrand, blême, absent, dévasté par la douleur. Je revois ses tempes diaphanes, et je me souviens de ce détail : la naissance du lobe de l'oreille creusée, mangée par la mort. Il m'avait parlé des *Richelieu* et des corps crucifiés. Il ne parlait plus que du corps terrassé et du passage. Plusieurs fois, avec ce qui lui restait de voix, il mit ses hôtes au bord du vertige en évoquant la lumière automnale de Belle-Île et des Landes, et en déclarant qu'il trouvait à ce mois d'octobre une odeur très particulière.

À la fin du déjeuner, il avait tenu à me recevoir dans son bureau. Cette pièce aux boiseries dorées avait d'abord été le bureau de De Gaulle. On avait dû l'informer du suicide d'Egon. Je le revois, tassé derrière la grande table d'amarante que lui avait dessinée Paulin, son haut fauteuil géométrique et canné rempli de coussins. On aurait cru le fauteuil de Karl. Il ne me regardait plus. Il caressait des parapheurs amoncelés sur la table bleue. Quelquefois il se tordait, émettait une plainte discrète. Il serrait les dents. Tous le quittaient. Les rats, disait-il, désertent le vaisseau quand le capitaine va mourir. Il ne parlait que de sa douleur, de ce *cratère de souffrance* qu'il était devenu. «Je vais rater ma sortie… », répétait-il. Derrière moi, je sentais le vide du parc, et au-delà la basilique du Grand Palais avec tous mes reliquaires. Il me parlait de ses lectures, des *Misérables* qu'il venait de lire en entier, des *Rois thaumaturges* qu'il relisait. Je ne pensais qu'à Egon. À la place du président Mitterrand, devant la cheminée de marbre, je voyais sa dépouille pendue à la verrière de l'atelier du passage de la Folie. Le président voulait revisiter Trianon, Saint-Denis, Vézelay. Je le fis rire en lui racontant qu'un jour j'avais connu une attraction mystique si forte dans la crypte de Vézelay que j'avais bien pensé que je ne pourrais plus en sortir. Avait-il vécu pareille extase ? Il s'était levé, péniblement, et, du balcon, me désignait deux colverts qui erraient dans le parc aux abords du bassin.

VIII. Ils sont restés dans le désordre et la poussière de l'atelier de la Folie mes talismans : l'épée d'Anvers, le Graal de Sénanque et le crâne malouin que faisait tournoyer Egon.

Ici, j'ai mes tortues, mes papiers blancs, Notre-Dame-de-la-Garde, et *L'Énéide*. Bientôt peut-être le pallium que m'a promis Miltiade.

*

Je vais avec lui. La Rome souterraine n'a plus de secrets pour moi. Des heures nous allons par les galeries des catacombes de Priscilla. Les niches sont creusées dans le tuf. Sur l'argile ocre, on lit encore les symboles de la foi, quand elle naissait : les poissons, des cerfs, des agneaux. Des concrétions de carbone salissent parfois les alvéoles. En marchant, Miltiade II l'Obscur évoque la mort de la planète. Depuis l'attentat dont il a été victime à Bruxelles, il paraît désenchanté, mais sa foi n'en est que plus ardente. Tout vêtu de bure grise, on dirait un passeur noir des catacombes. Il me parle de mes crucifiés de Paris, évoque de manière incidente le *Jugement* qu'il m'a commandé, comme s'il pressentait que je ne veux plus peindre. Sait-il que le *porteur d'éclair* a tracé son dernier tableau dans le sable d'un monastère japonais ? Dans nos déambulations souterraines deux rites me plaisent plus que tout : la messe qu'il célèbre pour moi seul sur l'autel basaltique de la crypte de San Salvatore in Onda et nos pèlerinages aux catacombes de San Callisto devant la sépulture du premier Miltiade.

Le *Jugement* peine. Au centre, un pied parfait, un pied crucifié. Celui d'Egon.

IX. Les feuillets mobiles de mon *atelier portatif* se figent. Des tablettes d'argile.

X. J'ai toujours eu la passion des chambres. Et des chambres spartiates. J'ai toujours dormi et fait l'amour dans des chambres blanches. Celle du passage de la Folie, celle que me prêtait Gaëlle Ausborne, boulevard du Montparnasse, et où insomniaque, au retour de la clinique de Rueil, je lisais des psaumes et *Le gant de crin* de Reverdy. J'ai connu aussi des chambres noires : celle de Rueil où je m'enfermais pour entendre les enregistrements des *Passions* de ma mère, cette pièce que j'avais murée dans mon appartement du Père-Lachaise et où, hagard, je restais des heures à regarder sur de vieux films en super-huit les premiers pas de Véronique, et cette salle obscure aussi, à Kyôto, tout à côté du Nanzen-ji, là où j'ai peint mes triptyques en hommage à Egon Oder, et plus particulièrement celui où sur son corps sacrifié j'ai tracé une estafilade de sperme.

XI. *Vendredi saint.* Avant le chemin de croix officiel au Colisée, j'ai accompagné le pape, pieds nus, dans sa cérémonie secrète. C'était au Vatican, dans une chapelle que je ne connaissais pas, avec sur les murs des toiles éventrées et des fresques qui se défont. Treize cardinaux, en vieille pourpre élimée et pieds nus, accompagnaient le pape. Ils gémissaient, hurlaient des déplorations. Une barrière polychrome me séparait d'eux. Ils ont déroulé un linge, découvert la statue d'un Christ gisant. Ils plongeaient les mains dans le tabernacle de la statue et communiaient à ses entrailles... Derrière eux, très loin de moi, posée sur une haute colonne, une silhouette noire veillait : il m'a semblé reconnaître la Vierge ouvrante d'Ettal.

XII. Les deux triptyques de Kyôto — à la mémoire d'Egon Oder et de Véronique — ont le même sous-titre : *Reliquaires d'un désir*. Je déteste revoir mes tableaux, mais je cache dans cet appartement romain deux reproductions de ces toiles : celle où l'on voit Egon assis, la jambe gauche relevée sur le genou droit, en jeans noirs et se tenant la cheville, et celle où une balafre de semence gicle sur son corps pendu. *Reliquaires d'un désir* : ma devise et mon testament de peintre des corps.

XIII. Le noir et le blanc. Comme la dualité de mes chambres et de mes sanctuaires. Ce seront les couleurs du *Jugement* s'il arrive à prendre forme autour du pied parfait et crucifié d'Egon. Mes traces de peintre. Comme la bave de l'escargot sur le schiste de pas japonais. Comme un jet de sperme sur le corps noirci d'un amant. Comme cette neige que je croyais avoir vu tomber sur les rochers et sur les mousses du Daisen-in, et qui n'avait jamais existé que dans les mots du jeune architecte bressan, sous les murailles du Père-Lachaise, au sortir du Grand Palais et de l'Élysée, un jeudi soir d'octobre 1994.

P.-S : J'ai décidé, lors d'une prochaine promenade avec Miltiade, d'enfouir ces tablettes dans la crypte basaltique de l'église San Salvatore in Onda. Le pape les bénira. Elles ne résisteront peut-être pas aux inondations du Tibre. E.S.B.

FIN
Finistère, Paris, Japon, Finistère,
février 1995-août 1996

CHRONOLOGIE SOMMAIRE

1940. Naissance à Munich de père allemand et de mère française.

1951-1956. Études au collège bavarois d'Ettal.

1956-1961. Académie d'Anvers. Le *Triptyque d'Anvers*. Naissance de Véronique.

1961. Installation à Paris. Création de meubles. Travaille pour Malraux (Le Palais-Royal et la Lanterne) et de Gaulle (*Richelieu*).

1970. Départ pour les royaumes du Nord. Installation en Irlande et en Bretagne. Mort d'Adam Van Johansen (1974).

1981. Retour à Paris.

1982. Mort d'Hélène Berg.

1983-1985. Séjours psychiatriques. Crise mystique.

1986-1987. Travaux à Sénanque et à Saint-Malo. Rencontre Egon.

1988. Mort de Véronique. Peint la chapelle de la Roque. Début de la série des Corps crucifiés.

1992. Retrouvailles avec Fabian. Le fait poser. En parallèle, grands portraits d'Egon.

1994. Rétrospective au Grand Palais. Le matin du vernissage, suicide d'Egon.

1996. Voyage au Japon.

1999. Installation définitive à Rome.

Composition Bussière
et impression Bussière Camedan Imprimeries
à Saint-Amand (Cher), le 4 novembre 1997.
Dépôt légal : novembre 1997.
1ʳ dépôt légal : juillet 1997.
Numéro d'imprimeur : 1/3022.
ISBN 2-07-075024-8./Imprimé en France.